TRES EN UNO

GUÍA DE ESTUDIO DE LA BIBLIA
1. Lecciones de la Escuela Sabática para adultos
2. Material auxiliar para el maestro
Caminar la vida cristiana

3. LIBRO COMPLEMENTARIO
Palabras clave de la fe cristiana

LAS 13 CLAVES DE NUESTRA FE

Reinder Bruinsma

APIA

GEMA EDITORES

DIVISIÓN
Sudafricana-Océano Índico

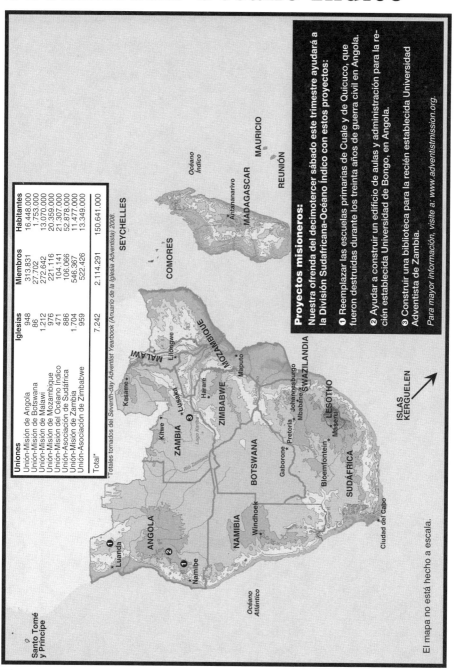

Uniones	Iglesias	Miembros	Habitantes
Unión-Misión de Angola	948	313.831	16.448.000
Unión-Misión de Botswana	86	27.702	1.753.000
Unión-Misión de Malawi	1.212	272.642	13.070.000
Unión-Misión de Mozambique	976	221.116	20.359.000
Unión-Misión del Océano Índico	471	104.141	21.307.000
Unión-Asociación de Sudáfrica	886	106.066	52.878.000
Unión-Misión de Zambia	1.704	546.367	11.477.000
Unión-Asociación de Zimbabwe	959	522.426	13.349.000
Total*	7.242	2.114.291	150.641.000

*Totales tomados del Seventh-day Adventist Yearbook (Anuario de la Iglesia Adventista) 2008.

Proyectos misioneros:

Nuestra ofrenda del decimotercer sábado este trimestre ayudará a la División Sudafricana-Océano Índico con estos proyectos:

❶ Reemplazar las escuelas primarias de Cuale y de Quicuco, que fueron destruidas durante los treinta años de guerra civil en Angola.

❷ Ayudar a construir un edificio de aulas y administración para la recién establecida Universidad de Bongo, en Angola.

❸ Construir una biblioteca para la recién establecida Universidad Adventista de Zambia.

Para mayor información, visite a: www.adventistmission.org.

El mapa no está hecho a escala.

CAMINAR LA VIDA CRISTIANA

CONTENIDO

Guía de Estudio de la Biblia

(Lecciones de la Escuela Sabática)

Para Maestros

Abril-junio
de 2009

Autor
Reinder Bruinsma
Colaboradores
Fylvia Fowler Kline, Alan
Hecht, Faith Hunter, John
Fowler, Cheryl Des Jarlais,
Dwain Esmond
Dirección general
Clifford Goldstein
Dirección editorial
Carlos A. Steger
**Traducción y redacción
editorial**
Rolando A. Itin
Diseño de tapa
Rosana Blasco
Ilustraciones
Lars Justinen

Las Guías de Estudio de la Biblia son preparadas por la oficina de las Guías de Estudio de la Biblia para Adultos de la Asociación General de los Adventistas del Séptimo Día. La preparación de estas guías ocurre bajo la dirección general de una comisión mundial de evaluación de manuscritos para la Escuela Sabática, cuyos miembros actúan como consultores. Las lecciones publicadas reflejan las sugerencias de la comisión, de modo que no representan exclusivamente la intención del autor de ellas.

Colección Guía de Estudio de la Biblia

Es propiedad de Copyright © APIA 2008

Asociación publicadora interamericana,
2905 NW 87th Avenue,
Miami, Doral, 33172, EE. UU.

ISBN 987-567-081-2 (Edición para adultos)
ISBN 987-567-082-0 (Edición para maestros)

Impreso y encuadernado para APIA por:
3Dimension Graphics, INC.

Impreso en EEUU.
Printed in USA.

PUBLICACIONES
ADVENTISTAS DEL 7° DIA

Reacción

Uno de los grandes pensadores de los siglos XVIII y XIX, Pierre Laplace, escribió un libro acerca del movimiento de los planetas. Lo llamó *Mecánica celeste*, y presentó en persona un ejemplar del libro al emperador Napoleón. Alguien le había dicho anticipadamente, a Napoleón, que el libro nunca mencionaba a Dios. El Emperador tomó el libro y dijo: "Sr. Laplace, me dicen que usted escribió este libro grande sobre el sistema del universo, y que ni siquiera mencionó a su Creador". Laplace, resueltamente, respondió: "No tengo necesidad de esa hipótesis".

Este incidente es una metáfora para lo que ha sido conocido como "la Era Moderna", una era en la cual la lógica, la razón y la ciencia han formado el fundamento de toda verdad. De acuerdo con este concepto, toda la realidad se puede reducir a fórmulas, leyes y a predicciones científicas. Si algo no se puede explicar por medio de la lógica, la razón y la ciencia, entonces no es real.

En años recientes, ha habido una reacción contra esta forma de pensar. La gente no cree, y con razón, que toda la realidad pueda ser explicada con la fría racionalidad sola. Hay algo acerca de nosotros que ninguna fórmula, ningún tubo de ensayo, ninguna ley científica, alguna vez pudo captar.

Esta reacción se ha difundido a todos los ámbitos de la vida, incluyendo la religión; sin embargo, como sucede con la mayoría de las reacciones, en algunos casos ha ido demasiado lejos, hasta el punto de poner a un lado o ignorar el concepto de la verdad doctrinal. Lo que es importante, se nos dice, no son las enseñanzas o la doctrina, sino la *experiencia*. Lo que hace tu fe por ti ahora, eso es lo que importa. En lugar de decir: "Aquí hay razones que nos obligan a creer en Jesucristo y en su promesa de salvación", la tendencia (otra vez, una reacción) es decir: "Nuestra comunidad de fe te invita a unirte con nosotros en esta aventura de confianza y compromiso".

Ahora bien, esto no es del todo malo. ¿No dijo Jesús que su verdad tendría resultados concretos y prácticos en nuestras vidas (Juan 8:32)? Por supuesto. La verdad no es solo el conocimiento de doctrinas y textos, sino algo que influye sobre el creyente en el ámbito personal. La verdad afecta la vida espiritual e impacta en cómo una persona se relacionará con los desafíos de la vida diaria. Hay un aspecto práctico de nuestra religión, que cambia la vida, que nunca debiera ser negado o denigrado. Al mismo tiempo, el lugar de la experiencia nunca debería disminuir la importancia de las enseñanzas bíblicas correctas.

Este trimestre queremos considerar ambos aspectos de nuestra fe: la doctrina y la experiencia. En nuestro estudio durante este trimestre, nos concentraremos en trece temas esenciales de la fe cristiana, trece enseñanzas esenciales. La lección de cada semana intentará mantener un equilibrio cuidadoso entre una comprensión bíblica correcta de estos diversos elementos de nuestra fe y cómo impactan en nuestra experiencia diaria. Es nuestra esperanza que al final del trimestre no solo entiendas mejor estos temas, sino también hayas sido enriquecido en lo que se refiere a tu experiencia cristiana. Cada lección no es solo acerca de la verdad sino acerca de "la verdad como es en Jesús".

Después de todo, él es el Alfa y la Omega de nuestra fe. Puede haber trece temas diferentes, pero tendrán un mismo centro: aquel en quien "vivimos, y nos movemos, y somos" (Hech. 17:28).

Reinder Bruinsma, nacido en Holanda, ha servido en diversas responsabilidades a lo largo de su larga carrera en la iglesia. Bruinsma es autor de casi veinte libros, algunos de los cuales han sido traducidos a varios idiomas, y era presidente de la Iglesia Adventista del Séptimo Día en Holanda cuando escribió esta Guía de Estudio de la Biblia.

CLAVE DE ABREVIATURAS

AFC	A fin de conocerle
AO	Alza tus ojos
CBA	Comentario bíblico adventista, tomos 1, 4, 5, 6, 7 (*CBA* 1, y así en adelante)
CC	El camino a Cristo
CN	Conducción del niño
CS	El conflicto de los siglos
DBA	Diccionario bíblico adventista
DTG	El Deseado de todas las gentes
Ed	La educación
EJ	Exaltad a Jesús
HAd	El hogar adventista
HAp	Los hechos de los apóstoles
HR	La historia de la redención
JT	Joyas de los testimonios, tomo 1 (*JT* 1)
MeM	Meditaciones matinales (1953)
MR	Manuscript Releases, tomo 6 (*MR* 6)
NB	Notas biográficas
NVI	*La Biblia, Nueva Versión Internacional*
PP	Patriarcas y profetas
PVGM	Palabras de vida del gran Maestro
R&H	Review and Herald [Revista Adventista, en inglés]
T	Testimonies for the Church [Testimonios para la iglesia], tomo 2 (*T* 2)
TMKH	That I May Know Him

BIBLIOGRAFÍA

Anselmo de Canterbury. <http://www.satucket.com/lectionary/Anselm.htm>

Baumgartner, Erich W., ed *Re-Visioning Adventist Mission in Europe.* Berrien Springs, Mich.: Andrews University Press, 1998.

Bloesch, Donald G. *God the Almighty: Power, Wisdom, Holiness, Love.* Downers Grove, Ill.: InterVarsity Press, 1995.

Bonhoeffer, Dietrich. *The Cost of Discipleship.* Nueva York: The MacMillan Company, 1965.

Brunt, John C. *The Abundant Life Bible Amplifier: Romans.* Boise, Idaho: Pacific Press Publ. Assn., 1996.

Dawn, Marva J. *Keeping the Sabbath Wholly.* Grand Rapids: Wm. B. Eerdmans Publ. Co., 1996.

Dederen, Raoul, ed. *Handbook of Seventh-day Adventist Theology.* Hagerstown, Md.: Review and Herald Publ. Assn., 2000.

Dybdahl, Jon L. *Adventist Mission in the 21st Century.* Hagerstown, Md.: Review and Herald Publ. Assn., 1999.

_____.*La Biblia amplificada: Éxodo.* Buenos Aires: Asoc. Casa Editora Sudamericana, 1997.

Gulley, Norman. *¡Cristo viene!* Buenos Aires: ACES, 2003.

Interpreter's Bible, The. Nashville, Tenn.: Abingdon Press.

Johnsson, William G. *The Abundant Life Bible Amplifier: Hebrews.* Boise, Id.: Pacific Press Publ. Assn., 1994.

Ketcherside, W. C. *In the Beginning,* cap. 11: "Fear of Love". (<http:www.mun.ca/rels/restmov/texts/wc-ketcherside/itb/chap11.html>)

Knight, George R. *Exploring Hebrews: A Devotional Commentary.* Hagerstown, Md.: Review and Herald Publ. Assn., 2003.

Lewis, C. S. *The Four Loves.* Londres: HarperCollins, 1998.

Macquarrie, John. *Principles of Christian Theology.* Londres: SCM Press, 1966.

Nappa, Mike. *The Courage to Be a Christian.* West Monroe, La.: Howard Publ. Co., 2001.

Paete, Josh. "Zeno's Paradoxes". <http://www.en.wikipedia.org/wiki/Arrow_paradox>

Parker, Dorothy. <http://www.workinghumor.com/quotes/dorothy_parker.shtml>

Paulien, Jon. *La Biblia amplificada: Juan.* Buenos Aires: Asoc. Casa Editora Sudamericana, 2000.

Rice, Richard. *The Reign of God.* Berrien Springs, Mich.: Andrews University Press, 1997.

Rodin, R. Scott. *Guardians in the Kingdom.* Downers Grove, Ill.: InterVarsity Press, 2000.

Strand, Kenneth, ed. *The Sabbath in Scripture and History.* Washington, D. C.: Review and Herald Publ. Assn., 1982.

Van Dolson, Leo R. y J. Robert Spangler. *Healthy, Happy, Holy.* Washington, D. C.: Review and Herald Publ. Assn., 1975.

Vick, Edward W. H. *Let Me Assure You.* Mountain View, Cal.: Pacific Press Publ. Assn., 1968.

Yancey, Philip. *What's So Amazing About Grace?* Grand Rapids, Mich.: Zondervan, 1997.

EL AMOR

Sábado   *28 de marzo*

LEE PARA EL ESTUDIO DE ESTA SEMANA: Isaías 53; Mateo 22:37-39; 1 Corintios 13; 1 Juan 3; 1 Juan 4.

PARA MEMORIZAR:

"Y ahora permanecen la fe, la esperanza y el amor, estos tres; pero el mayor de ellos es el amor" (I Cor. 13:13).

ES MUY ADECUADO que una guía de estudio que trata de los conceptos clave de la fe cristiana comience con el tema del amor. El apóstol Pablo destaca que, por importante que sean la fe y la esperanza, y otros elementos del cristianismo, todo comienza con el amor. Él dijo que sin amor somos "nada" (1 Cor. 13:2).

Unos cinco siglos antes de que naciera Cristo, el poeta griego Sófocles declaró: "Una palabra nos libra de todo el peso y el dolor de la vida. Esa palabra es amor". Aunque estas palabras son verdaderas, este sabio griego todavía ignoraba las profundidades del amor que sería proclamado y ejemplificado por nuestro Salvador.

Dios es amor. Cualquier otra cosa que sea Dios, y cualquier cosa que haya hecho, que hace o que hará, todo es una manifestación de su amor. El amor de Dios excede por mucho lo que los seres humanos suelen llamar amor, que a veces es un mero sentimiento superficial o una pasión temporaria que a menudo está mezclada con egoísmo y codicia. Dios no solo *tiene* amor o *muestra* amor; él *es* amor.

UN VISTAZO A LA SEMANA. El amor de Dios por la humanidad se ha revelado de muchas maneras, la mayor de las cuales es la Cruz. Como seguidores de Jesús, respondemos a su amor al amar a otros así como Cristo nos amó a nosotros.

Domingo

EL AMOR: LA TELA DE LA VIDA

Necesitamos comer y beber a fin de mantenernos vivos. Sin líquidos para beber o comida para comer, pronto llegaremos al final. Pero, a fin de vivir en el sentido real de la palabra, también necesitamos amor. La vida sin amor es una clase subhumana de existencia. Hay una necesidad interna, en nosotros, de recibir amor. Necesitamos el amor de los padres. Necesitamos el amor de la familia y de los amigos. Necesitamos ser una parte de una comunidad amante. Pero tanto como necesitamos recibir amor, también necesitamos dar amor. No somos verdaderamente humanos si no podemos amar. Pero, que esto sea claro: el verdadero amor no comienza con nosotros. La capacidad de amar es creada en nosotros por nuestro Creador. (Ver Gén. 1:26; Juan 3:16.)

¿Cuán totalmente importante es el amor en la vida del seguidor de Cristo? Mat. 22:37-39; 1 Cor. 13:1-3; 1 Juan 3:14.

_____

_____

El amor de Dios siempre es anterior a nuestro amor. El amor es vital. El verdadero "amor no es un impulso, sino un principio divino, un poder permanente. El corazón no consagrado no puede originarlo ni producirlo. Solo se encuentra en el corazón en el que reina Jesús. 'Nosotros le amamos a él, porque él nos amó primero' (1 Juan 4:19). En el corazón renovado por la gracia divina, el amor es el principio de acción dominante" (*HAp* 455).

El escritor británico C. S. Lewis usa los términos "amor de regalo" y "amor de necesidad" para diferenciar entre el amor de Dios y las formas humanas del amor. Mientras que Dios quiere nuestro amor más que ninguna otra cosa, él no necesita nuestro amor del mismo modo en el que nosotros necesitamos de él y de los demás seres humanos. "Nosotros [debemos] comenzar en el principio real, con el amor como una energía divina. Este amor fundamental es amor de regalo. En Dios no hay apetito que necesite ser calmado; solo abundancia que desea dar" –C. S. Lewis, *The Four Loves*, p. 121. Nuestro amor humano necesita ser transformado por el amor divino, de modo que –mientras continuamos anhelando el amor de otros– seamos capaces de dar amor en una manera realmente cristiana.

Por tu propia experiencia, ¿cuál es la diferencia entre el amor humano y el amor de Dios? ¿Qué clase de amor humano ejemplifica mejor el amor de Dios? ¿De qué modo podemos manifestar mejor el amor de Dios en nuestras propias vidas?

EL DIOS DEL ANTIGUO TESTAMENTO - UN DIOS DE AMOR

Se dice a menudo que el amor de Dios se manifiesta claramente solo en el Nuevo Testamento, mientras que "el Dios del Antiguo Testamento" es un Dios de justicia e ira. Pero, un estudio cuidadoso de toda la Biblia muestra que Dios no tiene una personalidad dividida. Aunque el amor de Dios se manifestó en la medida más plena en Cristo (como se describe en el Nuevo Testamento), el Dios de los tiempos del Antiguo Testamento es igualmente un Dios de amor supremo. Dios no cambia (Sant. 1:17). Él no evoluciona gradualmente de un Dios de ira o un Dios de justicia a un Dios de amor. El amor de Dios es eterno. Las palabras a su pueblo del Antiguo Testamento se aplican siempre: "Con amor eterno te he amado" (Jer. 31:3).

Considera unas pocas evidencias importantes del amor de Dios en los tiempos del Antiguo Testamento como se enumeran abajo, y añade algunas otras evidencias claras de su amor que se encuentran en otras partes del Antiguo Testamento.

1. El amor de Dios en la Creación (Gén. 1:26-31; 2:21-25).

2. La provisión de una solución al problema del pecado (Gén. 3:15; 22:8; Isa. 53).

3. El don del sábado (Éxo. 31:12-17).

4. El continuo don de profecía (Amós 3:7).

Hay historias y declaraciones, en el Antiguo Testamento, que son, por lo menos superficialmente, difíciles de comprender. Es cierto lo que leemos acerca de derramamiento de sangre y de guerras. Pero nunca olvidemos que Dios se describe en forma consistente como el Dios del pacto, que atrae a la gente a sí mismo y no la abandona, a pesar del hecho de que ella le da la espalda una y otra vez. Debemos recordar, también, que la paciencia de Dios tiene un límite.

¿Qué respondes cuando te confrontan con preguntas acerca de la guerra y el derramamiento de sangre en el Antiguo Testamento? ¿Cómo concilias el mandato divino de eliminar naciones enteras (por ejemplo, cuando Israel tomó posesión de la tierra de Canaán) con el concepto de un Dios de amor?

EL DIOS DEL NUEVO TESTAMENTO - UN DIOS DE AMOR

¿Por qué vino Jesucristo al mundo? ¿Por qué tuvo que sufrir, y fue necesario que él muriera en una cruz? Y ¿por qué volverá y restaurará este mundo a su condición inmaculada original? ¿No había otro camino? Y, si no lo había, ¿por qué pasa tanto tiempo antes de que el problema del pecado sea totalmente resuelto? No tenemos posibilidades de responder estas preguntas. En su sabiduría infinita, Dios "ideó" un plan para tratar con el problema del pecado de la mejor manera posible. Siendo un Dios santo, no podía pasar por alto la rebelión contra su Ley perfecta; siendo amor, no podía quedarse atrás y permitir que sus criaturas perecieran sin hacer lo máximo para salvarlas.

"La santidad de Dios es su majestuosa pureza, que no puede tolerar el mal moral. El amor de Dios es su abrazo expansivo y tierno al pecador. La santidad de Dios es su alejamiento de lo que es impuro y profano. El amor de Dios es su disposición a identificarse con los que son impuros, con el fin de ayudarlos" –Donald G. Bloesch, *God the Almighty: Power, Wisdom, Holiness, Love*, pp. 140-143.

¿Qué nos enseñan los siguientes textos sobre el mensaje que da el Nuevo Testamento acerca del amor de Dios?
1. El don divino de su Hijo (Juan 3:16).
2. El Hijo, que se da a sí mismo (Fil. 2:5-8).
3. El don del Espíritu Santo (Juan 14:15-18; Hech. 2:1-4).
4. La disponibilidad de los dones espirituales (Efe. 4:11-13).
5. La certeza de la salvación (1 Juan 3:1-3).
6. Un futuro eterno en un ambiente de amor (2 Ped. 3:13).

¿De qué modo resumirías el mensaje del Nuevo Testamento acerca del amor de Dios?

_____

_____

¿De qué manera los mensajes de los tres ángeles, de Apocalipsis 14:6 al 12, se ajustan a este tema general del amor divino que presenta el Nuevo Testamento? Elena de White habla acerca del mensaje del tercer ángel como la buena nueva de la justificación por la fe, "en verdad". ¿De qué modo todo eso se adecua al tema del amor de Dios por la humanidad?

UNA RESPUESTA DE AMOR

La realidad trágica de este mundo incluye amor propio, ambición ciega, odio, competencia, corrupción y guerra. Mientras los ciudadanos de este mundo se permitan, a sabiendas o no, ser guiados por los principios del príncipe de las tinieblas, el amor no tendrá posibilidad de florecer. La Madre Teresa de Calcuta dijo en cierta ocasión: "Si juzgas a la gente, no tendrás tiempo de amarla".

Si realmente hemos sido convertidos y llegado a ser discípulos del Señor, el principio del amor reinará en nuestras vidas. Cualquiera que sea nuestra debilidad, nuestro amor a Dios y a los demás seres humanos crecerá firmemente. En un sentido muy real, la conversión es una reorientación: un cambio del amor propio al amor a Dios y el amor a los semejantes.

¿Qué principio subyacente deberíamos percibir al estudiar los mandamientos que Dios nos ha dado? ¿Ha operado este principio en forma diferente desde que Cristo vino a este mundo? Deut. 6:5, 6; Mat. 22:37-40.

_____

_____

Si realmente hemos sido cambiados por Jesucristo, su amor caracterizará nuestro trato con los demás. Aunque no nos gusten algunas personas, se nos llama a amar a todos, aun a nuestro mayor enemigo. Esto beneficiará no solo a la gente con la que nos asociamos, sino también demostrará ser una enorme bendición para nosotros mismos. Dales amor y aceptación incondicionales a aquellos con quienes te encuentres, y observa lo que sucede.

¿De qué modo debería el amor saturar lo que decimos y hacemos? Mat. 5:44; 25:31-46; 1 Ped. 1:22.

_____

_____

"Si los miembros de iglesia eliminan todo culto al yo y quieren recibir en su corazón el amor a Dios y el amor mutuo que llenaba el corazón de Cristo, nuestro Padre celestial manifestará constantemente su poder mediante ellos. Únanse los hijos de Dios con las cuerdas del amor divino. Entonces el mundo reconocerá el poder de Dios que obra milagros, y reconocerá que él es la Fortaleza y el Ayudador de su pueblo que guarda sus mandamientos" –"Comentarios de Elena G. de White" (_CBA_ 7:951).

¿Eres tú naturalmente amante o naturalmente egoísta y centrado en ti mismo? ¿Qué pasos prácticos puedes dar para alejarte del yo y manifestar amor a los demás?

LECCIÓN I

EL AMOR PERSONIFICADO

Jesucristo es nuestro modelo máximo. Si nos preguntamos cómo debería ser nuestro amor, solo necesitamos mirar a nuestro Salvador. En él vemos el ejemplo perfecto. Humanamente hablando, Cristo tenía todas las razones para que no le gustaran muchas personas, o aun podría haberlas odiado. Los líderes espirituales tenían tanta envidia por su éxito que constantemente lo molestaban y finalmente decidieron eliminarlo. ¿Por qué él debía haber amado a esa gente? Su propia familia, a veces, tampoco lo apoyaba. Sus discípulos a menudo peleaban entre sí y estaban ausentes cuando su presencia hubiera sido muy importante. ¿Cómo podía amarlos en esos momentos cuando lo abandonaron completamente?

Además de todo esto, Jesús también manifestó su amor en particular hacia aquellos que no recibirían mucha atención positiva de los líderes espirituales de sus días: las mujeres (incluyendo prostitutas), los que sufrían de lepra, la gente de Samaria, los miembros de la fuerza invasora y los recolectores de impuestos.

Considera cuidadosamente algunos ejemplos concretos en los que Jesús mostró amor abnegado, en circunstancias en las que la mayoría de la gente hubiera encontrado difícil hacerlo.

1. Lucas 17:12-19
2. Juan 13:1-17
3. Juan 19:25-27

¿De qué modo debería impactar, en nuestro discipulado, la manifestación del amor divino del ministerio de Jesús? 2 Cor. 5:14; Fil. 2:2.

_____

_____

Pablo dice que el amor de Cristo nos constriñe (2 Cor. 5:14). La construcción del original griego puede traducirse como que el amor que viene de Cristo nos obliga o constriñe, o también lo hace el amor que tenemos por Cristo. Ambos significados son gramaticalmente justificados y, además, teológicamente correctos. Cuando captamos algo de la magnitud del amor de Cristo, esto creará en nosotros una respuesta amante, y esto nos dará el intenso deseo de compartir ese amor con otros.

Jesús también amó a los que eran despreciados por la mayoría de la gente y eran considerados más bien difíciles de amar. Él hizo esfuerzos especiales para mostrarles su amor. ¿De qué modo muestro mi amor hacia los desposeídos, a las personas que viven en la marginalidad de la sociedad y a los que de ninguna manera representan los valores que aprecio más?

PARA ESTUDIAR Y MEDITAR: Lee, en _El camino a Cristo_, el capítulo "Amor supremo", pp. 7-14. Lee también, en _El Deseado de todas las gentes_, los capítulos "El Calvario", pp. 690-705, y "Consumado es", pp. 706-713.

PREGUNTAS PARA DIALOGAR:

1. No podemos escapar de la pregunta "por qué": Si Dios es amor, ¿por qué hay tanto sufrimiento? No es solo la escala de sufrimiento lo que causa que la gente cuestione el amor de Dios sino también el hecho de que pareciera que tantas cosas afectan a las personas inocentes y tantas parecen totalmente sin sentido. ¿De qué modo nosotros, cristianos adventistas del séptimo día, tratamos esta realidad? ¿De qué modo nuestra comprensión del gran conflicto nos ayuda a comprender este tema tan difícil?

2. ¿Cómo podemos amar a un padre abusivo, a un homicida serial o a una persona totalmente egoísta? ¿Cómo amó Jesús a los que eran totalmente difíciles de amar?

3. ¿Cómo podemos amar continuamente si no hay respuesta a ese amor? ¿Cómo siguió amando Jesús a los que nunca responderían a su amor?

4. ¿Quiénes son los despreciados, los marginados, los que son rechazados por tu propia sociedad? ¿Qué clase de ministerio tiene tu iglesia en favor de tales personas? ¿Qué sería necesario para que tú mismo y tu iglesia se involucraran en ese trabajo?

5. En un sentido real, el verdadero amor demanda una muerte al yo, una disposición a poner a un lado el yo para el bien de otros. ¿Qué elecciones tenemos que hacer a fin de experimentar esa muerte al yo?

6. Además de la Cruz, ¿de qué otras maneras podemos ver el amor de Dios por la humanidad?

Resumen: Dios es amor. Esta característica es básica para todo lo que Dios es y hace. Este Dios amante ya fue revelado en el Antiguo Testamento, pero su forma máxima de amor se ve en el don de su Hijo, Jesucristo, para nuestra salvación. Este amor divino encuentra una respuesta en el amor del cristiano. Si profesamos ser discípulos de nuestro Señor Jesucristo, nuestra vida estará marcada por el amor incondicional hacia nuestro Hacedor y un amor abnegado hacia los demás.

El sábado enseñaré...

Texto clave: 1 Corintios 13:13.
Enseña a tu clase a:
>**Saber** que Dios es amor y que Jesús es la máxima expresión de ese amor.
>**Sentir** la diferencia entre el amor humano y el amor divino abnegado y que abarca todo.
>**Hacer** que se manifieste el amor de Dios en nuestras vidas mediante Cristo.

Bosquejo de la lección:
I.   Necesidad de amar (Gén. 1:26)
>A. Una paráfrasis de la Biblia traduce este texto así: "Hagamos seres humanos [...] que reflejen nuestra naturaleza". Por cuanto reflejamos la naturaleza de Dios, y siendo que Dios es amor, nosotros deberíamos reflejar este amor mediante nuestros actos. ¿Cómo podemos hacer esto en nuestras vidas?
>B. Como seres humanos, todos tenemos la necesidad de amar y de ser amados. ¿En qué se diferencia el amor de Dios del amor de otros seres? ¿Puedes reemplazar el uno con el otro? ¿Por qué sí o por qué no?

II. Experimentar el amor (1 Juan 3)
>A. El amor extraordinario de Dios se destaca en todas las Escrituras. La Creación, el don del sábado, el plan de salvación y el Espíritu de Profecía, todos afirman la naturaleza amante de Dios. Comenta maneras específicas en que has experimentado el amor insondable de Dios.
>B. El don de la vida eterna es la demostración máxima del amor. ¿Qué otros ejemplos existen del amor de Dios?

III. Reflejar el amor (Mat. 22:35-40)
>Nuestra reacción al amor de Dios debería ser el amor hacia los demás. Esto puede ser difícil de hacer en un mundo lleno de pecado. ¿De qué manera puedes reflejar mejor el amor de Dios?

Resumen: Dios es amor. Cuando permitimos que Cristo permanezca dentro de nosotros, este amor se revelará en nuestras vidas.

Ciclo de aprendizaje

Concepto clave: El amor es el atributo que define a Dios. Todas las acciones de Dios, desde la Creación hasta la Redención, son motivadas por su amor abnegado e incondicional por nosotros.

SOLO PARA LOS MAESTROS: EN ESTA LECCIÓN, NOS CONCENTRAMOS EN EL AMOR DE DIOS HACIA NOSOTROS. AYUDA A TUS ALUMNOS A COMPRENDER LA IMPORTANCIA CENTRAL DEL AMOR EN NUESTRAS RELACIONES CON DIOS Y EN NUESTRA VIDA CRISTIANA. ¿CÓMO PODEMOS REPRODUCIR EL AMOR DE DIOS EN NUESTRAS RELACIONES CON OTROS?

Celso, uno de los muchos críticos en la antigüedad tanto de los cristianos como del cristianismo, escribió irónicamente: "Estos cristianos se aman mutuamente *antes* de conocerse".–*Ketcherside: In the Beginning.* Celso encontraba al amor cristiano como absurdo. ¿Cuánto más absurda sería para Celso la idea de que Dios, aunque ya nos conoce y sabe que no somos dignos de ser amados, nos ama de todos modos?

Considera: Como sugiere la cita de Celso, probablemente hay tantos conceptos diferentes del amor como hay personas. Pide a cada miembro de tu clase que defina lo que significa el amor y que den un ejemplo. ¿Cómo se comparan estas definiciones con el amor de Dios por nosotros? ¿De qué modo nos ayudan a comprender mejor el amor de Dios?

SOLO PARA LOS MAESTROS: LA BIBLIA DICE QUE DIOS ES AMOR Y QUE EL AMOR ES EL MAYOR DE TODOS LOS DONES ESPIRITUALES. SIN ÉL, LOS OTROS NO SIGNIFICAN NADA. NO OBSTANTE, ALGUNOS DE NOSOTROS ENCONTRAMOS QUE ES DIFÍCIL DEFINIR EL AMOR. EN CAMBIO, PREFERIMOS CONCENTRARNOS EN COSAS QUE SON MENOS PROBLEMÁTICAS. PERO ¿POR QUÉ ES TAN IMPORTANTE DEFINIR EL AMOR, AUNQUE SEA LO QUE NOS RESULTE POSIBLE DEFINIR? ANALIZA TU RESPUESTA.

Comentario de la Biblia

Panorama general: En 1 Corintios 13, se nos revela que el amor es la fuente de todo lo que es importante en la vida cristiana. En cierto modo, esta vislumbre tiene implicaciones que más bien nos acobardan cuando las pensamos en detalle: Aunque tenemos el control sobre la mayor parte de las cosas que hacemos, no podemos obligarnos a amar. Como sucede con nuestra salvación, nuestra capacidad de amar y de ser amados es un acto de la gracia de Dios.

I. "El mayor de ellos"

(*Repasa con tu clase 1 Cor. 13.*)

Al comentar acerca de la importancia del amor, Pablo lo compara

13

con el don de lenguas, el de profecía y el martirio. Para los primeros cristianos, estos dones y experiencias eran evidencias tangibles de que estaban en el sendero correcto, a pesar de la oposición y el ridículo que les presentaba el mundo. Pero los dones no son el punto central.

¿Cuál es, entonces?

El amor: El amor de Dios por los seres humanos, el amor de los seres humanos hacia Dios y el amor de los seres humanos entre sí. Los milagros, los misterios y lo que parecen actos sobrehumanos de devoción surgen del amor, y sirven a los propósitos del amor. De otro modo son solo trucos y fingimientos vacíos.

Considera: En 1 Corintios 13, Pablo describe la clase de persona que da la apariencia de hacer todo bien. ¿Te encuentras alguna vez *haciendo solo los ademanes*? ¿Cómo podemos evitar el caer en la simulación?

II. El Dios del Antiguo Testamento *versus* el Dios del Nuevo: ¿Una Personalidad divina con un "desorden de personalidad dividida" o un caso de mala comprensión humana?

(Repasa con tu clase Gén. 1:26-31; 2:21-25; 3:15; e Isa. 53.)

A algunas personas les resulta difícil conciliar al Dios del Antiguo Testamento con el Dios del Nuevo Testamento. Declaran que el Dios del Antiguo Testamento es un Dios de ira, que envía plagas y ángeles destructores, y que le gustaría más borrar el nombre de su pueblo de su libro de la vida que perdonarlo. Del mismo modo, opinan que el Nuevo Testamento nos presenta un retrato radicalmente diferente de Dios: un Dios de amor, que se sacrifica a sí mismo y que acepta a todos.

¿Cómo sabemos que el Dios del Antiguo Testamento es el mismo Dios de amor que vemos en Jesucristo, en el Nuevo Testamento? Tal vez, lo que necesita conciliarse no son dos partes de Dios, sino cómo lo vemos a Dios. Haríamos bien en recordar que el mismo Dios que envió ángeles destructores también envió el maná. El Dios del Antiguo Testamento no solo nos creó y nos preservó –como se observa en los textos citados arriba– sino también puso el fundamento de nuestra redención. ¿Cómo siquiera podríamos saber que Jesús era el que pretendía ser a menos que el Antiguo Testamento primero nos dijera cuándo, dónde y cómo debíamos esperarlo?

Considera: Jesús dijo que las Escrituras del Antiguo Testamento testifican de él (Juan 5:39). ¿Qué nos sugiere esto acerca de la unidad de los dos Testamentos para transmitir el mensaje de amor de Dios?

III. Una respuesta de amor

(Repasa con tu clase Deut. 6:5; Mat. 5:44; 22:37-40; 1 Ped. 1:22.)

La Biblia –el Antiguo Testamento y el Nuevo Testamento– nos habla de amar a Dios y amarnos unos a otros. Pero, como si decirnos eso no fuera suficiente, Dios en Jesucristo proveyó un ejemplo (Fil. 2:5-7), dio la motivación (2 Cor. 5:14, 15) y los medios (Juan 16:12-15). Todo lo que queda es permitirle que él nos cambie.

Considera: Es fácil amar a las personas con quienes tenemos algo en común, o a la gente que nos hace sentir bien con nosotros mismos. Después de todo, como dijo Jesús en Mateo 5:46, aun los recolectores de impuestos –que eran el ejemplo máximo de la inmoralidad en ese tiempo– podían hacer lo mismo. ¿Qué diremos acerca de los que nos parecen extraños o extranjeros, o que nos frustran o se oponen a nosotros? ¿Qué ejemplos podemos obtener de Jesús, de su vida y su ministerio, acerca de cómo amó a los que no eran queribles ni dignos de ser amados?

PASO **3**

¡**Practica**!

SOLO PARA LOS MAESTROS: USA LA PREGUNTA QUE SIGUE PARA AYUDAR A LOS MIEMBROS DE TU CLASE A COMPRENDER QUE EL AMOR ES VITAL PARA LA VIDA MISMA Y QUE EN DIOS VEMOS AMOR EN SU FORMA PERFECTA.

Preguntas para reflexionar:

1. Pablo afirma que de los dones espirituales –la fe, la esperanza y el amor– el mayor es el amor (1 Cor. 13:13). ¿Por qué es el mayor? ¿Cuál es su relación con los otros dos dones?

2. Cuidar a alguien o algo porque al hacerlo de algún modo nos beneficiamos es una definición –o práctica– más bien cínica del amor humano. ¿De qué modo definirías el amor humano? ¿Qué relación tiene el amor humano con el amor divino? ¿Están ambos relacionados, aun cuando el amor humano es decididamente imperfecto? ¿Difieren en clase o solamente en grado? ¿Qué pueden enseñarnos las relaciones humanas acerca del amor de Dios, y viceversa?

Preguntas de aplicación:

1. En Juan 13:34 y 35, Jesús afirma: "Un mandamiento nuevo os doy: Que os améis unos a otros; como yo os he amado, que también os améis unos a otros. En esto conocerán todos que sois mis discípulos, si tuviereis amor los unos con los otros". Él deja pocas dudas de que el cumplimiento de esta orden habría de ser la característica definitiva de iglesia. ¿Es el amor realmente lo que caracteriza a la iglesia como la vemos hoy? Si no es así, ¿por qué no? ¿Cuál es nuestro lugar, como personas, en hacer que la iglesia sea más amante y menos dispuesta a criticar a otros y a enredarse con políticas triviales?

2. Como cristianos, queremos ganar personas para el evangelio. Cultivar una actitud amante hacia otros es una manera de hacerlo. No obstan-

te, en muchos casos, Jesús mismo –la corporización máxima del amor– no pudo ganar a muchos de sus oyentes. ¿Cuál fue su reacción en tales situaciones? ¿Cómo podemos aplicar su ejemplo?

PASO 4
¡Aplica!

SOLO PARA LOS MAESTROS: ESTA SEMANA HEMOS APRENDIDO CUÁN IMPORTANTE ES EL AMOR PARA EL MENSAJE Y LA VIDA DEL CRISTIANO. SUGIERE LOS SIGUIENTES ESCENARIOS A TU CLASE PARA DETERMINAR QUÉ SERÍA UNA REACCIÓN AMANTE EN TALES CONTEXTOS. ASEGÚRATE DE RECORDARLES QUE LA RESPUESTA NO SIEMPRE ES "SONRÍE Y SOPÓRTALO". CUANDO RESPONDAN, PIDE A LOS MIEMBROS DE TU CLASE QUE RECUERDEN ESTA PREGUNTA IMPORTANTE: ¿CUÁNDO EL SILENCIO ES LA RESPUESTA MÁS SABIA Y CUÁNDO UNA RESPUESTA FIRME PERO AMANTE ES UNA OPORTUNIDAD PARA ABRIR LA PUERTA A FIN DE QUE ALGUIEN PASE POR ELLA PARA ENCONTRARSE CON JESÚS?

• Estás teniendo una conversación con alguien sobre un tema cualquiera, y llega a ser claro que la persona está interesada en asuntos espirituales. Compartes con ella tus creencias. La persona, en forma cortés pero firme, te hace preguntas profundas para las que no tienes una respuesta preparada. ¿Cómo reaccionarías?

• Alguien está difundiendo rumores destructivos e infundados acerca de ti en la iglesia o en el trabajo. Como resultado, pierdes una oportunidad de acceder a un cargo o un ministerio que realmente deseabas. Cuando descubres la fuente de los rumores, ¿cómo manejas esta situación?

• Tú eres el líder de un ministerio en tu iglesia. Sospechas que uno de tus voluntarios está con una conducta claramente incorrecta o inapropiada –tal vez ilegal o inmoral–, que afecta directamente su lugar en el ministerio. Tus sospechas son correctas. ¿Cómo enfrentas a esa persona?

• Allí está esa persona, en la misma intersección cuando vas cada día a tu trabajo. El cartel que muestra dice: "Sin hogar, hambriento, Dios lo bendiga". Tú evitas hacer contacto visual con él mientras él pasa caminando, y esperas que él no note el símbolo del pez en tu automóvil, que te señala como una persona cristiana amante. Te pide dinero. ¿Qué le dices y qué haces?

Solo para los maestros: Puedes presentar estos párrafos como preguntas o situaciones hipotéticas, o puedes representarlas, si te parece que así harían un impacto mayor.

LA FE

Sábado

4 de abril

LEE PARA EL ESTUDIO DE ESTA SEMANA: Efesios 6:10-18; Hebreos 11; Santiago 2:18, 19; 1 Pedro 1:3-8.

PARA MEMORIZAR:

"Porque por gracia sois salvos por medio de la fe; y esto no de vosotros, pues es don de Dios; no por obras, para que nadie se gloríe" (Efe. 2:8, 9).

LA FE NO DEBE CONFUNDIRSE con una convicción racional. La fe en el sentido bíblico no está basada primariamente sobre nuestra razón (aun cuando no es irracional ni irrazonable), ni se basa en nuestras emociones (aunque las emociones desempeñan su parte). La fe es una seguridad profundamente arraigada, que afecta a la persona entera. La fe es un principio que gobierna la vida. La fe es el medio por el cual nos extendemos y nos aferramos a las promesas de un Dios a quien no podemos ver y, sin embargo, sabemos que existe.

Hebreos 11:1 habla acerca de la "sustancia" de nuestra fe. William G. Johnsson, un experto en la Epístola a los Hebreos, sugiere que una mejor traducción sería: "La fe es la escritura de propiedad de lo que esperamos, la certeza de lo que no vemos" –*Hebrews*, p. 204.

UN VISTAZO A LA SEMANA: La fe es el principio guiador en la vida de un cristiano. Es la manera en que hemos de vivir y relacionarnos con Dios y los demás. Por importante que sea un asentimiento intelectual a las doctrinas, la fe es mucho más que solo eso. Esta semana consideraremos cuánto más es.

Domingo

LA FE: UN DON DE DIOS

¿Qué es la fe?

Una definición sencilla podría decir algo así: "La fe es una confianza certera y obediente en la realidad, el poder y el amor de Dios, como lo reveló en sus actos y en sus promesas para nosotros".

¡Qué don maravilloso para tener en un mundo terriblemente caído y quebrado como el nuestro! No sorprende que muchos crean que la fe es el don más maravilloso de todos los dones que los humanos podríamos tener. Ahora bien, la pregunta es: ¿Has procurado alguna vez descubrir dónde se originó tu fe? ¿Por qué es que tienes fe en Dios y otros que conoces no la tienen? ¿Fue tu crianza? ¿Tuviste padres creyentes? ¿Asististe siempre a la iglesia? Tu estudio de la Biblia y la lectura de libros acerca de la Biblia ¿te convencieron de que hay un Dios que te ama? ¿Encontraste argumentos filosóficamente satisfactorios que te prepararon para dar el "salto" de fe? En último análisis, diremos: la fe es un milagro, un don de Dios.

¿De qué modo subraya el apóstol Pablo el carácter de don que tiene la fe? Efe. 2:8.

_____

_____

Una cosa es segura: Así como no podemos ser plenamente humanos sin amor, no podemos ser lo que debemos ser sin fe. "'Sin fe es imposible agradar a Dios'. [...] Nota que Hebreos no enseña que sin fe es difícil agradar a Dios, o que sin fe tomará mucho tiempo satisfacerlo. Por lo contrario, afirma que es *imposible*. Es decir, la fe no tiene sustitutos. Por fe vivieron los héroes de Dios en lo pasado, y por fe su pueblo debe vivir hoy" –George R. Knight, *Exploring Hebrews*, p. 198.

¿De qué modo podemos ubicarnos a fin de estar preparados para tener el don de la fe? Es decir, ¿qué cambios podemos hacer en nuestras vidas para que seamos más receptivos a ese don? Rom. 10:17; ver, también, Heb. 11:6.

_____

_____

A veces escuchas que la gente dice que desearía tener fe. ¿Qué le aconsejarías? ¿Qué clase de cambios podría necesitar hacer para ser más receptiva y poder recibir ese don? Ver Mar. 9:24.

LA BASE DE NUESTRA FE

Un famoso himno británico, que ha sido traducido a numerosos idiomas, nos recuerda que "solo él rescata, sé; segura base es de mi fe" (*Himnario Adventista*, N° 256). Es importante que nunca olvidemos esta verdad. Jesucristo es el fundamento último y la fuente definitiva de nuestra fe. Pero, aun cuando el don de la fe es un misterio que permanece más allá de nuestra comprensión, se nos han dado algunas vislumbres sobre cómo se despierta y fortalece la fe. Algunos hombres y algunas mujeres de los tiempos bíblicos tuvieron una experiencia repentina que los inició en el camino de la fe. Pablo es, probablemente, el ejemplo más destacado. Otros cuentan de una percepción más gradual de la forma en que Dios dirigió sus vidas, lo que les dio un centro y una dirección en su peregrinación de fe. Sin duda, la experiencia es un componente esencial y poderoso de nuestra vida espiritual. Pero la fe también debe tener contenido, y la revelación provista en las Escrituras desempeña un papel importante para establecer nuestra fe.

¿Qué lugar tienen las Escrituras en la experiencia de fe del creyente? Juan 5:39; 2 Tim. 3:15.

Claramente, las Escrituras son de extrema importancia, y si las descuidamos será para nuestro propio peligro. Pero, de qué manera las Escrituras ayudan a despertar y edificar nuestra fe no se puede expresar con ninguna fórmula humana. Ni siquiera la famosa definición de Hebreos 11 la proporciona. "Hebreos 11:1 no nos da una definición de *pístis* [la palabra griega para fe] sino una descripción de cómo opera la fe. Ciertamente el apóstol no está ofreciendo una explicación psicológica de la fe. Más bien, se propone exponer las dos capacidades cardinales que la fe hace posibles: hacer que la esperanza sea una realidad y que lo invisible se vea" –Johnsson, *Hebrews*, p. 205.

¿Qué nos indica Santiago 2:18 y 19 acerca del carácter de la fe? ¿Por qué la fe es más que un asentimiento intelectual a creer en la existencia de Dios y otras doctrinas?

¿Por qué la lectura de la Biblia es una experiencia que cambia la vida de algunas personas, mientras que otras afirman que "no hace nada" por ellas? ¿Qué le aconsejarías a una persona que lee la Biblia y la goza como literatura pero afirma no escuchar la voz de Dios hablándole a través de ella?

Martes

EJERCER FE

Al contar las historias de los milagros sanadores de Jesús, los escritores de los evangelios destacaron que el factor subyacente no era la magia sino la fe. La gente que fue sanada recibió el desafío de ejercer su fe. "Conforme a vuestra fe os sea hecho" (Mat. 9:29), dijo Jesús. Sin embargo, experiencias extraordinarias que llevan un innegable sello de intervención milagrosa divina no siempre resultan en fe. La verdad es que muchas personas encuentran maneras para disculpar, con explicaciones, tales intervenciones divinas.

Lee Lucas 16:30 y 31. ¿Qué punto importante podemos encontrar aquí?

_____

Nuestra fe será fortalecida por la experiencia de ver a Dios en acción en nuestras propias vidas y en las vidas de otros, pero nuestra fe a menudo precederá a las intervenciones divinas en nuestra vida. La fe esperará que Dios muestre su mano. Dios ha prometido que actuará a través de nosotros y en nuestro favor si tenemos fe en él. Debemos tomarle la palabra con esa fe que confía.

Lee Romanos 1:17; Gálatas 5:6; Santiago 2:17 y 18; y 1 Juan 5:4 y 5. ¿De qué modo reflejan estos versículos diversos aspectos de este "vivir por fe"?

_____

Por otro lado, ¿cuál es el resultado trágico que sucede cuando la fe está ausente? Rom. 11:20; Heb. 3:19.

_____

El contexto de Romanos 11:20 aclara muy bien que Pablo estaba hablando acerca de los antiguos hebreos, que habían recibido la promesa de la salvación en una relación de pacto con Dios. Podrían haber experimentado la vida abundante en Cristo que trae la fe a todos los que la ejercitan, pero su experiencia, y su fracaso son un claro recordativo para nosotros de que "sin fe es imposible agradar a Dios" (Heb. 11:6).

Aunque tu fe es un don, ¿qué buenas razones tienes para poseerla? También, y esto es aun más importante, ¿cuáles son maneras prácticas mediante las cuales puedes fortalecer tu fe? Al mismo tiempo, ¿cuáles son las maneras seguras de perderla?

CRECER EN LA FE

La fe aumentará si, cuando es puesta en contacto con dudas y obstáculos, seguimos avanzando, reclamando las promesas de Dios, no importa cómo podamos sentirnos en algún momento dado, o sin tomar en cuenta cuán hostiles sean las circunstancias. La fe es más que un sentimiento; es un principio que trasciende la inconstancia de las emociones humanas. La fe es hacer lo que sabemos que Dios pide de nosotros aun cuando no nos sintamos con ánimo de hacerlo.

Si estás creciendo en la gracia y el conocimiento de Jesucristo, aprovecharás cada privilegio y cada oportunidad para obtener más conocimiento de la vida y el carácter de Cristo; es decir, harás todo lo que puedas para crecer en la gracia y aumentar tu fe.

La fe en Jesús crecerá cuando lo conozcas mejor. Esto puede suceder al meditar en su vida y en su amor. No puedes deshonrar más a Dios que profesando ser su discípulo mientras que te mantienes alejado de él.

¿Qué desafíos planteó Pedro a los creyentes? 2 Ped. 3:18.

¿De qué manera la iglesia en Tesalónica vivió a la altura de ese desafío? 2 Tes. 1:3.

Y ¿cómo te ayuda "el escudo de la fe" a crecer espiritualmente? ¿De qué manera se relaciona la fe con el resto de la "armadura de Dios" descrita en Efesios 6:10 al 18?

La meta del cristiano es llegar a ser "maduro" en la fe. Este es un proceso que dura toda la vida. Mientras experimentamos la bendición del crecimiento y el estar "firmes en la fe" (1 Cor. 16:13), podemos a veces preguntarnos por qué otros todavía son "débiles" (Rom. 14:1). A menudo hay una tendencia a olvidar que también a la mayoría de nosotros nos ha llevado un tiempo considerable antes de haber llegado a donde estamos espiritualmente hoy. Pero, cualquiera que sea nuestra reacción, nunca debería ser una actitud de orgullo y juicio a los demás (1 Cor. 10:12). Dios es aquel que hace que cada semilla de fe germine, y él también es el que produce el crecimiento que sucede en nuestra vida espiritual. No obstante, mientras eso es una verdad que nunca debe ser olvidada, también debemos recordar que por nuestras elecciones personales podemos ayudar a crear la clase correcta de ambiente en el que puede ocurrir el crecimiento espiritual.

¿Existen asociados que tienes, lugares que visitas o ciertas clases de medios a los que te expones, que impactan negativamente sobre tu fe? Si es así, ¿cuán dispuesto estás a abandonarlos? La respuesta depende de cuán importante es realmente tu fe para ti.

Jueves

LA FE EN UNA PERSONA

Las doctrinas son importantes. Cuando decimos que creemos en Dios, desearemos conocer más acerca de Dios y estaremos ansiosos de absorber lo que nos ha revelado. Es natural que deseemos tener un informe estructurado de lo que creemos acerca de nuestro Creador y su trato con nosotros, y desearemos estar seguros de que conocemos su voluntad. Pero, aunque creemos que las doctrinas de nuestra iglesia son verdaderas, nuestra fe no está anclada en un sistema doctrinal solo, sino en Jesús. Las doctrinas no son un fin en sí mismas ni por sí mismas. Las doctrinas nos ayudan a entender mejor a Jesús y lo que ha hecho por nosotros.

En un sentido, el papel de las doctrinas en la fe cristiana puede ser comparado con el papel de la gramática. Podemos comunicarnos por medio del lenguaje solo porque hay una estructura gramatical en las palabras que decimos y escribimos. En forma similar, damos una estructura al contenido de nuestra fe por medio de las doctrinas. Anselmo, un teólogo medieval, dijo las famosas palabras de que la teología es la fe que procura comprenderse a sí misma.

¿Qué nos enseña el Nuevo Testamento acerca de la importancia de una doctrina sana? 1 Tim. 4:16; Tito 2:1.

Una doctrina sana es esencial, pero la doctrina y la teología que permanecen como teoría sin vida no salvan a nadie. Hasta se puede ser un teólogo sin ser un creyente. La fe, en última instancia, no es solo sostener una cantidad de creencias bíblicamente correctas, sino confiar en la Persona de quien hablan estas doctrinas.

¿De qué modo están conectadas la salvación en esta vida, y en la vida venidera, con la fe en Jesús, la Fuente de la vida? Juan 3:36; 6:35.

¿Cuál es la convicción fundamental sobre la cual está edificada la iglesia? Mat. 16:13-19.

El pasaje de Mateo 16 a menudo ha sido usado como prueba de que el apóstol Pedro debe ser considerado el fundador de la iglesia cristiana. Esta idea no encuentra apoyo en la Biblia. Al contrario: Cristo es la Roca sobre la que está edificada la iglesia. (Ver 1 Ped. 2:4-8.) Y es la fe en esta Roca –la convicción inconmovible de que Jesús, el Hijo de Dios, es nuestro Salvador– lo que hace que la iglesia sea lo que es: no una institución humana, sino la iglesia de Dios.

Alguien dice: "Yo creo en Jesús, creo en las enseñanzas, pero a veces no puedo evitar tener que luchar con la duda". ¿Qué le dirías a esa persona? ¿Qué ayuda y consejo le darías?

PARA ESTUDIAR Y MEDITAR: "San Pedro exhorta a sus hermanos a crecer 'en la gracia, y en el conocimiento de nuestro Señor y Salvador Jesucristo' (2 Ped. 3:18). Cuando el pueblo de Dios crece en la gracia, obtiene constantemente un conocimiento más claro de su Palabra. Contempla nueva luz y belleza en sus sagradas verdades. Esto es lo que ha sucedido en la historia de la iglesia en todas las edades, y continuará sucediendo hasta el fin. [...]

"Por medio de la fe podemos mirar el futuro y aferrarnos del compromiso de Dios con respecto al desarrollo de la inteligencia, a la unión de las facultades humanas con las divinas y al contacto directo de todas las potencias del alma con la Fuente de la luz. Podemos regocijarnos en que todas las cosas que nos han confundido en las providencias de Dios serán entonces aclaradas" (CC 114, 115).

PREGUNTAS PARA DIALOGAR:

1. Hebreos 11 proporciona una galería de héroes de la fe. Nota, sin embargo, cuántas fallas de carácter y de acciones tuvieron casi cada uno de ellos. ¿Qué ánimo puedes obtener al notar sus errores y sus pecados cuando tú mismo eres tentado a abandonar la fe por causa de tus propios pecados y fallas?

2. Muchos de nosotros, una u otra vez, hemos pasado por una crisis de fe y hemos salido renovados de esta experiencia. Si esto te ha sucedido, ¿cómo sobreviviste a la crisis? ¿Qué puedes hacer cuando parezca que los miembros de tu familia o los de la iglesia local están en medio de una lucha similar? ¿Qué aprendiste de tu propia experiencia que podría ayudarlos a ellos?

3. ¿Cuáles son los desafíos a tu fe? ¿Son de naturaleza intelectual; por ejemplo, en el área de la ciencia *versus* la religión? ¿O están relacionados con el ambiente en el que vives y trabajas, o donde encuentras tu recreación? ¿O posiblemente en el área de las relaciones? ¿Por qué es importante afrontar estos desafíos de frente?

4. No necesitas fe para creer lo que puedes comprobar; necesitas fe para creer lo que no puedes verificar. ¿Por qué es importante darse cuenta de que no importan todas las evidencias que tengamos para nuestras creencias, ya que habrá cosas que sencillamente no comprenderemos?

Resumen: La fe es una experiencia. Tiene que ver con la certeza y con la confianza. Las Escrituras desempeñan un lugar importante en despertar, fortalecer y mantener la fe. Pero, la fe no es solo creencia; es un principio que guía cómo vivir nuestras vidas ante Dios y los otros.

El sábado enseñaré...

Texto clave: Efesios 2:8.

Enseña a tu clase a:

Saber que la fe es más que solo una creencia, pues es una experiencia de confianza y certeza.

Sentir que tu fe se refuerza por medio del estudio de la Biblia y por medio de tu relación con Jesús.

Hacer que tu fe sea el principio guiador en tu vida.

Bosquejo de la lección:

I.   Encontrar la fe (Hab. 2:4)

A. La fe es más que solamente creer en una verdad; es vivir por medio de esa verdad. ¿De qué modo tu fe guía tus acciones cada día?

B. La fe madura por medio del estudio de las Escrituras y con tu experiencia personal. ¿Cuál es la base de tu fe? ¿Por qué crees en lo que crees?

II. Vivir la fe (Heb. 11)

A. Hebreos 11 a menudo se llama el capítulo de la fe. Es como un "Salón de la Fama" de los fieles: desde Abel hasta Gedeón, aparecen allí los que tuvieron gran fe. ¿Qué rasgos específicos caracterizaron a estas personas? ¿De qué modo podemos aspirar a ser como ellos?

B. Hebreos 11:6 dice que sin fe es imposible agradar a Dios. ¿Por qué es tan difícil de aceptar el don de la fe? ¿Qué nos hace vacilar a veces?

III. Evidenciar la fe (Sant. 2:14-17)

Santiago nos dice que la fe sin obras es muerta. ¿Cuáles son algunas maneras en que puedes permitir que tu fe sea demostrada por tus acciones?

Resumen: Nuestra experiencia de fe debería servir como una guía a lo largo de la vida. Al estudiar la Biblia y desarrollar una relación con Cristo, podemos permitir que nuestra fe se manifieste en todos los aspectos de nuestra vida.

Ciclo de aprendizaje

Concepto clave: La fe es la confianza en Dios que hace posible la vida cristiana. Así como es con el amor, no podemos fabricarla por nosotros mismos; Dios tiene que dárnosla.

Solo para los maestros: En esta lección, nos concentramos en la necesidad de la fe para la vida cristiana, y en cómo podemos edificar la fe en nosotros y en otros. Desearás que tus alumnos tengan una comprensión práctica de lo que es la fe, por qué es importante y cómo se relaciona con sus propias vidas.

El filósofo griego Zenón alegaba, en su "paradoja de la flecha", que una flecha nunca llegaría a su blanco. Su argumento se basaba en la suposición de que todo objeto ocupa un espacio que es solo de su tamaño. Así, en cada punto de su vuelo, el objeto está "en reposo". Como el objeto está en reposo, no se mueve, aun cuando parezca que lo haga. En este sentido, no se puede distinguir de una flecha que no se mueve y está en la misma posición. Zenón concluía que el movimiento es una ilusión.

De acuerdo con la lógica de Zenón, entonces, podríamos arrojar una flecha al pecho de alguien y predecir con exactitud que nunca atravesará su corazón. ¿Correcto? Desgraciadamente, estaríamos mortalmente equivocados, lo mismo que el blanco de la flecha. No importa cuán lógicos sean los argumentos de Zenón, hay pocas dudas de que alguien se ofrecería como voluntario para la práctica del tiro al blanco a fin de demostrar que Zenón estaba en lo correcto.

La paradoja de Zenón tenía por objeto contradecir, por medio de la lógica y del razonamiento, algunas ideas falsas acerca de la forma en que la gente pensaba que funcionaba el universo. Desde entonces, ha habido numerosos intentos matemáticos y filosóficos para resolver esta paradoja acerca de por qué una flecha alcanza su blanco, aun cuando, lógicamente, no debería hacerlo. (Ver el artículo de Josh Paete, "Zeno's Paradoxes".)

De la misma manera, la fe también plantea una paradoja para el cristiano. No sabemos cómo o por qué la "razón para creer" llega a ser una fe salvadora, pero sabemos que lo hace. Pero, primero, debemos apuntar al blanco, que es conocer a Jesús como nuestro Salvador personal.

Analiza con la clase: ¿Qué circunstancias, situaciones, discusiones, libros, sermones, etc., te ayudaron a tener fe? ¿En qué momento el conocimiento acerca de Cristo llegó a ser fe en Cristo, y cómo sentiste eso? ¿Qué influencias en tu vida ahora te guían hacia Cristo?

Considera: En la última lección, aprendimos de qué modo el amor es central para la fe y la vida cristiana. ¿Por qué y cómo es necesaria la fe para poner ese amor en acción?

PASO **2**

¡Explora!

SOLO PARA LOS MAESTROS: EN NUESTRO MUNDO, LA PALABRA *FE* PUEDE REFERIRSE A CUALQUIER CONJUNTO DE CREENCIAS (COMO EN "LA FE BUDISTA"), O CONFIANZA EN UNA PERSONA O UNA COSA DADA (COMO FE EN EL SERVICIO PÚBLICO DE TRANSPORTE). ¿CUÁL ES LA DEFINICIÓN BÍBLICA DE FE? ANALICEN LA RESPUESTA.

Comentario de la Biblia

Panorama: Sin fe es imposible agradar a Dios (Heb. 11:6). Esta afirmación sería desalentadora si no fuera que, por definición, la fe es algo que no puede ser logrado de ninguna otra manera que no sea porque Dios nos la da. Todo lo que tenemos que hacer es extender la mano y tomarla (Efe. 2:8).

I. De invisible a visible

(Repasa con tu clase Heb. 11:1-3.)

La fe, para que sea tal, es la capacidad de creer cosas que no son evidentes inmediatamente para los sentidos. Cuando el cristiano cree y confía en Dios, los resultados de esa fe se dan a conocer en el mundo "real", y vienen de lo que en apariencia es "nada".

Estas cosas pueden incluir un cambio marcado en el carácter y la orientación de la persona, o respuestas a la oración, o resultados positivos de decisiones que parecen desventajosas o improbables por las normas mundanas, decisiones hechas solamente sobre la base de la fe o por el sentido de que era lo que Dios quería que la persona hiciera.

El autor de la lección de esta semana compara este cambio de vida con la creación divina del mundo mismo. Después de todo, Dios trajo a la existencia al universo de la nada.

Considera: Pide a los miembros de la clase que compartan experiencias pasadas de haber tenido que mantener la fe en Dios cuando aparentemente no había evidencias para sostenerla.

II. El don de la fe

(Repasa con tu clase Efe. 2:8.)

Cuando nos referimos a la fe como un don, vamos en contra del concepto popular de la fe como la creencia en una cantidad de proposiciones de diversos grados de plausibilidad. La gente cree en toda suerte de cosas, y prácticamente todos creen en algo que no está sujeto a pruebas racionales o empíricas.

Pero esto no es la fe a la que nos referimos aquí. La fe bíblica es el resultado de un encuentro con un Dios infinitamente bueno y confiable, es decir, un Dios fiel. El don de la fe es realmente el don de Dios, porque conocer realmente a Dios es confiar en él. Pero, a fin de recibir el don de la fe, debemos ponernos a disposición de Dios.

Considera: ¿Qué podemos hacer mejor para recibir el don de la fe o aumentar la que nos ha sido dada?

III. Falta de convicción

(*Repasa con tu clase Heb. 11:6; Rom. 1:17.*)

A veces, los actores presentan una pieza en forma técnicamente correcta pero les faltan los sentimientos o la convicción. Así es la vida cristiana sin fe. Sin fe, no podemos agradar a Dios, porque no estamos seguros de que exista y, por lo tanto, no podemos amarlo o confiar en él.

Los cristianos pueden hacer los ademanes, pero les puede faltar la convicción y el gozo que provienen de saber por qué los están haciendo. Por cuanto la vida cristiana es una relación de largo alcance, no un aviso radial de un minuto, finalmente la persona que no está anclada en Cristo mediante la fe se apartará para hacer algo que la gratifique más prontamente. E irnos al mundo, seguir a la carne y al diablo es lo que realmente hiere a Dios.

Considera: La mayoría de nosotros hemos tenido momentos en los que sentimos como si estuviéramos haciendo solo los ademanes de una vida cristiana, sin fe. ¿Qué o quién te ayudó a encontrar el camino de regreso? ¿De qué modo se hizo posible ese retorno a Dios?

SOLO PARA LOS MAESTROS: ANIMA A TUS ALUMNOS A USAR ESTAS PREGUNTAS PARA PENSAR ACERCA DE LA FE COMO UN CONCEPTO Y COMO ALGO QUE SE MANIFIESTA EN SUS PROPIAS VIDAS.

Pensamientos para reflexionar:

1. Un proverbio dice que "ver es creer". El teólogo del siglo XI Anselmo de Canterbury escribió: "Porque no procuro comprender para poder creer, sino que creo para poder comprender. Porque también creo que 'a menos que crea, no comprenderé' (Isa. 7:9)".–Anselmo de Canterbury. Analiza las formas en las que la fe profundiza nuestro conocimiento de Cristo.

2. ¿Cuál es el lugar de la doctrina en la vida de fe?

Preguntas de aplicación:

1. ¿De qué modo obra Dios por medio de las personas para edificar la fe de otros? ¿Qué podemos hacer para permitir que Dios edifique la fe por medio de nosotros?

2. Siendo imperfectos e inconsistentes como somos, la fe a menudo coexiste en nosotros junto con la duda. ¿Cómo podemos reconocer la duda mientras nos aseguramos que la fe sea la que domina?

SOLO PARA LOS MAESTROS: ESTA SEMANA HEMOS APRENDIDO QUE LA FE ES ALGO DIFERENTE DE LA ACEPTACIÓN INTELECTUAL Y DE NUESTROS PROPIOS ESFUERZOS. NO OBSTANTE, TENEMOS UNA PARTE QUE HACER EN EL CULTIVO Y EL FORTALECIMIENTO DE LA FE QUE DIOS NOS DA. LA SIGUIENTE ACTIVIDAD TIENE EL PROPÓSITO DE ENFA-TIZAR CÓMO NUESTRAS ACCIONES Y NUESTROS PENSAMIENTOS PUEDEN AUMENTAR O DISMINUIR LA FE.

PASO 4
¡Aplica!

Entrega a cada miembro de la clase una hoja de papel. Pídeles que dibujen una línea hacia abajo en el medio, creando dos columnas. En la parte superior de una, pídeles que escriban "Edificación de la fe". En la parte superior de la otra, pídeles que escriban "Disminu-ción de la fe". Pídeles que consulten entre sí, en grupos de tres personas, para hacer listas en las dos columnas. Invita a cada grupo a presentar y analizar sus conclusiones.

Solo para los maestros: Asegúrate de enfatizar que este ejercicio no es necesariamente entre trazar una línea entre las cosas "buenas" que hacen, dicen o piensan las personas "buenas", y las cosas "malas" que hicieron, dijeron o pensaron las personas "malas". Primera Corintios 10:23 es edu-cativo en este contexto.

O, como una alternativa, considera en cambio el siguiente tema de análisis y ejercicio: Los medios han llegado a ser importantes en las vidas de muchas personas de hoy en día, y la vida de fe no queda fuera de su influencia. Tendemos a concentrarnos en lo negativo aquí, y ciertamente hay muchas cosas de esa clase. Pero ¿de qué modo la música, las pelícu-las, etc., pueden ayudarnos y guiarnos en nuestra peregrinación de fe, así como pueden estorbarnos o hacernos equivocar el camino?

La semana anterior al sábado en que enseñarás esta lección, invita a los miembros de tu clase a traer CDs, DVDs, etc., que los han animado o fortalecido en su fe. Sería muy conveniente (aunque no estrictamente necesario) si tienes un aparato para reproducir selecciones de estos mate-riales que trajeron. Lo mejor sería si alguno de tu clase estuviera dispuesto a cantar o hacer escuchar de otro modo estos cantos, como una manera de concluir tu clase.

LA ESPERANZA

Sábado   *11 de abril*

LEE PARA EL ESTUDIO DE ESTA SEMANA: Lucas 21:25, 26; 1 Corintios 15:20-26, 50-55; Juan 5:24; Apocalipsis 21.

PARA MEMORIZAR:

"Estad siempre preparados para presentar defensa con mansedumbre y reverencia ante todo el que os demande razón de la esperanza que hay en vosotros" (1 Ped. 3:15).

EL SIGLO XX COMENZÓ con una atmósfera de gran optimismo. Desde el principio del siglo de las luces, el optimismo dominó la manera de pensar en el mundo occidental. Se creía que, como seres humanos, no solo podíamos descubrir toda la verdad usando la razón; también éramos capaces de la perfección moral. Creíamos que los inventos nuevos, las maneras nuevas de viajar, el aumento dramático del conocimiento médico, la introducción de máquinas nuevas y el progreso continuo de la moral humana mejorarían la vida. Pero, después de dos guerras mundiales, del Holocausto, de la amenaza nuclear, de la Guerra Fría y del terrorismo mundial como un peligro siempre presente, junto con la percepción de que la humanidad está en el proceso de destruir el ambiente que necesita para la supervivencia humana, queda muy poca razón para tener optimismo.

Sin embargo, hay esperanza, no en lo que vemos o en lo que podemos hacer sino en lo que Dios nos ha prometido por medio de Jesús, su Hijo.

UN VISTAZO A LA SEMANA: Como seguidores de Cristo, podemos tener esperanza aun en medio de un mundo que en sí mismo y por sí mismo no ofrece ninguna esperanza. Y eso es porque esta esperanza no está basada en nosotros mismos o en alguna cosa que nosotros o el mundo pueda ofrecer. Esta esperanza está basada exclusivamente en Jesús y las promesas que nos hizo.

Domingo

ESPERANZA EN MEDIO DE NUESTRO MUNDO

La vida después del 11 de septiembre de 2001 ha cambiado grandemente. La gente siempre recordará las imágenes de los aviones de pasajeros que chocaron contra las torres gemelas del Centro de Comercio Mundial. Todos nos damos cuenta de que puede volver a ocurrir. No hay manera de estar totalmente protegidos de personas que están preparadas para morir usando un avión lleno de hombres, mujeres y niños como una bomba voladora, o están dispuestas a volarse cargadas de explosivos en una parada de ómnibus o en un supermercado. Hay temor por todas partes y, considerando el mundo en que vivimos, ese temor es comprensible.

¿Qué destacó Jesús como una de las características del tiempo del fin? Luc. 21:25, 26.

_____

"La transgresión casi ha llegado a su límite. La confusión llena el mundo y pronto ha de sobrecoger a los seres humanos un gran terror. El fin está muy cerca. El pueblo de Dios debiera estarse preparando para lo que ha de sobrevenir al mundo como una sorpresa abrumadora" (*CN* 525). ¡Imagínate lo que diría la mensajera del Señor si viviera en nuestro ambiente posterior al 11 de septiembre de 2001!

Nuestro mundo es un mundo de guerra, corrupción, codicia y terror. Y sabemos que todavía ocurrirán muchas cosas desagradables en el futuro: en el mundo, y aun en la iglesia. Pero, sea lo que fuere lo que ocurra, tenemos esperanza por medio de Jesús. Puede haber angustia entre las naciones. La gente puede aun desmayar de terror, "temerosos por lo que va a sucederle al mundo" (Luc. 21:26, NVI), pero este no será el caso de aquellos que han estado esperando a su Señor. Ninguna de estas cosas horribles nos deberían tomar por sorpresa. Después de todo, la Biblia nos ha advertido, en todas sus páginas, que deberíamos esperar fatigas, sufrimientos y dificultades hasta que Jesús regrese. El hecho de que veamos estas cosas solo debería ayudar a confirmar en nosotros la verdad de la Palabra de Dios.

Lee Lucas 21:28. ¿Qué esperanza nos ofrece Jesús en medio de todo el temor y los disturbios del mundo?

_____

¿Por qué es inútil poner nuestra esperanza en este mundo o en lo que este mundo ofrece? ¿Por qué tendemos a hacer eso, aun cuando debería ser algo obvio, en este tiempo, que si hemos de tener alguna esperanza debe ser una esperanza que trascienda cualquier cosa que este mundo pueda dar?

ESPERANZA - AQUÍ Y AHORA

La esperanza cristiana tiene que ver con el futuro: el regreso de Cristo; la resurrección del pueblo de Dios; un cielo nuevo y una tierra nueva; la eternidad con Dios. Pero la salvación es también una realidad presente. Esa clase de esperanza nos distingue de aquellos que no tienen la certeza de que la vida tiene significado y que en Cristo la humanidad tiene un futuro eterno. El apóstol Pablo nos recuerda el cambio radical que ocurre cuando aceptamos a Jesús como nuestro Señor. Mientras estemos separados de Cristo, estamos "sin esperanza y sin Dios en el mundo" (Efe. 2:12). Pero, todo eso cambia cuando ya no estamos "alejados" de Dios, sino que hemos sido "hechos cercanos por la sangre de Cristo" (vers. 13).

¿En qué términos describió Jesús el cambio radical que ocurre cuando "escuchamos" su palabra y creemos en él? Juan 5:24.

_____

_____

¿Qué clase de vida puede ser la nuestra? Juan 10:10. ¿Qué significa esto, y cómo deberíamos experimentar esta promesa?

_____

_____

"Vida" es una de las palabras claves en el Evangelio de Juan. En Mateo, Marcos y Lucas el concepto de vida es principalmente la vida eterna. "Pero, en el Evangelio de Juan, la vida se centra especialmente en la realidad presente de lo que hace Jesús por los que creen en él [...].

"Hay dos claves para alcanzar la vida en plenitud. La primera es saber que la fuente de esa vida se encuentra solamente en Cristo (14:6; 6:33-58; 1 Juan 4:11, 12). Donde está Jesús, está la vida (Juan 11:25, 26). La segunda clave para alcanzar la vida es creer (1:4, 12). Es por medio de la relación continua con Jesús como los individuos se apropian de la vida que está siempre presente en Jesús (3:16, 36)" –Jon Paulien, *Juan*, pp. 219, 220.

¿De qué modo Jesús cambió tu vida para mejor aquí y ahora? ¿Qué tienes ahora que no tenías antes de llegar a conocer a Jesús y la esperanza que nos da?

Martes

ESPERANZA MÁS ALLÁ DE LA TUMBA

La muerte nos llega a todos (a menos que estemos vivos en el momento del regreso de Cristo). Todos nosotros hemos perdido seres amados. Diariamente estamos confrontados con la triste realidad de la muerte. La vemos al pasar por los cementerios, al ver carrozas, o mirar las noticias en la televisión. Pero, aun peor, la enfrentamos muy de cerca cuando decimos el adiós final a un amigo o un pariente. La muerte es nuestro archienemigo, pero es un enemigo que será derrotado.

¿**Cuál es la verdad gloriosa acerca de la realidad de la muerte?** 1 Cor. 15:20-26, 50-55; 1 Ped. 1:3.

_____

¿**De qué modo la certeza de la resurrección divide a la humanidad?** 1 Tes. 4:14.

_____

El apóstol Pablo, en su famoso capítulo acerca de la resurrección (1 Cor. 15), enfatiza que la esperanza de la resurrección es un componente esencial de nuestra experiencia total de fe (vers. 12-19). Si no hay resurrección, nuestra fe está vacía.

Por supuesto, hay muchos aspectos de la resurrección física que no comprendemos. Pero, de una cosa podemos estar seguros: Nuestra "resurrección" no depende de la forma de conservar las sustancias materiales actuales de nuestros cuerpos. Depende del poder de nuestro Creador para guardar nuestra identidad y re-crearnos en un momento dado con un cuerpo nuevo (perfecto), que nunca necesitará cirugía plástica o píldoras antiedad.

No tenemos idea de cómo hará Dios para realizar este milagro. Pero, el Dios que puede crear la vida ciertamente tiene el poder suficiente para re-crear la tierra y llenarla con personas cuyas identidades han sido salvaguardadas en la memoria divina. Nuestra esperanza no está basada en nada que podamos verificar con nuestros intelectos o nuestros sentidos. La resurrección involucra una esfera de existencia que está mucho más allá de donde pueda llevarnos la ciencia. Está basada en el hecho de que Cristo ha conquistado la muerte. Como resultado, la muerte del creyente es solo un "sueño" temporario del cual será despertado y para recibir vida eterna.

Aun con esta gran esperanza, la mayor que cualquiera de nosotros pudiera tener, todavía odiamos la muerte, todavía la tememos y todavía huimos de ella todo lo que podemos. Esto es solo natural (porque la muerte no es natural). Al mismo tiempo, ¿qué podemos hacer para alimentar y fortalecer nuestra confianza en la gran promesa que tenemos con respecto a la vida eterna, una promesa que ahora puede hacer disminuir nuestro temor a la muerte?

Miércoles

Miércoles   *15 de abril*

ESPERANZA ETERNA

¿Cómo pueden los seres finitos comprender alguna vez lo que es ser infinito? ¿Cómo podemos nosotros, como mortales –la mayoría de los cuales no viviremos más allá de los 80 ó 90 años–, comprender alguna vez lo que es ser inmortal y vivir para siempre? La vida eterna no es sencillamente una continuación de nuestra vida presente. Eso, de muchas maneras, sería más parecido a un "infierno" que a un "cielo". La vida eterna tiene una cualidad totalmente diferente. Mientras todavía estemos en nuestra presente condición mortal, tendremos que contentarnos con vislumbres de lo que ese futuro nos presenta: Vemos oscuramente, por espejo, y conocemos solo en parte (1 Cor. 13:12).

¿De qué maneras la vida eterna será diferente de nuestra existencia presente? 1 Cor. 15:42, 43, 52; Apoc. 21. **¿Qué cosas serán similares?**

_____

_____

Nos quedan muchas preguntas al contemplar la vida que nos espera, preguntas para las que nunca tendremos respuestas aquí y ahora. Pero, podemos aprender de la resurrección misma de Jesús. Es importante notar que el Cristo que se levantó de los muertos era la misma persona que aquel que unos pocos días antes murió en la cruz. Se levantó con un cuerpo "glorificado", que ya no estaba sujeto a las leyes de la naturaleza en la forma en que nuestros presentes cuerpos mortales lo están. No obstante, al mismo tiempo, él poseía una continuidad con la "forma humana" que había tenido antes de su muerte y su resurrección. Él era la misma persona, reconocible por su apariencia exterior, su voz y sus gestos. Eso nos da una buena razón para concluir que, en nuestros nuevos "cuerpos gloriosos", seremos reconocidos por los que nos conocieron en esta vida y que gozarán la vida más allá con nosotros.

Y, sin embargo, también podemos experimentar algo de esa vida eterna ahora. Pablo nos explica (Rom. 8:10) que el Espíritu entrará en la persona que se ha vuelto a Cristo. Por lo tanto, el creyente ya es tocado por la vida eterna, que llegará a ser una realidad plena en el mundo por venir. La presencia del Espíritu es la garantía de nuestra salvación (Efe. 1:13, 14).

Trata de imaginarte cómo será la vida en un cielo nuevo y una tierra nueva, con cuerpos nuevos. Permite que tu imaginación vuele alto; escribe un párrafo, basado en lo que encuentras en la Biblia, acerca de cómo será esa vida nueva. Cuán necio sería abandonar todo eso por cualquier cosa que esta vida actual nos ofrezca.

Jueves   *16 de abril*

CRISTO, NUESTRA ESPERANZA

Mucho antes de que Cristo llegara a este mundo, se había predicho su venida. Fiel a sus promesas, él realmente vino. Muchas son las promesas de que él vendrá por segunda vez. Él mismo dijo: "Ciertamente vengo en breve" (Apoc. 22:20). Esta es la esperanza corporativa de los creyentes cristianos. Es la "esperanza bienaventurada y la manifestación gloriosa de nuestro gran Dios y Salvador Jesucristo" (Tito 2:13).

¿En qué sentido culmina la esperanza del cristiano en la segunda venida de Jesús? (Apoc. 22:7, 10-12, 20). ¿Por qué estas promesas son tan vitales para nosotros?

¿De qué modo el aspecto del tiempo mencionado en 2 Pedro 3:8 y 9 impacta nuestra comprensión de la expresión *en breve*, en relación con la Segunda Venida?

La solución definitiva para el problema del pecado y toda la miseria causada por el pecado no se encuentra en nada que la humanidad pueda inventar o disponer, sino en la intervención del Cielo por medio de nuestro Señor Jesucristo. Nuestra esperanza no está en la tecnología humana, los políticos hábiles o el progreso social y moral. Estas cosas nunca pueden resolver el problema de la muerte. Y, aunque es importante conocer lo que precederá y acompañará la venida del Señor, es aún más importante que estemos seguros de aquel que esperamos.

Nuestro Señor vendrá pronto. "Es solo asunto de tiempo, eso es todo. Y nadie puede cambiar este hecho. Ningún tirano puede extender sus brazos y arrebatar el mundo de su control. Permanece firmemente y para siempre en las manos del Crucificado. Ninguno puede anular el Calvario como tampoco puede anular su propio nacimiento. [...] Desde la Cruz, vivimos en un tiempo saturado por la victoria del Calvario, un tiempo determinado por esa meta. Por eso, si lo sabe o no, la humanidad no avanza meramente hacia una meta esperada en algún día distante con la posibilidad de que nunca pueda llegar. ¡No! La humanidad se mueve triunfalmente desde una meta que ya alcanzó Jesucristo" –Norman Gulley, *¡Cristo viene!*, p. 583.

El filósofo Martin Heidegger declaró en cierta ocasión que "solo un dios puede salvarnos". Sea lo que fuere lo que él quiso decir con esa idea, ¿por qué es tan cierta? ¿Dónde estás depositando tu esperanza? Si es en algo diferente del verdadero Dios, ¿por qué esta esperanza es falsa?

PARA ESTUDIAR Y MEDITAR: El libro de Norman Gulley _Cristo viene_ es, probablemente, el libro adventista más completo, de tiempos recientes, acerca de los eventos de los últimos días y la segunda venida de Cristo. Si está a tu disposición, puedes repasarlo y leer algunos capítulos, particularmente el capítulo titulado "La mayor operación de todos los tiempos" (pp. 581-597). Para la descripción clásica del momento cuando se cumplirá nuestra esperanza, lee _El conflicto de los siglos_, de Elena G. de White (específicamente, las páginas 720-736).

Trata de memorizar las siguientes palabras majestuosas: "El gran conflicto ha terminado. Ya no hay más pecado ni pecadores. Todo el universo está purificado. La misma pulsación de armonía y de gozo late en toda la creación. De aquel que todo lo creó manan vida, luz y contentamiento por toda la extensión del espacio infinito. Desde el átomo más imperceptible hasta el mundo más vasto, todas las cosas animadas e inanimadas declaran, en su belleza sin mácula y en júbilo perfecto, que Dios es amor" (CS 737).

PREGUNTAS PARA DIALOGAR:

1. En la clase, lee tu descripción de lo que visualizas que será la vida eterna en la Tierra Nueva. Compara y analiza las demás que se presenten.

2. ¿De qué modo respondes a quienes dicen que esta esperanza que tienen los cristianos, de otra existencia, los hace no interesarse en forma suficientemente profunda en los males de esta vida?

3. ¿Cómo puedes seguir esperanzado, cuando todo parecer ir contra ti?

4. ¿De qué manera experimentamos, aquí y ahora, algo de la esperanza que tenemos en Cristo? ¿De qué modo deberían diferenciarse las vidas ahora por causa de esta esperanza? ¿Qué podemos hacer, de manera real y visible, para mostrar a otros el fruto inmediato y los beneficios de ser un seguidor del Dios viviente?

Resumen: La esperanza es un componente vital de la vida cristiana. Está firmemente basada en lo que Cristo realizó en la cruz. La esperanza del cristiano tiene que ver con el aquí y ahora, pues el Reino que viene está, en principio, ya presente ahora en el creyente. No obstante, la plena realización de la bendita esperanza es futura. Sabemos que el mundo todavía está afectado por los resultados de la rebelión de Satanás, pero el resultado final es seguro: nuestro Señor reina, y su Reino eterno pronto se hará una realidad en toda su gloria. Nuestra esperanza es ser ciudadanos de ese reino para siempre.

El sábado enseñaré...

Texto clave: 1 Pedro 3:15.

Enseña a tu clase a:

Saber que, aunque vivimos en un mundo herido por el pecado, tenemos la esperanza de la vida eterna en Jesús.

Sentir la certeza de que Dios tiene un plan para nuestras vidas por medio de las profecías cumplidas.

Hacer la decisión de vivir una vida llena de esperanza, enfocando la promesa de la eternidad, e inspirando a otros a hacer lo mismo.

Bosquejo de la lección:

I. El origen de la esperanza (1 Cor. 15:12-19)

A. La base de la esperanza está en la resurrección de Jesús. ¿Qué quiso decir Pablo cuando escribió: "Si en esta vida solamente esperamos en Cristo, somos los más dignos de conmiseración de todos los hombres" (1 Cor. 15:19)?

B. La promesa de la vida eterna nos da razón para tener esperanza. ¿Qué otros elementos del cristianismo nos dan esperanza en un mundo que, de otro modo, está sin ella?

II. La afirmación de la esperanza (Luc. 21:25-28)

A. El don de profecía nos muestra que Dios tiene un plan para nuestras vidas, a pesar de lo que parece la interminable locura del mundo. De este don obtenemos esperanza. ¿De qué modo te ha mostrado Dios su sabiduría y su comprensión por medio del don profético?

B. Nuestra esperanza en la vida eterna está basada en el futuro. ¿De qué maneras quiere Dios que experimentemos una esperanza verdadera en nuestras vidas ahora sobre la tierra?

III. Incorporar la esperanza (Sal. 31:24)

Vive tu esperanza enfocada en la promesa de la eternidad. Permite que tu esperanza se vea en tu actitud. ¿De qué otro modo puedes hacer que brille tu esperanza en tu forma de vivir?

Resumen: La esperanza que tenemos en Cristo es un elemento integral de la fe cristiana. Sin ella somos miserables. Permite que tu esperanza realmente afecte tu visión de la vida.

Ciclo de aprendizaje

Concepto clave: Como cristianos, la muerte y la resurrección de Jesús nos dan razón para esperar una vida mejor ahora y por la eternidad. Esta esperanza trasciende las circunstancias presentes, porque está basada no en probabilidades sino en certidumbres.

Solo para los maestros: En la lección de esta semana, analizaremos y exploraremos el lugar de la esperanza en la vida cristiana.

PASO 1
¡Motiva!

Hace algún tiempo, la famosa humorista y poetisa estadounidense Dorothy Parker estaba trabajando en el guión de una película para el productor Samuel Goldwyn, quien le pidió que le diera un final feliz. Parker respondió: "Yo sé que esto le va a chocar, Sr. Goldwyn, pero en toda la historia, donde han desfilado miles de millones de seres humanos, ni uno solo ha tenido un final feliz".– Dorothy Parker.

Basta escuchar las noticias de cada día para confirmar cuánta verdad tiene la respuesta de Parker. Cae la bolsa de comercio. Los amigos o los cónyuges se van. Y, como lo recordaba en forma pesimista una frase en un parachoque de automóvil, a la larga todos estaremos muertos.

Pero, como cristianos adventistas del séptimo día, sabemos que el mundo que vemos alrededor no es el único mundo que podemos esperar. Verdaderamente, a la larga, tenemos la esperanza de la vida eterna.

Analiza con tu clase: Se puede afirmar que todos los que se despiertan cada día tienen esperanza en algo, sea que lo sepan o no. ¿Cuáles son algunas de las cosas en las que la gente pone su esperanza fuera de Dios? ¿Por qué esos reemplazos no son adecuados?

Considera: Demasiado a menudo podemos encontrarnos volviéndonos a Dios como un último recurso cuando todo lo demás falla. ¿Qué podemos hacer para que Dios sea nuestra esperanza en todas las cosas, en vez de volvernos a él como último recurso?

PASO 2
¡Explora!

Solo para los maestros: Podemos tomar una de las dos actitudes posibles hacia el futuro: esperanza o temor. Enfatiza que, como cristianos, tenemos razón para esperar, aunque vivimos en un mundo donde el temor a menudo parece ser la actitud dominante y razonable.

Comentario de la Biblia

Panorama: La esperanza es una característica que define a personas con fe. Tenemos esperanza porque nuestra fe nos muestra que, a pesar de todas las apariencias contrarias, un Dios infinitamente bueno y poderoso está en el control de las circunstancias de nuestras vidas.

I. Esperanza y temor

(Repasa con tu clase Luc. 21:25, 26, 28.)

De acuerdo con Lucas 21:26, la reacción predominante de la gente que vive sobre el planeta Tierra en el tiempo del fin no será de esperanza sino de temor. Dada la lista de desastres naturales y sucesos extraños presentados en los textos mencionados, esta reacción no puede decirse que sea irrazonable. Si uno no sabe que tales cosas son indicios de algo mejor por venir, las señales parecen indicar que, en cambio, vendrán cosas mucho peores. Solo es por la fe, que inspira esperanza, que podemos considerar la posibilidad de levantarnos y elevar nuestras cabezas porque nuestra redención está cerca (vers. 28).

Otra vez, los escépticos de este mundo apoyan la creencia de que no hay finales felices, que a la larga todos moriremos. Pero, como cristianos, sabemos que tenemos algo mejor para ofrecer acerca del futuro.

Considera: Basado en los versículos citados arriba, ¿por qué el tiempo del fin es una causa de esperanza y no de temor?

II. Fe sin esperanza

(Repasa con tu clase Efe. 2:12, 13.)

Pablo se refiere a sus lectores como personas "sin esperanza" antes de que fueran a Cristo. Vale la pena notar que estas personas no eran ateas en el sentido común de la palabra. La mayoría de la gente del mundo antiguo creía en uno o más dioses. Tenían una religión. Pero, era una religión en la que la esperanza para el futuro, o aun para un presente mejor, no existía. La de ellos era, literalmente, una fe sin esperanza. El concepto tradicional griego era que las sombras, o espíritus de los muertos residían en el Hades –que no era exactamente el infierno, sino un lugar oscuro, terrible, desagradable– hasta que, simplemente, desaparecían. Los filósofos y otros rechazaban esta creencia o consideraban alternativas. Platón y Pitágoras, por ejemplo, creían en la inmortalidad del alma. Sugerían una supervivencia, o reencarnación, en otro ámbito, aun cuando ninguno podía estar seguro de su existencia.

En cuanto a la mejoría del estado del mundo en general, la edad de oro –como sugería el poeta Hesíodo– estaba en lo pasado y muy probablemente nunca volvería.

Solo los judíos y los seguidores de Zoroastro preveían un mundo mejor por venir. Y solo los cristianos podían señalar evidencias concretas de un tal mundo futuro mejor gracias a Cristo y su resurrección. (Ver *The Interpreter's Bible*, t. 10, pp. 652, 653.)

Considera: ¿Qué puedes hacer para alcanzar a personas que son nominalmente "religiosas" pero que no tienen la esperanza que Cristo nos proporciona?

III. La eternidad

(*Repasa con tu clase 1 Cor. 15:42, 43, 52; Apoc. 21.*)

Hasta donde sepamos, el hombre es el único ser viviente de la tierra que se da cuenta de que morirá, y a nadie le gusta esto. Queremos eternidad, aun cuando no estamos muy seguros de qué es la eternidad. Pero, si realmente pensáramos sobre ella, pocos de nosotros desearíamos continuar viviendo por un tiempo interminable con nuestros cuerpos actuales imperfectos y envejeciéndose continuamente, con las cansadoras leyes naturales de la gravedad y la termodinámica, y con pensamientos aburridores y repulsivos durante milenios sin fin, repitiéndose en nuestros cerebros nebulosos.

Afortunadamente, Dios nos ha prometido una vida que no solo dura para siempre, sino también cualitativamente diferente de la que tenemos ahora. En 1 Corintios 15:44, Pablo contrasta nuestro cuerpo físico actual con el glorioso cuerpo espiritual que Dios tiene esperándonos. ¿Cómo será? No lo sabemos. Pero, comoquiera que sea, podemos estar seguros de que vale la pena tener esa esperanza y esperarlo.

Considera: No importa qué desafíos físicos o mentales tengas, Dios te ofrece un comienzo nuevo y la promesa de una vida mejor con él, ahora y en el futuro. ¿Cómo te hace sentir esta seguridad?

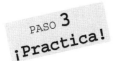

PASO 3

¡Practica!

SOLO PARA LOS MAESTROS: ANIMA A TUS ALUMNOS A USAR LAS SIGUIENTES PREGUNTAS PARA PENSAR ACERCA DE LA ESPERANZA CRISTIANA EN SU RELACIÓN CON SUS PROPIAS VIDAS Y CON EL MUNDO EN GENERAL.

Pregunta para reflexionar:

Una gran parte de la esperanza que tenemos en Cristo es el conocimiento del triunfo final sobre nuestro enemigo, la muerte. ¿Qué diríamos a quienes insisten en que la muerte es una parte ineludible de la vida y la

MATERIAL AUXILIAR PARA EL MAESTRO

naturaleza (los evolucionistas, por ejemplo), o que la muerte no es real y que ninguno muere realmente (como lo mantienen la mayor parte de las creencias espirituales o religiosas)?

Preguntas de aplicación:

¿Cuál es nuestro lugar en hacer que nuestro mundo actual sea mejor, dado que nuestra esperanza está en el mundo venidero? ¿De qué modo deberíamos trabajar por la paz, un ambiente más limpio, etc.? ¿O tal vez esos intentos muestran nuestra falta de fe? Explica cuál es tu respuesta y analicen, en la clase, las diferentes razones que se dieron entre ustedes.

PASO **4**

¡Aplica!

SOLO PARA LOS MAESTROS: ESTA SEMANA HEMOS APRENDIDO QUE DIOS NOS PROPOR-CIONA UN SENTIDO DE ESPERANZA QUE NOS CAPACITA PARA AFRONTAR LAS LUCHAS DE CADA DÍA, ASÍ COMO TAMBIÉN CUALQUIER COSA QUE EL FUTURO NOS DEPARE. LA SI-GUIENTE ACTIVIDAD TIENE LA INTENCIÓN DE CONSEGUIR QUE LOS ALUMNOS EXPRESEN ESTA ESPERANZA EN SUS PROPIAS PALABRAS, PARA RECORDARLAS CADA DÍA.

• Aun cuando nuestro mundo es, de muchas maneras, un lugar trágico y productor de heridas, Dios nos ha dejado muchos ejemplos de su amante presencia. Pide a tus alumnos que enumeren las cosas en sus vidas o en el mundo en general, que los convencen de que Dios todavía maneja los controles y que está tratando de comunicar esperanza a quienes la están buscando.

• Hay, por lo menos, dos maneras en que puedes hacer el ejercicio previo con tu clase: 1) pedir que cada uno enumere elementos en una hoja individual de papel; o 2) usar un formato de "torbellino de ideas", en el que los alumnos mencionan los elementos en voz alta, y el maestro los escribe en una pizarra o una hoja de papel grande.

Considera: ¿Qué te dicen estas respuestas acerca de la importancia de la esperanza? ¿De qué modo el ejemplo de ustedes ayuda a renovar la esperanza y la confianza en Jesús? ¿De qué manera puedes compartir esta esperanza con quienes te encuentres durante la semana próxima?

LA VIDA

Sábado   *18 de abril*

LEE PARA EL ESTUDIO DE ESTA SEMANA: Génesis 2:7; Salmo 139:13, 14; Juan 1:1-3; Juan 3; Juan 10:10; 2 Corintios 5:17; Filipenses 2:1-5.

PARA MEMORIZAR:

"Yo he venido para que tengan vida, y para que la tengan en abundancia" (Juan 10:10).

LA GENTE ACTUALMENTE vive mucho más que en generaciones anteriores, especialmente las personas del así llamado mundo desarrollado. Y, por supuesto, eso es bueno. No obstante, una cosa es vivir mucho tiempo, pero ¿qué diremos de la calidad de la vida misma? Algunas veces los médicos realizan toda clase de actos heroicos para mantener artificialmente viva a una persona aun cuando a ella le queda muy poca calidad de vida.

Pero, la calidad de vida no se restringe a un nivel aceptable de bienestar físico; tiene una aplicación más amplia. ¿Qué hacemos con los años que se nos han dado? ¿Vivimos con un propósito y en armonía con otros? ¿Vivimos con relaciones satisfactorias con los demás seres humanos y, más que todo, con nuestro Creador? Estas son preguntas importantes para todos los que hemos recibido el don de la vida.

UN VISTAZO A LA SEMANA: La vida es un don que proviene solo de Dios. Ahora que tenemos esta vida, ¿qué significa ella para nosotros? ¿Cómo hemos de vivir? Por cuanto es un regalo, estamos bajo una obligación divina de cuidar de nuestras vidas, tanto física como espiritualmente. Al mismo tiempo, nuestra creencia en Jesús nos pone en una comunidad con otros creyentes, y llegamos a ser parte de una familia nueva, tanto en el cielo como en la tierra, todo lo cual debe producir un impacto sobre la calidad de vida que tenemos ahora.

Domingo   *19 de abril*

EL DON DE LA VIDA FÍSICA

¿Cómo se originó la vida? Algunas personas señalan un desarrollo evolutivo sin Dios para la existencia humana. Otros alegan que hubo una participación divina en el lento proceso de millones de años, durante los cuales las formas "sencillas" de la vida aparecieron de alguna manera y, posteriormente, se desarrollaron para producir organismos más complejos, incluyendo a los humanos. Sin embargo, esta teoría crea más preguntas que las que responde (y, además, nada en la Biblia siquiera sugiere que Dios usó la evolución para crear a la humanidad). Entretanto, varios eruditos renombrados han alegado, en los últimos años, en forma convincente, que esta teoría está en una profunda crisis. Aun los defensores más firmes del pensamiento evolucionista deben admitir que la vida sigue siendo un misterio tan grande como siempre.

Al mismo tiempo, los que creemos en Dios como el Creador de este mundo y de todo el universo no tenemos tampoco todas las respuestas. Pero, el enfoque creacionista es mucho más lógico y coherente que la improbable teoría de que la vida humana ocurrió por azar.

¿Qué nos enseña la revelación divina acerca del origen de la vida? Gén. 2:7; Juan 1:1-3.

Lo que es cierto para el misterio de la vida en general, también es cierto para cada vida humana. Aunque poseamos mucho conocimiento científico acerca de los procesos involucrados en la concepción y el crecimiento de la vida humana, cada nuevo padre que sostiene a un niño recién nacido en sus brazos sabe, intuitivamente, que esta vida nueva no es nada menos que un milagro. Es una convicción cristiana fundamental que la vida –y la vida humana en un sentido muy especial– es sagrada.

¿Con qué palabras describe David el milagro de la vida humana y el magnífico diseño del cuerpo humano? Sal. 139:13, 14.

¿Quién no conoce las palabras de un canto bien conocido que dice que Dios "tiene al mundo entero en sus manos"? Esto se aplica al universo y a nuestro planeta mismo. Pero, también a cada uno de nosotros individualmente; quienesquiera que seamos y dondequiera que estemos, Dios nos tiene en sus manos. Le debemos nuestra vida física; toda ella: desde el principio hasta el fin.

¿Qué diferencia produce que Dios sea el Creador de toda vida, incluyendo la nuestra? ¿Cómo debería nuestra actitud hacia el origen de la vida impactar nuestros conceptos acerca de cosas tales como la pena de muerte, el aborto y la eutanasia?

CUIDAR LA VIDA FÍSICA

Si debemos nuestra existencia a nuestro Creador, es razonable que también debamos ser cuidadosos con lo que él nos ha confiado. Hay abundantes evidencias en la Biblia de que Dios está interesado en nuestro bienestar físico. Él manifestó su cuidado por el pueblo de Israel una y otra vez. Le dio numerosas instrucciones acerca de una comida saludable e higiene pública. Le dio maná en el desierto. Cuidó a Elías cuando había hambre en la tierra. Estos son solo unos pocos de los muchos ejemplos del cuidado de Dios hacia nuestro bienestar físico.

Esta verdad llega a ser aún más clara en el ministerio de nuestro Señor. Aun una lectura superficial de los evangelios no deja ninguna duda de que Jesús comprendía la religión en una forma muy práctica.

¿De qué maneras mostró Jesús interés en su propio bienestar físico y en el de la gente que estaba a su alrededor? Considera los siguientes pasajes y analiza las implicaciones que tienen para nosotros actualmente.
- sanó (Mar. 5)
- descansó (Mar. 6:30-32)
- alimentó (Mar. 6:33-43, especialmente el vers. 34)
- el sábado (Luc. 4:16)

¿En qué otras áreas mostró Jesús su preocupación por el bienestar físico de la gente?

La forma en que tratamos nuestro cuerpo tiene mucho que ver con la mayordomía. Sean nuestras posesiones materiales, nuestro tiempo, nuestros talentos o nuestro cuerpo: todo es propiedad de Dios y, por lo tanto, se nos demanda que seamos fieles mayordomos en el cuidado de estos dones. Pero, el cuidar nuestro cuerpo también está íntimamente relacionado con el concepto bíblico de la persona humana. Muchos cristianos creen que consistimos en un alma inmortal que habita una cáscara mortal de carne y sangre. Sin embargo, la Biblia describe la humanidad como una unidad de cuerpo, alma y espíritu, que no pueden separarse. Nuestra religión, por lo tanto, no se preocupa solo por un "algo" inmortal sino por nuestro ser entero. Impacta todos los aspectos de nuestra existencia.

Mientras la Biblia indica que ciertos alimentos no son apropiados para el consumo humano (ver, p. ej., Lev. 11), el Reino de Dios no ha de reducirse a un asunto de lo que comemos o bebemos (ver Rom. 14:17). ¿De qué modo alcanzamos un equilibrio correcto, no solo en este aspecto sino también en todas las áreas de la vida?

Martes

LA VIDA ESPIRITUAL

"De modo que si alguno está en Cristo, nueva criatura es; las cosas viejas pasaron; he aquí todas son hechas nuevas" (2 Cor. 5:17).

¿Qué significado tiene para ti el texto de arriba? ¿De qué modo somos "nuevas criaturas" en Jesús?

_____

_____

Todos los habitantes de esta tierra, sea que se den cuenta o no, son de Dios por nacimiento. No obstante, la vida que todos compartimos en este mundo es, como bien sabemos, muy temporaria. El pecado ha traído consigo la decadencia y la muerte no solo a cada ser humano sino también a todo lo viviente en el planeta. Nada es inmune a la aplastante devastación causada por el pecado.

Sin embargo, las buenas nuevas son que tenemos la posibilidad de elegir si esta vida es todo lo que tendremos o si aceptaremos el maravilloso don de la vida eterna.

No obstante, esta vida eterna demanda un cambio total, una conversión. La Biblia utiliza varias metáforas para describir esta experiencia vital. La más gráfica es la del nuevo nacimiento, la imagen usada para describir el momento crucial en el que una persona acepta el don de la vida eterna en Cristo. Cuando eso sucede, la "persona antigua" muere, y nace una "persona nueva".

En ningún lugar de la Biblia se describe con más claridad este nuevo nacimiento que en Juan 3. Lee esta sección (vers. 1-21) que relata el encuentro de Jesús con Nicodemo. ¿Qué nos indica acerca de la naturaleza de este nuevo nacimiento? ¿Cómo entiendes tú mismo el nuevo nacimiento?

_____

_____

La vida nueva del seguidor de Jesús, que se ha vuelto de una vida de servicio propio a una vida de compromiso con el Reino, estará caracterizada por el crecimiento. La persona que recién ha nacido espiritualmente necesita alimentarse con la clase correcta de alimento espiritual y debe madurar gradualmente. El apóstol Pedro nos anima a crecer "en la gracia y el conocimiento de nuestro Señor y Salvador Jesucristo" (2 Ped. 3:18).

Si alguien te preguntara: "¿Has nacido de nuevo?", ¿qué le responderías? ¿Qué indica tu respuesta acerca de tu caminar con Jesús?

LA VIDA SOCIAL

Los seres humanos somos, por naturaleza, seres sociales. Por supuesto, hay momentos en que nos gusta estar solos. Necesitamos momentos privados para la oración y la contemplación. Algunos necesitan más espacio y tiempo privado que otros. Pero tendemos a sentir lástima por las personas que siempre están solas, y especialmente por aquellos que no tienen suficientes capacidades sociales para establecer vínculos de amistad y que constantemente dejan de iniciar relaciones significativas.

La Biblia describe a las personas como partes de diversas redes sociales. La familia, los amigos, los grupos étnicos, la comunidad y la iglesia son temas dominantes. La Biblia señala al Padre de Jesús como el Padre de toda la humanidad, lo que significa que todos somos hermanos y hermanas en un sentido muy real (Hech. 17:26). Las relaciones activas son la esencia de la vida humana. Cuando Dios creó a Adán, de inmediato le creó una compañera. La vida de familia fue un modelo diseñado por Dios para la felicidad humana. La Biblia repetidamente subraya el enorme valor de la amistad genuina y las bendiciones de pertenecer a una comunidad más amplia.

¿Cuál es la clave del manejo exitoso de nuestras relaciones sociales? ¿Cuán bien manifiestas tú mismo estos principios? Fil. 2:1-5.

_____

_____

Los diversos aspectos de nuestra vida cristiana se reúnen en nuestra pertenencia al cuerpo de Cristo: la iglesia. La iglesia es más que un lugar donde se reúnen y gozan de compañerismo personas con una mentalidad similar. Sin embargo, para muchos la iglesia es realmente el punto central de su vida social. Esto tiene aspectos tanto positivos como negativos. Sin amigos cristianos, tenemos muy pocos modelos de desempeño. Asociarnos con otros que también sirven a Dios y que también han adoptado un estilo de vida bíblico nos ayudará a permanecer fieles y a crecer en nuestras relaciones cristianas. Pero, si no tenemos amigos fuera del círculo de los creyentes, tendremos pocas oportunidades para testificar. En muchas partes del mundo la evangelización por la amistad es el método que tiene mayor éxito en el crecimiento de la iglesia.

Las investigaciones han mostrado que la mayoría de los adventistas nuevos virtualmente pierden a todos sus amigos no adventistas antes de que pasen siete años. Considérate a ti mismo. ¿Es esto lo que ves? ¿Cuáles son las razones? ¿Por qué vale la pena invertir tiempo y energía en edificar amistades con no adventistas, o aun con no cristianos?

Jueves

PLENITUD DE VIDA

En Juan 10:10 se registra la famosa afirmación de que Jesús había venido para dar vida en forma abundante. Otras traducciones hablan de que las personas "vivan plenamente".

Aquí hay una lista parcial de componentes importantes de esta vida "abundante". Trata de añadir otros componentes a esta lista, y encuentra apoyo bíblico para estos diversos aspectos:
1. Es una vida llena de posibilidades.
2. Es una vida con propósito.
3. Es una vida de paz interior.
4. Es una vida con una misión.

A medida que crecemos en nuestra vida cristiana, llegamos a convencernos más y más de que Dios realmente nos ofrece vida "abundante". Sin embargo, a menudo tenemos dificultades para explicar esto a los que no se han comprometido con Cristo. Para ellos, la vida cristiana aparece más bien como aburrida. No les gusta el hecho de que parece traer toda clase de restricciones. Pero, los cristianos han aprendido que no todas las experiencias que uno tiene hacen que la vida sea más rica. Muchas cosas que hacemos pueden llevar un signo menos en vez de un signo más, y contribuir a un vacío interior más bien que a una vida abundante.

¿Cuáles son algunos tipos de experiencias que sería mejor no tener, y por qué?

_____

_____

La "vida abundante" no es una combinación de buena salud, buena presencia, educación satisfactoria y buenos ingresos. Y, aunque las relaciones sólidas y amantes son una parte de ella, hay muchas cosas más que estas. La vida "abundante" es la clase de vida que tiene sentido. Es una vida llena de paz interior. Su felicidad no depende principalmente de las circunstancias externas o materiales. Es una vida que está conectada con la Fuente de la vida y que, por lo tanto, es eterna.

¿Por qué suena tan agradable todo este tema de la "vida abundante"? ¿Qué sucede con los que parecen tener una "vida abundante" pero no conocen a Jesús, y no parecen tener el menor interés en conocerlo? ¿Cómo entendemos este fenómeno, especialmente cuando todos conocemos a cristianos que ahora sufren terriblemente? Ver 2 Cor. 4:16.

PARA ESTUDIAR Y MEDITAR: El famoso libro de Elena de White *El camino a Cristo* se concentra en nuestra vida en Cristo. Si, en el contexto de esta lección, uno tuviera que elegir un capítulo específico, podría ser el capítulo 8: "El secreto del crecimiento" (pp. 66-75). "La vida en Cristo es una vida de reposo. Puede no haber éxtasis de la sensibilidad, pero debe haber una confianza continua y apacible. Tu esperanza no está en ti; está en Cristo. Tu debilidad esta unida a su fuerza. Tu ignorancia, a su sabiduría; tu fragilidad, a su eterno poder. Así que, no debes mirarte a ti mismo, ni dejar que la mente se espacie en el yo. Mira a Cristo. Piensa en su amor, en su belleza y en la perfección de su carácter" (CC 70).

PREGUNTAS PARA DIALOGAR:

1. Cuando las personas están severamente discapacitadas o con enfermedades terminales, con frecuencia se hacen la pregunta de si su vida todavía es de "calidad". ¿Debería la calidad de la vida definirse principalmente en términos físicos o hay otros aspectos también importantes, o tal vez aun más esenciales? Además, ¿cómo influye sobre nuestra respuesta la forma en que comprendemos el origen de la vida?

2. Para muchas personas, la aparición del espectro de la muerte quita a la vida todo significado y propósito. Después de todo, si más temprano o más tarde todos moriremos y se olvidará todo recuerdo de nosotros, ¿qué sentido puede tener esta vida? ¿De qué modo respondió Jesús a esta pregunta y eliminó toda nuestra preocupación?

3. ¿Qué aspecto de tu cultura contemporánea le roba todo sentido a tu vida? Es decir, ¿qué clase de ideales y valores morales se promueven que reducen la vida a algo menos de lo que debería ser? ¿Cómo podemos nosotros, como cristianos adventistas, responder a estos desafíos?

4. ¿De qué manera pueden nuestro mensaje de salud y nuestros principios de una vida mejor participar en la promesa de una "vida abundante"? ¿Podríamos, sin quererlo, estar limitando el alcance de esta promesa?

Resumen: Esta semana nos concentramos en la vida "abundante", o "plena", que se encuentra en Jesucristo. Es una vida vivida en forma responsable, que atiende nuestra vida física de la mejor manera posible. También es una vida de relaciones, pues Dios diseñó a los seres humanos para vivir en comunidad con otros. Pero, sobre todo, es una vida totalmente renovada en Jesús, una vida que será transformada por la gracia de Dios y que crecerá en ella.

El sábado enseñaré...

Testo clave: Juan 10:10.
Enseña a tu clase a:
Saber que la vida procede de Dios y solo de él.
Sentir la transformación que ocurre cuando Cristo entra en tu vida.
Hacer que su presencia modele tus elecciones cada día.

Bosquejo de la lección:
I. **El don de la vida (Juan 1:1-3)**
   A. Dios es la fuente de la vida para todo lo que vive sobre la tierra. Este asombroso don ¿nos obliga a responder de alguna forma específica? ¿Por qué sí o por qué no?
   B. Dios nos ha dado muchas recomendaciones para cuidar de nuestros cuerpos, en relación con la alimentación, así como instrucciones sobre el estilo de vida más amplio. ¿Qué nos indican estas pautas acerca del valor que Dios atribuye a la vida humana?

II. **Una vida abundante (2 Cor. 5:17)**
   A. Así como Dios nos dio vida al principio, nacemos de nuevo a una vida nueva en Cristo. ¿Qué ha cambiado en tu vida como resultado de tu relación con Jesús? Explícalo.
   B. En el versículo para memorizar de esta semana, Jesús dice que él vino para que podamos tener vida más abundante. ¿Qué ha hecho él para que tu vida sea más satisfactoria?

III. **Una nueva vida en Cristo (2 Ped. 3:18)**
   Con Cristo en nuestras vidas, podemos vivir con propósito y sentido. En 2 Pedro se nos estimula a crecer en la gracia y el conocimiento de Jesús. ¿En qué formas tangibles puedes esforzarte para hacer esto cada día?

Resumen: Jesús le dijo a Nicodemo que debía nacer de nuevo (Juan 3:1-21). Haz todo lo que puedas para iniciar cada día nacido de nuevo en Cristo.

Ciclo de aprendizaje

Concepto clave: Dios nos da no solo la vida sino también una manera de vivir. Él nos creó y nos redimió. De esta manera, nuestras vidas no nos pertenecen. Somos responsables ante Dios por el uso que le damos a la vida que él nos da.

PASO **1**

¡Motiva!

SOLO PARA LOS MAESTROS: EN LA LECCIÓN DE ESTA SEMANA, ANALIZAMOS Y EXPLORAMOS EL SIGNIFICADO DE LA VIDA MISMA COMO UN DON DE DIOS.

La antiquísima discusión acerca de cuál es el significado de la vida ha iniciado un sinfín de debates y conjeturas desde el comienzo del tiempo. Algunos científicos afirman que la respuesta es la supervivencia de la especie. El ateo Richard Dawkins, que escribió *The Selfish Gene* [El gen egoísta, 1976], propone que la vida es sencillamente la forma en que los genes eligen duplicarse. Otras respuestas al significado de la vida varían desde lo sublime hasta lo absurdo: iluminación, éxito individual, poder, placer, y aun el número 42 (como lo propuso en son de broma Douglas Adams en *The Hitchhiker's Guide to the Galaxy* [La guía de quien viaja a dedo por la galaxia]). Otros todavía se preocupan por la pregunta de si el concepto mismo de "sentido de la vida" tiene sentido.

Cuando preguntamos cómo llegó a existir la vida, las ideas tienden a ser más claras y diferentes, pero siguen siendo mutuamente contradictorias y, a menudo, llenas de brechas. Los evolucionistas, tales como Dawkins, afirman que la evolución es tan indiscutible como la gravedad, pero los críticos del evolucionismo persisten en arrojar dudas sobre ella. Los teóricos más cercanos a la frontera de una creencia aceptable sugieren que la vida sobre la tierra fue sembrada por extraterrestres, pero generalmente no explican de dónde vinieron tales extraterrestres. Los defensores del diseño inteligente dicen que debió haber habido un Diseñador Inteligente, pero en el ambiente legal actual (por lo menos en los Estados Unidos) sus abogados no les permiten decir quién es ese diseñador.

Como cristianos, nos volvemos a la Biblia, donde encontramos respuestas claras, específicas y coherentes a ambos temas. Dios nos creó para amarlo y servirlo, y para ser amados y servidos por él. No tenemos todas las respuestas a los misterios de la vida, pero su amor por nosotros es un punto de partida muy bueno.

Analiza con tu clase: La Biblia dice que Cristo es el Alfa y la Omega –el principio y el fin– de la vida y del tiempo (Apoc. 1:11). ¿Qué significa esta creencia en nuestras vidas, y para la vida misma?

Considera: ¿Cómo demuestras que el centro de tu vida es amar y servir a Dios?

SOLO PARA LOS MAESTROS: LOS SIGUIENTES PASAJES TRANSMITEN EL HECHO DE QUE DIOS ESTÁ PREOCUPADO E INVOLUCRADO EN TODOS LOS ASPECTOS DE NUESTRAS VIDAS Y QUE NOSOTROS, A NUESTRA VEZ, DEBERÍAMOS RECORDAR SIEMPRE SU PRESENCIA EN TODO LO QUE HACEMOS.

Comentario de la Biblia

Panorama: La Biblia considera como evidente por sí mismo el hecho de que Dios creó todo. La grandeza y la bondad de Dios se demuestran por las cosas que hizo y la forma en que las hizo. Esta evidencia incluye nuestros propios cuerpos. Por lo tanto, la Biblia sugiere que nuestra existencia debería servirnos para recordar a Dios, su amor por nosotros y sus planes para nuestro destino.

I. Vida abundante

(*Repasa con tu clase Juan 10:10.*)

¿Te preguntaste alguna vez por qué Dios creó primero la luz antes de crear una fuente de luz? El sol no aparece hasta el cuarto día de la semana de la Creación, cerca de un centenar de horas después de que la luz estuviera brillando sin él. Tal vez Dios quería que recordáramos que antes de que hubiera cualquier otra cosa él –"la luz del mundo"– ya existía. Su poder, su amor, su bondad y la plenitud de su vida no son derivados; todos surgen de él.

Dios nos ha dado la plenitud de su vida mediante su Hijo. Cuando Jesús declara que vino para que los seres humanos "tengan vida, y para que la tengan en abundancia" (Juan 10:10), se está refiriendo no solo a esta vida física en sus diversos aspectos, sino también a la vida espiritual y eterna. El Evangelio de Juan es bastante enfático desde el comienzo al decir que Cristo es la Fuente de esa vida (Juan 1:3, 4). Juan sigue diciendo que esta Vida es la "luz de los hombres" (vers. 4). Aquí Juan iguala la vida con la luz, lo primero que Dios creó, sugiriendo que la vida comparte las cualidades de la luz. Aun ahora la usamos para simbolizar la sabiduría y el entendimiento, la revelación y la inspiración.

Considera: ¿Cómo se te ha revelado el Señor de la luz en los eventos y en el curso de tu vida?

II. Entretejido en lo más profundo de la tierra

(*Repasa con tu clase Sal. 139:13, 14.*)

De acuerdo con *The Interpreter's Bible*, algunos eruditos sugieren que Salmo 139:15 sea posiblemente un "reflejo de la idea de que el feto humano fue hecho por Dios en alguna otra parte antes de ser introducido en el vientre" (t. 4, p. 716). Es fácil enredarse en tales especulaciones estériles y pasar por alto el propósito del Salmo: servir como un testimonio de la omnisciencia de Dios. Dios sabía de nosotros y tenía planes para nosotros aun antes de que los elementos físicos de nuestra existencia se hubieran reunido en la combinación singular que nos hace lo que somos.

También podemos considerar que la percepción que Dios tiene de nosotros es un reconocimiento poético del hecho de que nuestra "corporalidad" y nuestra "espiritualidad" están entretejidas. De este modo, no somos espíritus que descendieron de algún ámbito misterioso y se plantaron en cuerpos físicos. Somos nuestros cuerpos físicos, y necesitamos respetarlos como la casa de Dios.

Considera: Por cuanto Dios nos creó como seres físicos con cuerpos, ¿cuál debería ser nuestra actitud hacia nuestros cuerpos, y cómo deberíamos exhibir esta actitud en todo lo que hacemos?

III. La vida está con la gente

(*Repasa con tu clase Fil. 2:1-5.*)

La armonía y el orden que todavía pueden verse en la vida, la existencia y el mundo natural señalan a Dios como su Originador. De la misma manera, el cuerpo de creyentes conocido como la iglesia –la nueva creación de Dios– también debería demostrar la armonía que Dios quería que existiera entre los seres que él creó. ¿De qué manera mostramos esta armonía? La respuesta es sencilla. Poniendo a un lado el interés y la promoción propios que el mundo nos dice que son necesarios para la supervivencia. Amar a otros más que a uno mismo y procurar hacerles el bien. Abrazar la vida abnegada de Cristo como la nuestra.

Considera: Las iglesias son muy parecidas a muchas familias, en las que los miembros pueden tener relativamente poco en común con otros miembros. Enumera formas en las que podemos aliviar las tensiones que inevitablemente surgen. ¿Cómo podemos promover relaciones armoniosas los unos con los otros?

PASO 3
¡Practica!

SOLO PARA LOS MAESTROS: ANIMA A TUS ALUMNOS A USAR LAS SIGUIENTES PREGUNTAS PARA PENSAR ACERCA DE DIOS EN CRISTO COMO LA FUENTE DE LA VIDA, Y DE LA VIDA COMO ALGO QUE DIRIGE NUESTRA ATENCIÓN HACIA DIOS.

Preguntas para reflexionar:

1. La mayor parte de la gente tiene, por lo menos, una creencia pasiva en la existencia de un Dios creador. ¿Por qué es importante creer en el informe creacionista de una tierra joven, en vez de creer, digamos, en el evolucionismo teísta?

2. Muchos milagros de Jesús, o la mayoría de ellos, se ocupan de la sanidad, lo que indica que tanto él como sus oyentes consideraban la sanidad como un acto santo. ¿Qué nos sugiere esta idea acerca de la importancia que nuestro bienestar físico tiene para Dios?

Pregunta de aplicación:

Como Adventistas del Séptimo Día, sabemos que Dios quiere que estemos sanos. La salud vibrante es uno de los aspectos de la vida abundante que él ofrece. Lamentablemente, el mensaje de salud frecuentemente se percibe como un conjunto rígido de restricciones o, peor, como justificación para quienes lo siguen para considerarse superiores a los que no lo siguen. ¿De qué modo podemos presentar el mensaje de salud de tal modo que la gente comprenda que Dios tenía la intención de que fuera para nuestra felicidad y bienestar?

PASO 4
¡Aplica!

SOLO PARA LOS MAESTROS: ESTA SEMANA HEMOS APRENDIDO QUE DIOS NOS DA NO SOLO LA VIDA SINO TAMBIÉN UN ESTILO DE VIDA. USA LA SIGUIENTE ACTIVIDAD PARA ANIMAR A TUS ALUMNOS A EXPLORAR Y DESCUBRIR QUÉ SIGNIFICA PARA ELLOS ESTA MANERA DE VIVIR.

• En Salmo 139:13 y 14 se afirma que las obras de Dios, en nuestra formación, son "formidables, maravillosas". Y es cierto; virtualmente, cualquiera de nuestros órganos es una maravilla de diseño e ingeniería. Las probabilidades de que cualquiera de ellos surgiera por el azar son extremadamente remotas. Examina uno de estos órganos, o sistemas, en tu clase. El ojo es un ejemplo popular (hay un sitio con material reproducible sobre este tema: http://www.bibleprobe.com/humaneye.htm).

• Uno de los propósitos de nuestras vidas es el de ser una bendición en la vida de otros, específicamente, en nuestra propia comunidad. ¿Conoces a alguien, en tu iglesia o tu comunidad, que está experimentando dificultades para realizar las funciones básicas de su vida? ¿Cuáles son, específicamente, las necesidades de esa persona, y cómo puedes ayudarla? Ejemplo: Hacer algo por la casa o el patio de una persona anciana o enferma; hacer almuerzos y ponerlos en bolsitas para dar a los que no tienen hogar. ¿En qué otros ejemplos puedes pensar? Señala un tiempo para ayudar a esta persona (o esas personas), como clase.

LA REVELACIÓN

Sábado   *25 de abril*

LEE PARA EL ESTUDIO DE ESTA SEMANA: Éxodo 7:1-6; Salmo 19:1-4; Romanos 1:18-20; 2 Timoteo 3:14-16; Hebreos 1:1-3.

PARA MEMORIZAR:

> "Dios, habiendo hablado muchas veces y de muchas maneras en otro tiempo a los padres por los profetas, en estos postreros días nos ha hablado por el Hijo, a quien constituyó heredero de todo, y por quien asimismo hizo el universo" (Heb. 1:1, 2).

PARA ALGUNAS PERSONAS, Dios es un poder distante que, en un momento remoto del pasado, puso el mundo en movimiento pero ya no interfiere con lo que sucede aquí. Eso, por supuesto, no es la descripción de Dios que da la Biblia, a quien se muestra, en forma constante, como un Padre amante, el Creador que sigue tomando un interés específico en sus criaturas. Él es el Dios del pacto, y procura establecer un vínculo entre sí mismo y la gente, hecha a su imagen.

Este Dios es un gran comunicador. Las palabras humanas no pueden explicar adecuadamente quién es Dios y cómo es él, pero el hecho de que constantemente se lo menciona como hablando a la gente es sumamente importante.

Tan pronto como Adán fue creado, Dios le habló. Inmediatamente después de que el primer habitante de este mundo pecara, Dios lo llamó: "¿Dónde estás tú?" (Gén. 3:9). Y, desde entonces, Dios ha hablado a la humanidad de diversas maneras (Heb. 1:1). Hasta en la página final de la Biblia encontramos una confirmación de esto en la invitación divina: "El Espíritu y la Esposa dicen: Ven" (Apoc. 22:17).

UN VISTAZO A LA SEMANA: El Dios que habló, y los mundos llegaron a existir, habla a todos los que están dispuestos a escuchar.

Domingo   *26 de abril*

DIOS SE REVELA MEDIANTE LA NATURALEZA

Lee Salmo 19:1 al 4 y Romanos 1:18 al 20. Estos son los dos textos más citados cuando se habla acerca del concepto de la revelación de Dios mediante la naturaleza. Resume, en tus propias palabras, qué nos enseñan estos dos pasajes.

_____

_____

"Dios nos ha rodeado del hermoso escenario de la naturaleza para atraer e interesar la mente. Es su propósito que asociemos las glorias de la naturaleza con su carácter. Si estudiamos fielmente el libro de la naturaleza, hallaremos que es una fuente fructífera para la contemplación del amor infinito y el poder de Dios" (*HAd* 128). Los que creen en la Biblia serán confirmados en sus convicciones de que cuando miran el cielo estrellado o ven los majestuosos árboles en las selvas, y la belleza del sol poniente detrás de las cumbres nevadas de las montañas, están viendo las obras de un Creador amante y poderoso. Cuando ven volar un águila, admiran un tulipán, o se maravillan por lo intrincado que es el cuerpo humano, ven evidencias de las cualidades invisibles de Dios y concuerdan en que la naturaleza realmente declara la gloria de Dios.

Pero los pasajes bíblicos nos llevan un paso más adelante. También sugieren que el no creyente, al mirar a la naturaleza, de alguna manera captará una vislumbre del Poder divino que diseñó e hizo todo lo que existe. En el mundo actual, muchos cierran sus ojos a este aspecto. Han absorbido el pensamiento evolucionista, y desean explicar todo lo que existe en términos del azar y la necesidad. Pero, en forma creciente, los eruditos están admitiendo que hay tanta evidencia de un diseño inteligente que solo los que cierran obstinadamente sus ojos para no verlo pueden ignorarlo.

Pregúntate: ¿Cuál es la explicación más lógica y razonable para la belleza y la complejidad de la vida: el azar solo o una creación planificada y que tiene un propósito? Defiende tu respuesta.

_____

_____

Lee otra vez Salmo 19:1 al 4 y Romanos 1:18 al 20. ¿Hasta qué punto se revela Dios en la naturaleza? Al mismo tiempo, ¿qué cosas acerca de Dios no nos dice la naturaleza? Por reveladora que sea la naturaleza, ¿qué más sabemos acerca de Dios que no podemos descubrir contemplando las glorias de la creación?

DIOS HABLA POR MEDIO DE NUESTRA CONCIENCIA

"Conciencia" se define a veces como la facultad, o el principio interno, que nos ayuda a decidir entre el bien y el mal. Aun los que no creen en Dios poseen generalmente algunas vislumbres de lo que es moralmente aceptable y lo que debe ser rechazado (Rom. 2:14, 15). El cristiano cree que Dios es el supremo Legislador y que él ha puesto en la humanidad una conciencia, aun cuando el pecado ha dañado esta herramienta dada por Dios para hacer decisiones morales. En la mayoría de las traducciones bíblicas no encontramos la palabra *conciencia* en el Antiguo Testamento, aunque aparece muchas veces en el Nuevo Testamento. Pero, se use el término o no, el concepto está presente en todas las Escrituras.

Enumera algunos relatos en los cuales vemos el impacto de la conciencia en la vida de las personas. (Ver, p. ej., Gén. 42:18-23; Juan 8:1-9; Mat. 27:3-5; Daniel 5.)

_____

_____

Por importante que sea nuestra conciencia, no siempre es totalmente digna de confianza. Notamos que la gente, aun en buena conciencia, a menudo llega a conclusiones diferentes acerca de lo que debe hacer en circunstancias específicas. El apóstol Pablo era consciente de esto, como lo muestra su notable afirmación en 1 Corintios 4:4: "Porque aunque la conciencia no me remuerde, no por eso quedo absuelto; el que me juzga es el Señor" (NVI). El mismo apóstol también nos advierte que podemos resistir a la atracción de nuestra conciencia. De hecho, algunas personas parecen tener cauterizadas sus conciencias (1 Tim. 4:2) o la han corrompido (Tito 1:15). Por otro lado, hay maneras de afilar nuestra conciencia. Estar en armonía con Dios por la lectura regular de su Palabra y por una comunión frecuente con él en oración nos hará más sensibles a la voz del Espíritu, quien puede hablarnos por medio de nuestra conciencia.

¿De qué modo llegamos a hacer las decisiones morales importantes? ¿Escuchas a tu conciencia? ¿Cómo puedes estar seguro de que la suave voz interior no esté tapada por otras voces dentro y alrededor de ti? ¿Cómo puedes saber si puedes confiar en tu conciencia o no? ¿Cuándo fue la última vez que permitiste que tu conciencia fuera tu guía y terminaste haciendo una decisión moral equivocada? ¿Qué aprendiste de esa experiencia que puede impedirte repetir ese error?

Martes

28 de abril

DIOS HABLA POR MEDIO DE PROFETAS

Muchas personas tienen una visión muy limitada del don de profecía. Consideran la profecía mayormente en términos de predicciones, y los profetas que conocen son los que dan su nombre a varios libros de la Biblia. Los hechos son diferentes. Dios usó a los profetas en una escala mucho más amplia de lo que se pensaría. Y la profecía no solo tiene que ver con predicciones. Representa mucho más.

¿De qué modo la relación entre Moisés y su hermano Aarón ilustra el significado clave de la palabra *profeta*? Éxodo 7:1-6.

_____

_____

El pasaje de Éxodo 7:1 al 6 subraya la verdadera obra de un profeta. Moisés, a quien se señala como un gran profeta (Deut. 34:10-12), fue ayudado por su hermano, que le servía como vocero. "Moisés es como Dios para Aarón, quien es como un profeta para el faraón. La idea clara es que el profeta no fabrica sus propios discursos, sino que solo entrega lo que ha escuchado decir a Dios" –Jon Dybdahl, *Éxodo*, p. 80.

Un profeta es un hombre o una mujer que habla en lugar de Dios. Esas palabras tienen autoridad porque el mensaje viene de Dios, aun cuando el profeta pueda elegir sus propias palabras para comunicar ese mensaje. Dios usó ampliamente esta manera de comunicarse con su pueblo, como lo destacó Amós cuando afirmó: "Porque no hará nada Jehová el Señor, sin que revele su secreto a sus siervos los profetas" (Amós 3:7).

¿Qué enseñan las Escrituras acerca de la continuidad del don de profecía más allá de los tiempos del Antiguo Testamento? Considera las siguientes muestras de la evidencia en el Nuevo Testamento. ¿A qué conclusión llegas?
1. Se mencionan profetas por nombre (Luc. 1:67; 2:36; Hech. 13:1).
2. El don permanente (1 Cor. 12:28; 14:1-5).
3. Profetas falsos (2 Ped. 2:1; Apoc. 2:20).
4. Una característica de la iglesia remanente (Apoc. 12:17; 19:10).

_____

_____

¿Cuál ha sido el impacto de los escritos de Elena de White (que tuvo el don de profecía) sobre tu propia vida? ¿Cómo te ha hablado Dios por medio de su ministerio? ¿De qué maneras podrías aprovechar mejor las bendiciones de este don?

DIOS SE REVELA EN SU PALABRA

Muchas de las cosas que Dios ha revelado por medio de sus profetas en lo pasado no nos han llegado, ni tampoco llegaron a ser parte de la Biblia. Pero, algunas de esas revelaciones dadas por Dios, que fueron recibidas por una pocas docenas de personas durante un período de más de mil quinientos años, fueron escritas. La compilación de esos escritos es nuestra Biblia. Jesús y sus contemporáneos atesoraron los escritos bíblicos a los que ahora nos referimos como el Antiguo Testamento. Hoy, nuestras Escrituras incluyen también los evangelios y otros escritos apostólicos del primer período de la iglesia.

Pablo felicitó a Timoteo por su lectura diligente de la Palabra de Dios, la cual, dijo él, tienen la capacidad de hacerte sabio para la salvación. ¿De qué modo, en este contexto, se describe algo más acerca de la influencia de la Palabra escrita de Dios? 2 Tim. 3:14-16.

_____

_____

"Al contemplar las grandes cosas de la Palabra de Dios, miramos dentro de una fuente que se ensancha y ahonda bajo nuestra vista. Su anchura y profundidad sobrepujan nuestro conocimiento. Al mirar, la visión se amplía; se extiende ante nosotros un mar ilimitado. Un estudio tal tiene poder vivificador. La mente y el corazón adquieren nueva fuerza y vida.

"Este resultado es la suprema evidencia de que Dios es el autor de la Biblia. Recibimos la Palabra de Dios como alimento para el alma y se presentan las mismas evidencias que cuando nuestro cuerpo se nutre de pan" (*MeM* 26).

Se venden hoy más Biblias que nunca antes. Siguen apareciendo versiones nuevas para audiencias específicas. Tenemos versiones bíblicas que son más accesibles a los principiantes, mientras también hay versiones que facilitan su uso litúrgico. Y esto es bueno. Pero eso no significa necesariamente que la Biblia sea más leída. De hecho, hay indicaciones de que la lectura de la Biblia entre los cristianos, incluyendo a los adventistas del séptimo día, está disminuyendo. Muchos no conocen su Biblia como generaciones anteriores la conocían. Solo a riesgo de nuestro peligro eterno podemos ignorar la Palabra de Dios, pues ella tiene el poder de hablarnos de nuevo cada vez que la abrimos.

¿Cuánto tiempo pasaste con tu Biblia durante la semana pasada? ¿Durante el mes pasado? ¿Es la lectura de la Biblia una característica destacada en tu programa diario? Si no lo es, ¿por qué no? Compara el tiempo que pasas frente al televisor con el tiempo que ocupas en leer la Palabra. ¿Qué cambios podría ser necesario que hicieras?

Jueves   *30 de abril*

CRISTO: DIOS VIENE HACIA NOSOTROS EN PERSONA

Recibir cartas de alguien en forma regular puede ayudar mucho para llegar a conocer a esa persona más íntimamente. Recibir una foto revelará otra dimensión de esa persona. Pero no conocerás realmente a esa persona hasta que realmente hayas pasado tiempo con ella cara a cara.

Por causa del pecado, Dios ya no puede estar en comunión con nosotros como lo había hecho con Adán y Eva en el Jardín del Edén. Aunque se ha comunicado con nosotros en forma muy efectiva de diversas maneras, él quería darnos un cuadro más completo de sí mismo. Y esto lo hizo por medio de Jesús.

¿De qué modo Dios nos proporcionó un cuadro completo de sí mismo? Juan 1:1, 2; 14:9; Heb. 1:1-3.

_____

_____

Las palabras exactas de Juan 1:1 son importantes. Juan no dice que Dios se mostró a sí mismo en carne, o apareció en la carne. Más bien, Juan dice que Jesús llegó a ser carne en un momento específico del tiempo. Jesús vino de arriba y llegó a ser carne; es decir, tomó sobre sí mismo nuestra humanidad. Que nuestro Señor Jesucristo, el eterno Hijo de Dios, llegara a ser carne para nuestra salvación es probablemente la doctrina fundamental de la fe cristiana para todas las confesiones cristianas.

¿Qué relación hay entre la revelación de Dios en las Escrituras y su revelación en Jesucristo? Juan 5:36-40.

_____

_____

Para algunos, el estudio de la Biblia es un fin en sí mismo. De hecho, hay eruditos bíblicos talentosos que no creen siquiera en Dios. No obstante, leer la Biblia sin procurar conocer al Dios a quien revela no puede llevarnos a la salvación más que el leer una receta culinaria puede satisfacer un estómago vacío.

Jesucristo es el centro de las Escrituras. La Biblia trata acerca de él, acerca de lo que nos ha revelado con respecto a la naturaleza y el carácter de Dios. La Biblia no nos salva, pero es la fuente de la verdad dotada de autoridad acerca del Único que puede hacerlo, Jesús de Nazaret.

Una cosa es leer la Biblia; otra es conocer la Biblia; y todavía otra es recitar textos de memoria. Pero, ¿conoces al Dios revelado en la Biblia? ¿Cuáles son algunas de las formas en que puedes leer la Biblia con el fin de llegar a conocer mejor a Dios?

Viernes

1° de mayo

PARA ESTUDIAR Y MEDITAR: "Son muchas las formas en que Dios está procurando dársenos a conocer y ponernos en comunión con él. La naturaleza habla sin cesar a nuestros sentidos. El corazón que está preparado quedará impresionado por el amor y la gloria de Dios tal como se revelan en las obras de sus manos. El oído atento puede escuchar y entender las comunicaciones de Dios por las cosas de la naturaleza. Los verdes campos, los elevados árboles, los capullos y las flores, la nubecilla que pasa, la lluvia que cae, el arroyo que murmura, las glorias de los cielos, hablan a nuestro corazón y nos invitan a conocer a aquel que lo hizo todo" (CC 84). Lee este capítulo entero en *El camino a Cristo*, titulado "Los dos lenguajes de la Providencia" (pp. 84-91).

PREGUNTAS PARA DIALOGAR:

1. ¿Hasta qué punto nos ayuda la naturaleza a encontrar a Dios? ¿Nos enseña la naturaleza algo acerca del Dios de la Biblia o meramente nos impresiona con la idea de que debe haber Algo o Alguien allá arriba?

2. En la clase, conversen acerca de la importancia de seguir los dictados de nuestra conciencia. Luego hablen acerca de los peligros que están implícitos. ¿Cuáles son algunas maneras en que podemos ayudar a otros a saber si pueden confiar en los impulsos de sus conciencias, y cuándo hacerlo?

3. ¿Qué lugar ocupan la cultura y la crianza en darle forma a tu conciencia? ¿De qué maneras ha influido tu cultura sobre tus conceptos del bien y del mal? ¿Cómo puedes aprender a trascender la cultura cuando tengas que hacerlo, es decir, cuando tu cultura enseña algo que va contra la clara enseñanza de la Palabra de Dios?

4. Si el don de profecía es un don espiritual para la iglesia de Dios, ¿debemos esperar que tenga un lugar prominente en nuestros días? ¿Podemos esperar que Dios haga surgir otro profeta similar a la manera en que llamó a Elena de White hace más de un siglo? Analiza tu respuesta.

5. ¿Cuáles son algunas maneras en que podemos estudiar la Biblia con el fin de conocer mejor a Dios?

Resumen: Dios quiere comunicarse con nosotros. Él lo hace por medio de la naturaleza y hablándonos a través de nuestra conciencia. A lo largo de los siglos él usó profetas, y ha hecho que el don profético sea disponible aun para su iglesia actual. La Biblia, la Palabra escrita de Dios, sigue siendo el libro Guía divino para nuestro peregrinaje. Su enfoque está en lo que Dios ha hecho por nosotros, y lo más sublime fue su entrada en este mundo en la persona de su Hijo, de lo cual testifican todas las Escrituras.

El sábado enseñaré...

Texto clave: Hebreos 1:1, 2.
Enseña a tu clase a:
Saber que Dios habla a todos los que están dispuestos a escuchar.
Sentir las muchas maneras en que Dios se comunica contigo.
Hacer que seas receptivo a la voz del Espíritu, pasando tiempo con Dios.

Bosquejo de la lección:
I. Dios habla (1 Sam. 3:1-10)
Este texto es un ejemplo de la disposición que Dios tiene de hablarnos directamente. En este caso, Dios llamó a Samuel cuatro veces antes de que él respondiera. ¿Qué te indica esto acerca del deseo de Dios de comunicarse con nosotros?

II. El hombre escucha (Heb. 1:1-3)
A. Dios nos habla de diversas maneras. Podemos ver su gloria por medio de la naturaleza, su conocimiento en las profecías y su amor por medio de Jesús. ¿De qué modo te habla Dios a ti, personalmente?
B. A menudo se dice que la Biblia es la carta de Dios para nosotros. ¿De qué modo podemos hacer que las Escrituras sean más relevantes en este mundo moderno?

III. Dios y el hombre se comunican (Juan 5:36-40)
A. Jesús afirmó que el único camino al Padre es por medio de él (Mat. 11:27). No importa cuánto estudies la Palabra o comprendas las profecías, sin Jesús no puedes conocer a Dios, el Padre. ¿Cómo puedes invertir tu tiempo, esta semana, para comunicarte con Dios?
B. ¿De qué maneras puedes escuchar la conducción de Dios y ser más receptivo a lo que él tiene para decirte?

Resumen: Dios nos ama tanto que desea tener un diálogo permanente con nosotros. Él nos habla de muchas maneras, la más poderosa de las cuales es Jesús.

Ciclo de aprendizaje

Concepto clave: Dios se revela a sí mismo y su plan para nuestras vidas por medio de diversas fuentes, que incluyen la naturaleza, la conciencia, sus profetas, la Biblia y, por sobre todo, Jesús.

La reputación un tanto malvada del azúcar es suficiente para dejar un gusto amargo en la boca de las personas muy golosas. No se puede negar que cuando el azúcar aparece naturalmente en alimentos nutritivos, tales como la miel y diversas frutas, por supuesto es beneficiosa. Pero, no es un secreto que demasiada azúcar puede tener efectos perjudiciales sobre el cuerpo.

Por poco o mucho que usemos el azúcar, todos la deseamos, y no podemos negar que hace que ciertas comidas tengan mejor sabor. Sabemos que el azúcar está presente en los caramelos, los bombones y las tortas o pasteles, pero ¿sabías que también puede ser un ingrediente "oculto" en sopas y salsas, aderezos, y hasta en algunas carnes? Cuando se incluye el azúcar en alimentos en los cuales no esperarías encontrarlo, la dulzura del azúcar es disfrazada con nombres menos dulces, tales como lactosa, maltodextrina, jarabe de maíz de alta fructosa, sorbitol y xylitol.

Como el azúcar, un conocimiento de Dios y de su voluntad también se puede obtener mediante fuentes abundantes. Dios se nos revela mediante la naturaleza, nuestra conciencia, sus profetas, la Biblia y, en última instancia, por medio de Jesucristo. Solo necesitamos ir a esas fuentes para que podamos "gustar y ver que es bueno Jehová", como dice el salmista (Sal. 34:8). Sin embargo, la diferencia es que ceder al deseo del alma de tener más conocimiento de Dios –a diferencia de consumir demasiada azúcar– es realmente bueno para ti.

Considera: Cuando quieres algo dulce, ¿qué es lo que generalmente deseas? ¿Un helado? ¿Una fruta madura? Por supuesto, las papilas gustativas de cada uno desean algo diferente, y podríamos descubrirnos tomando un trozo de chocolate en lugar de una manzana, aunque nos cueste más de lo que quisiéramos admitir. Pero, nuestras ansias por alimentos dulces realmente pueden tener algo útil que enseñarnos acerca del ansia por cosas espirituales. Demasiado a menudo satisfacemos esta "hambre de Dios", o anhelos de cosas espirituales, con otras clases de estímulos que no alimentan ni satisfacen nuestras almas. ¿De qué modo las diferentes maneras en que Dios se revela a nosotros nos ofrecen los verdaderos alimento y sustento que más necesita nuestra alma?

MATERIAL AUXILIAR PARA EL MAESTRO

Comentario de la Biblia

I. Ver es creer

(Repasa Sal. 19:1-4; Rom. 1:18-20 con tu clase.)

Considera: ¿De qué modo se revela Dios en la naturaleza?

"Las cosas invisibles de Dios pueden ser percibidas con claridad, por la mente, con la ayuda de las obras creadas de la naturaleza. Aunque marchitadas por el pecado, 'las cosas hechas' testifican del poder infinito de aquel que creó esta tierra. Alrededor de nosotros vemos abundantes pruebas de la bondad y del amor de Dios, hasta el punto que es posible que aun los paganos reconozcan y admitan el poder del Creador" (*CBA* 6:474).

Pero, por hermoso y potente que sea el testimonio de la naturaleza, esto solo no puede revelar el plan de salvación. Para tener el cuadro completo, debemos volvernos a otras fuentes, tales como la Palabra de Dios y la revelación de Dios por medio de Jesús.

Considera: ¿Qué necesitamos saber acerca de Dios que la naturaleza no puede enseñarnos?

II. Aceptar la Palabra de Dios

(Repasa Heb. 1:1-3 y 2 Ped. 1:19-21 con tu clase.)

Considera: ¿Qué da autenticidad a las palabras de un profeta? ¿Por qué sabemos que podemos confiar en los profetas bíblicos?

Podemos confiar en los profetas de Dios porque "la verdadera profecía es una revelación que procede de Dios. [...] Él decide lo que será revelado y lo que permanecerá oculto. A menos que el Espíritu Santo impresione la mente, el hombre es incapaz de profetizar –de hablar públicamente por Dios–, no importa cuán ardientemente quiera hacerlo" (*CBA* 7:621).

Considera: ¿Cuál es el lugar del Espíritu Santo en la Revelación y la Inspiración?

III. En la carne

(Repasa con tu clase Heb. 1:3; Juan 14:8, 9.)

¿Te has encontrado alguna vez con un niño que se parecía a sus padres, que hablaba como ellos y actuaba del mismo modo? Puede ser una experiencia intrigante. Hasta puedes sentirte como en la presencia de la persona a quien se parecía tanto ese niño, aunque, por supuesto, no era así.

Jesús se parecía al Padre en carácter aún más de lo que cualquier padre terrenal y su niño puedan parecerse entre sí. Él y el Padre eran uno. La presencia de Jesús sobre la tierra fue la revelación más completa de Dios que se ha dado a la humanidad. "Cristo era la misma imagen de la persona del Padre" (*AO* 146). Además, "Cristo vino al mundo para revelar el carácter del Padre y para redimir a la raza caída (*AFC* 40). "[Jesús] dio a conocer, mediante sus palabras, su carácter, su poder y su majestad, la naturaleza y los atributos de Dios" (*TMKH* 38).

Considera: ¿Cómo podemos crecer para "parecernos más" a Dios? ¿Cuál es la relación entre crecer *en* él y crecer para *parecernos* a él? ¿Qué podemos aprender del ejemplo de Jesús mismo? ¿Qué revela su cercanía y su unidad con el Padre acerca de cómo podemos alcanzar los atributos del carácter de Dios?

Preguntas para reflexionar:

1. ¿Cuál es la mejor manera de llegar a conocer a alguien o que alguien llegue a conocerte a ti? Haz una lista. ¿De qué modo estas maneras de conocer se pueden comparar con las formas en que Dios se nos revela? ¿Qué podemos aprender de ellas acerca de las formas mediante las cuales llegamos a conocer a Dios?

2. En Romanos 1:18 al 20 se nos dice que las "cosas invisibles" del eterno poder de Dios y su divinidad son reveladas tan claramente mediante la naturaleza que los que lo ignoran o rehúsan reconocerlo "no tienen excusa". Estas palabras son bien poderosas. Ponlas a prueba. ¿Qué ejemplo o ejemplos específicos puedes encontrar en la naturaleza que revelan el "eterno poder" de Dios o su divinidad? Explica tu respuesta.

Preguntas de aplicación:

1. Piensa en alguien que te conoce muy bien. ¿De qué manera llegó a conocerte tanto? Este conocimiento ¿se desarrolló por medio de cartas, llamadas telefónicas, correos electrónicos, conversaciones cara a cara, experiencias compartidas, o todos estos medios? ¿Cuál de estas maneras hizo la mayor contribución para intimar con esa persona? ¿Qué nos indican estas respuestas acerca de lo que está involucrado en llegar a conocer a Dios?

2. Piensa acerca de cómo llegaste a conocer a Dios personalmente. ¿Qué hizo el mayor impacto sobre ti: la naturaleza, la profecía, la Biblia, o la vida de Cristo? ¿Qué revelación usarás ahora para profundizar tu intimidad con Dios? Indica razones para tu elección.

3. Lee Juan 17:3. Analiza cuán importante es llegar a conocer a Dios. Escribe un diario, esta semana, describiendo las formas en las cuales Dios se revela a ti.

Desempeño de roles:

Pide a un miembro de la clase que represente a alguien que no cree en Dios. Esa persona debería preguntar: "¿Cómo sabes que Dios existe?" Pide a otro miembro de la clase que responda a la pregunta basado en lo que aprendieron en el estudio de esta semana.

La lección de esta semana ha explorado maneras en las cuales Dios se revela a nosotros. Consideremos maneras de hacer que esta revelación sea más personal.

1. Encuentra un evento histórico de los últimos quinientos años que ha sido el cumplimiento directo de una profecía bíblica. Por ejemplo, el sol que se oscureció, la luna que se convirtió en sangre, la caída de las estrellas, el gran terremoto de Lisboa, u otros. Aprovecha la oportunidad de compartir con alguien que no esté familiarizado con la profecía acerca de cómo su cumplimiento ha profundizado tu fe.

2. Cuenta, actúa o reescribe, ambientada en un ambiente contemporáneo, tu historia favorita de la Biblia que describe el carácter de Dios.

3. Nota los nombres de Jesús mencionados en Isaías 9:6. Escribe cada nombre en una columna separada. Luego, escribe en cada columna de qué modo ese nombre específico ha sido importante en tu vida. Por ejemplo, bajo "Príncipe de paz" puedes escribir acerca de la ocasión en que estabas preocupado por algo y Dios te dio paz.

4. Lleva a tu clase a ver algo de la naturaleza, si es posible, o trae algunos objetos naturales a la clase. ¿De qué modo estos objetos del mundo natural "cuentan la gloria de Dios" (Sal. 19:1) y a Dios como el Creador?

Para el 9 de mayo de 2009

EL PECADO

Sábado   *2 de mayo*

LEE PARA EL ESTUDIO DE ESTA SEMANA: Isaías 14:12-14; Mateo 23:23; 25:45; Filipenses 2:6-8; Hebreos 1:1-5; Apocalipsis 5:9-12.

PARA MEMORIZAR:

"Así que, como por la transgresión de uno vino la condenación a todos los hombres, de la misma manera por la justicia de uno vino a todos los hombres la justificación de vida" (Rom. 5:18).

EL ENTUSIASTA OPTIMISMO de generaciones anteriores de que todo en el mundo mejoraría más y más ya no es cierto hoy. Aun después de la Guerra Fría, el mundo está lejos de ser un lugar seguro. La amenaza del terrorismo ha hecho que todos nos sintamos vulnerables. La ciencia, que se suponía que era la pregonera de un mundo mejor, ahora amenaza con producir desastres en este mundo. Las fuentes comunes de energía se están agotando. Los casquetes polares se están derritiendo. El crimen es un triste hecho de la vida por todas partes. Los seres humanos muestran poco o ningún signo de mejoramiento moral en las últimas generaciones. La brecha entre los ricos y los pobres se está ensanchando constantemente. Nuestra cuota diaria de noticias casi invariablemente nos habla de atrocidades y decadencia moral. No sorprende que alguien, en cierta ocasión, haya dicho que la enseñanza cristiana de la pecaminosidad humana se puede verificar fácilmente. Es decir, esa es una doctrina que no hace falta aceptar por fe. No obstante, por malo que sea el pecado, no es el fin de la historia. Es cierto, el pecado es real, pero también lo es la gracia divina.

UN VISTAZO A LA SEMANA: El pecado y los resultados del pecado son una dolorosa realidad en la vida humana. Gracias a Dios por Jesús, quien proveyó una vía de escape para todos.

Domingo   3 *de mayo*

EL PECADO ES REBELIÓN

¿Cuál es la esencia del pecado? ¿De qué modo lo define la Biblia? En 1 Juan 3:4, se afirma: "Todo aquel que comete pecado, infringe también la ley; pues el pecado es infracción de la ley". Hay una traducción que dice: "El pecado se opone a la ley". La *Nueva Versión Internacional* vuelca: "el que comete pecado, quebranta la ley". Pero la humanidad ha quebrantado o transgredido no cualquier ley, sino la Ley de Dios. Los seres humanos se rebelaron contra su Hacedor, pretendiendo que ellos mismos son la medida de todas las cosas, en vez de, con confianza humilde, someterse a la sabiduría y el amor de Dios.

¿Qué revelan los siguientes pasajes de la Biblia acerca de la esencia del pecado? Gén. 3:1-7; Isa. 14:12-14; Apoc. 12:7-9.

_____

_____

¿Por qué castigó Dios a Adán y a Eva por lo que pareció ser un asunto insignificante? Puede parecer sin importancia, pero allí había involucrado un principio vital. "En la fruta no había nada venenoso y el pecado no consistía meramente en ceder al apetito. La desconfianza en la bondad de Dios, la falta de fe en su palabra, el rechazamiento de su autoridad, fue lo que convirtió a nuestros primeros padres en transgresores e introdujo en el mundo el conocimiento del mal. Eso fue lo que abrió la puerta a toda clase de mentiras y errores" (*Ed* 25).

¿Cuál será una de las características principales del pueblo de Dios en el tiempo del fin? Apoc. 14:12. ¿De qué manera el problema de la obediencia desempeña aquí una parte importante?

_____

_____

Dios ha hecho por nosotros todo lo que podía hacer el amor infinito. En respuesta, él nos pide que amemos y obedezcamos. En un momento en el que el mundo está plagado de ilegalidad abierta y una filosofía relativista –que pretende que el bien y el mal dependen sencillamente de circunstancias culturales y comunales, y preferencias personales–, debe haber, y habrá, un pueblo que valientemente defenderá las normas divinas de santidad, los Diez Mandamientos.

> **Tendemos a pensar en la rebelión como un ataque abierto y el rechazo de la autoridad. No obstante, puede aparecer de maneras mucho más sutiles. ¿Cómo podrías saber si, tal vez, tú mismo estás guardando en secreto algunas actitudes rebeldes contra Dios?**

NO DAR EN EL BLANCO

A menudo se le resta importancia a la seriedad del pecado. "¡Ah, no todos podemos ser perfectos!", dice la gente. Pero, el pecado es un asunto muy serio. "Toda la seriedad del pecado solo puede hacerse visible cuando hemos comprendido las potencialidades plenas de la existencia humana como fue creada a imagen de Dios" –John Macquarrie, *Principles of Christian Theology*, p. 238.

El pecado no tiene que ver solo con actos ilícitamente cometidos. También incluye el deseo y las fantasías acerca de cosas que sabemos que son malas (Mat. 5:28).

¿Acerca de qué cosas fantaseaste en las últimas 24 horas? ¿Te avergonzaría que esos pensamientos se hicieran públicos? ¿Qué debería decir tu respuesta acerca de dónde está tu corazón? Ver Rom. 8:6.

_____

_____

También hay una categoría de pecado a la que generalmente se señala como "pecados de omisión". Esto se refiere al descuido intencional del deber, rehusar hacer algo que se sabe que debe ser hecho.

En Mateo 23:23 y Mateo 25:45 encontramos afirmaciones hechas por Jesús que tratan con los pecados de omisión. Lee estos versículos en su contexto. ¿Qué implican estas afirmaciones?

_____

_____

También en el capítulo 25 de Mateo encontramos la parábola de los talentos (vers. 14-28). ¿Qué le sucedió al siervo que había escondido su único talento? ¿Cuál es la importancia de esto para nuestro estudio?

_____

_____

Todos hemos recibido ciertos talentos. Es parte del concepto de mayordomía el que utilicemos nuestros talentos completamente. Debemos responder ante Dios por lo que dejamos de hacer con lo que él nos ha dado. Recordemos lo que dijo Pedro: "Cada uno según el don que ha recibido, minístrelo a los otros, como buenos administradores de la multiforme gracia de Dios" (1 Ped. 4:10).

Pecados de omisión, pecados del pensamiento; ¿quién no ha sido culpable de ellos? Medita en la promesa del perdón que podemos tener en Jesús. ¿Por qué esto debería significar tanto para nosotros?

Martes   *5 de mayo*

EL PECADO "ORIGINAL"

Los teólogos a veces distinguen entre los *actos pecaminosos* que cometemos y la *naturaleza pecaminosa* que poseemos. Todos hemos sido corrom-
pidos por la caída de Adán; todos nacemos con una naturaleza caída aun
antes de que pequemos. El muy difundido rito del bautismo de los infantes
está estrechamente vinculado con esta creencia. Los que lo practican creen
que un bebé recién nacido que muere sin haber sido bautizado se perderá
eternamente, porque el infante es un pecador, y si esta pecaminosidad no es
atendida de alguna manera, el niño pierde la vida eterna.

No hay apoyo bíblico para esta práctica, ni para la idea de que un
niño que muere, automáticamente, es condenado a la destrucción. Ahora
bien, es cierto que el pecado "original" de Adán y Eva ha tenido consecuencias que saturan todo y que impactan a todos. El pecado entró en el
mundo por medio de una persona, y por medio de este pecado la muerte
pasó "a todos los hombres" (Rom. 5:12).

¿De qué modo describe el apóstol Pablo las poderosas tendencias
hacia una conducta pecadora con las que todos nacemos? Rom. 8:7, 8;
7:21-24. ¿De qué manera has experimentado la realidad de estas tendencias en tu propia vida?

_____

_____

A lo largo de los siglos, algunos cristianos han declarado que ellos lo-
graron un estado de perfección. No obstante, los que pretenden tener la
perfección se engañan a sí mismos. Es contrario a las claras palabras de las
Escrituras. Citando el Salmo 106:6, Pablo afirmó: "No hay justo, ni aun uno"
(Rom. 3:10). Su colega, el apóstol Juan, es igualmente certero: "Si decimos
que no tenemos pecado, nos engañamos a nosotros mismos" (1 Juan 1:8).

"La santificación no es una obra de un momento, de una hora o de un
día. Es un continuo crecimiento en la gracia. No hay un día en el cual sepamos cuán violento será nuestro conflicto al día siguiente. Satanás vive y
está activo, y cada día necesitamos clamar fervientemente a Dios en busca de ayuda y fortaleza para resistirlo. Mientras reine Satanás, tendremos
que subyugar el yo, que vencer obstáculos, y esto sin tregua. No hay un
punto al cual podamos llegar y decir que hemos triunfado plenamente"
–"Comentarios de Elena G. de White" (*CBA* 7:958).

Imagínate que alcanzas un punto en el que logras la victoria sobre el
pecado; es decir, no cometes ningún pecado conocido. Más todavía: siempre fuiste amable, amante, generoso y viviste de acuerdo con toda la luz
que tenías. Imagínate que reflejas "perfectamente" el carácter de Jesús.
¿Por qué, a pesar de todo, todavía necesitas un Salvador cuya sola justicia
puede permitirte estar "sin condenación" (Rom. 8:1) ante Dios?

¿PECADOS CORPORATIVOS *VERSUS* PERSONALES?

Desde la Caída, el mundo ha estado manchado por el pecado. Los resultados del pecado son visibles en la naturaleza. Son visibles también en las guerras, en los males de la esclavitud y en otras formas de explotación, y también en la manera en que estamos devastando los recursos naturales. El mundo del pasado y del presente está lleno de materialismo, egoísmo, injusticia y perversión.

Estos hechos plantean muchas preguntas difíciles. Una de las principales es si, como individuos, tenemos alguna responsabilidad en estas cosas, y si deberíamos asumir alguna culpabilidad por este estado corporativo de pecaminosidad. Las siguientes consideraciones puede ayudarnos a tratar con este dilema.

1. Considera de qué modo los males corporativos en nuestro mundo pueden considerarse contra el trasfondo de la gran controversia. "Detrás del surgimiento y la caída de las naciones, y el juego de los intereses humanos, yace la lucha invisible entre la Deidad, junto con la hueste de ángeles leales, y Satanás con sus huestes de ángeles caídos: una lucha que impacta directamente toda la actividad humana" –Frank Holbrook, "El gran conflicto", en Raoul Dederen, ed., *Handbook of Seventh-day Adventist Theology*, p. 995.

2. Considera la naturaleza absolutamente destructiva del pecado. El pecado quiere destruir todo lo que tenga algún valor. El pecado y la muerte son sinónimos, y están por todas partes. Por lo tanto, no hay esperanza para este mundo sin la intervención divina, porque el poder del mal y de la muerte exceden en mucho a nuestras capacidades humanas para tratar con ellos.

3. Pero también considera que todos tenemos alguna influencia. Todos podemos hacer pequeñas decisiones que a veces pueden aumentar o disminuir, aunque sea ligeramente, el mal en este mundo. Podemos trabajar en favor de la paz y la justicia. Podemos realizar actos de compasión. Podemos elegir cooperar con todos los que quieren proteger el ambiente. ¿En qué forma pasajes como los de Eclesiastés 9:10, Lucas 16:10, y Filipenses 4:8 y 9 contribuyen a nuestra comprensión de este problema?

> **Es muy fácil dejar caer los brazos con desesperación y decir: "Los problemas son demasiado grandes. ¿Qué puede hacer esta personita, que soy yo, para ayudar?" Sin embargo, ¿de qué modo el ejemplo de Jesús y del bien que él hizo al sanar a los enfermos y consolar a los pobres (que, considerando todos los enfermos y los pobres del mundo en ese tiempo, eran un número comparativamente pequeño) puede influir sobre nuestras decisiones para procurar que el mundo sea un lugar mejor?**

Jueves   *7 de mayo*

LA ÚNICA SOLUCIÓN PARA EL PROBLEMA DEL PECADO

No hay solución fácil o barata para el problema del pecado. La determinación y la perseverancia humanas no son suficientes para vencer el pecado. El pecado es más grande que nosotros. Por lo tanto, la solución sobrepasa nuestras posibilidades. Hay mucha confusión entre la gente acerca del problema de la salvación. Muchos pretenden que hay diferentes caminos al Reino. Los caminos son diferentes, dicen, pero todos conducen al mismo destino. Pero están equivocados.

¿Cuál es el testimonio claro de las Escrituras con respecto al único camino hacia la salvación? Juan 10:7; 14:6; Hech. 4:12.

No sabemos quién entrará por las puertas del Reino. Gracias a Dios, esa decisión está en las manos de aquel a quien se ha dado el juicio, aquel que es el amor y la justicia personificados. Pero sabemos una cosa: los que reciban la vida eterna lo harán solo porque Cristo murió por ellos. Algunos pudieron no haber tenido el privilegio de aprender acerca de su Salvador. Pero, eso no quita para nada el hecho de que, si ellos son salvos, será por medio del nombre de Cristo, aun si ellos mismos nunca oyeron pronunciar ese nombre.

¿Por qué Jesús es el único que puede salvar a la humanidad caída? Fil. 2:6-8; Heb. 1:1-5; Apoc. 5:9-12.

"El divino Hijo de Dios era el único sacrificio de valor suficiente como para satisfacer ampliamente las demandas de la perfecta Ley de Dios [...]. Sobre Cristo no se impuso ningún requisito. Él tenía poder para deponer su vida y para volverla a tomar. No se ejerció sobre él ningún grado de coerción para que aceptara la tarea de redimir a los seres humanos. Su sacrificio fue enteramente voluntario. Su vida era suficientemente valiosa como para rescatar a los seres humanos de su condición caída.

"El Hijo de Dios poseía la misma forma de Dios, y nunca consideró el hecho de ser igual a Dios como cosa a la cual aferrarse. Entre los humanos que recorrieron el mundo, él fue el único que pudo decir a todos: ¿Quién de ustedes me convence de pecado? Se había unido con Dios en la creación de los seres humanos y, en virtud de la perfección divina de su carácter, poseía poder para expiar el pecado del hombre, y para elevarlo y llevarlo de vuelta a su primer estado" (*EJ* 18).

Piensa en cuán malo debe ser el pecado para costar tanto, la muerte de Jesús mismo, con el fin de ser expiado. ¿De qué modo mantener esta verdad asombrosa delante de ti puede ayudarte en tu propia lucha con el pecado?

Viernes

8 de mayo

PARA ESTUDIAR Y MEDITAR: Lee, en *Primeros escritos*, de Elena de White, los capítulos "La caída de Satanás", "La caída del hombre" y "El plan de salvación", pp. 145-152. Estos tres breves capítulos tratan del origen del pecado en el cielo y en la tierra, y acerca de la primera revelación del plan de salvación.

PREGUNTAS PARA DIALOGAR:

1. Como adventistas del séptimo día, sabemos que el mundo no se volverá mejor, sino peor, mucho peor. La pregunta es: ¿De qué manera debemos relacionarnos con los problemas del mundo? ¿Nos encogemos de hombros, diciendo: "Bueno, Dios dijo que estas cosas serían malas, y lo son, de modo que ¿qué podemos hacer acerca de ellas?" ¿O nos involucramos tanto en tratar de resolver los problemas del mundo que nos olvidamos de nuestra propia vocación de señalar a la gente la única solución: es decir, Jesucristo, quien murió por nuestros pecados y pronto regresará? ¿De qué modo podemos establecer un equilibrio adecuado?

2. ¿Debería la iglesia ser más clara en su condenación de los males corporativos en este mundo? ¿O tendría esto poco impacto y solo nos distraería de nuestra comisión de llevar el evangelio a cada persona? Al mismo tiempo, si permanecemos indiferentes acerca de muchos de estos grandes problemas, ¿dónde quedaría nuestra credibilidad moral?

3. De todos los horribles efectos del pecado, la muerte tiene que ser el peor. Como humanos, no hay absolutamente nada que podamos hacer para revertirla. El pecado ha tenido tales efectos devastadores que solo la intervención sobrenatural de Dios puede resolverlo. ¿Qué debería decirnos esto acerca de cuán importante es que nos esforcemos contra el pecado con toda la fuerza que Dios nos ha dado?

4. Como adventistas, en el centro de nuestra comprensión de todo el problema del pecado y del mal está el escenario del gran conflicto, la idea de que las inteligencias que miran desde otros mundos están observando lo que sucede aquí, y viendo cómo Dios tratará el problema del pecado y de sus consecuencias. Imagínate que eres un ser sin pecado de otra parte del universo, que ha visto lo que el pecado nos ha hecho. ¿Qué vería él? ¿Qué estaría pensando? ¿Qué lecciones podría estar aprendiendo de lo que sucede aquí? Imagínate cuán incomprensibles e irracionales deben parecerle nuestras acciones.

Resumen: El pecado ha infectado todas las esferas de la vida. Nos afronta la realidad de algo que, en mucho, excede nuestra capacidad de entender. Pero no excede el poder y el amor de Dios. Él ha tratado decisivamente con el problema del pecado en su Hijo, Jesucristo.

El sábado enseñaré...

Texto clave: Romanos 5:18.
Enseña a tu clase a:
  Saber que el pecado es una realidad dolorosa inherente a nuestra naturaleza.
  Sentir la libertad del pecado disponible exclusivamente por medio de Jesús.
  Hacer: aceptar la gracia divina que Dios nos ofrece.

Bosquejo de la lección:
I. **La realidad del pecado (Rom. 7:21-24)**
   A. El pecado ha saturado nuestro mundo, de modo que ha llegado a ser parte de nuestra naturaleza. Es una lucha diaria abstenernos de nuestras tendencias pecaminosas y reflejar a Cristo. ¿Qué podemos hacer para vencer estas inclinaciones?
   B. Es muy fácil caer en el pecado. Las Escrituras se refieren a diferentes tipos de pecado: ilegalidad, rebelión, pecados de pensamiento, pecados de omisión. Para evitar estas trampas, debemos comprender los peligros que nos acechan. ¿Cuáles son las diferencias entre estos pecados? ¿De qué modo podemos cometerlos, a veces, sin advertirlo?

II. **Libertad del pecado (Hech. 4:12)**
   A. Así como el pecado entró en este mundo por las acciones de un hombre, Dios proveyó una vía de escape por medio de un Hombre, su Hijo. ¿Por qué Jesús es la única salida al problema del pecado?
   B. ¿De qué modo el darnos cuenta de la enormidad de este don afecta las elecciones que hacemos?

III. **Refugio en Cristo (Juan 3:16)**
   La forma en que Dios enfrentó el problema del pecado al entrar al mundo revela mucho acerca de su carácter. Su conocimiento divino, su amor y su gracia infinita son evidentes por sus acciones. Él hizo mucho por nosotros. ¿Qué podemos hacer nosotros, a la vez, para aceptar su don de la gracia más plenamente en nuestras vidas?

Resumen: En un mundo terrible, repleto de pecado, Dios en su misericordia nos ofrece una salida por medio de Jesús. Acepta este don y vive en armonía con esa aceptación.

Ciclo de aprendizaje

Concepto clave: El pecado nos afecta a todos. Eliminarlo está más allá de nuestra capacidad de resolver este problema. Afortunadamente, se ha provisto una solución en Jesucristo, el Hijo de Dios.

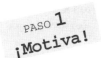

PASO 1

¡Motiva!

SOLO PARA LOS MAESTROS: LA SIGUIENTE ACTIVIDAD ILUSTRA CUÁN IMPOTENTES SOMOS PARA RESOLVER EL PROBLEMA DEL PECADO. HAZ PLANES PARA HACER UNA DEMOSTRACIÓN REAL, SI PUEDES.

Aun una persona con el conocimiento más rudimentario de las leyes de física podría predecir con exactitud qué ocurriría si pusiéramos un paño de cocina en una jarra llena de agua. Finalmente, el agua saturará el paño.

¿Qué ocurre cuando se añade un poco de colorante para alimentos al agua de la jarra? El paño de cocina absorberá el colorante, por supuesto, y cambiará de color.

Aunque esta demostración puede parecer sencilla y directa, produce una percepción más bien profunda: Nuestras vidas espirituales tienen un poco más en común con el paño de cocina de lo que podría esperarse. Mientras existamos sobre este planeta, estaremos afectados por el pecado. El pecado estará en nuestra naturaleza, y sus efectos destructores estarán siempre alrededor de nosotros. A diferencia de la saturación del paño de cocina en la jarra de agua, no podemos predecir con seguridad el grado de daño y los efectos invasores y perjudiciales del pecado.

¿Cómo podremos lograr que el paño de cocina vuelva a ser blanco? Tal vez la única manera sea añadir un blanqueador al agua. Del mismo modo, aceptar a Jesús como nuestro Salvador y recibir el poder que hay en su sangre es la única solución para nuestro problema del pecado.

Considera: ¿De qué modo la jarra de agua y el paño de cocina nos ayudan a demostrar cuán vulnerables somos al pecado? ¿De qué manera la sangre de Jesús sirve como un "agente blanqueador" espiritual para ayudarnos, aunque nuestros "pecados fueren como la grana", para ser otra vez "como blanca lana"?

Comentario de la Biblia

PASO 2

¡Explora!

I. El Padre sabe mejor

(*Repasa Gén. 3:1-7 con tu clase.*)

¿Por qué el sencillo acto de comer un trozo de fruta produjo tan graves consecuencias sobre toda la humanidad? ¿De qué modo un acto tan pequeño y trivial constituyó un gran pecado? Después de todo, ¿no estaba Eva, al comer esa fruta, dando alimento a su cerebro y sus células nerviosas? ¿No estaba produciendo buena sangre? ¿Qué hizo que la vitamina C y la fibra de esa fruta fueran tan letales para el cuerpo y el alma?

"Al presentar el asunto del pecado y sus consecuencias tan claramente delante de nosotros, podemos leer de causa a efecto para ver que la grandeza del acto no es lo que constituye el pecado, sino la desobediencia a la expresa voluntad de Dios, que es una negación virtual de Dios, rechazando la ley de su gobierno".–Elena G. de White (*MR* 6:338).

El pecado es mortal. Cuando cometemos voluntariamente cualquier pecado, desde el acto aparentemente más inocuo hasta el más vil, estamos, en esencia, diciéndole a Dios que sabemos mejor que él. El pecado es equivalente a decirle a Dios que él no merece la supremacía en nuestras vidas. El verdadero horror del pecado es confiar en nuestra propia sabiduría.

Considera: Compara la actitud de confiar en nuestra sabiduría con la actitud de Satanás que se registra en Isaías 14:12 al 14. ¿Cuáles son las semejanzas?

II. De adentro hacia afuera

(*Repasa Mat. 5:28 con tu clase.*)

El poder del pensamiento distingue a los seres humanos del resto de la creación terrestre. Pero, demasiado a menudo Satanás pervierte este don tan poderoso y lo usa para nuestra destrucción, y para separarnos todavía más de Dios.

Jesús sabía que el pecado comienza en el pensamiento, razón por la cual nos advirtió, en Mateo 5:28, que cuidemos nuestra mente. Nuestros pensamientos, sean positivos o negativos, tienen un impacto poderoso sobre nuestros cuerpos y, tarde o temprano, llevan a la acción. (Ver Mat. 15:19.) Santiago 4:8 también nos advierte que cuidemos nuestros pensamientos. David debió haber luchado con este problema también, como vemos en Salmo 19:14. David suplica a Dios por ayuda para mantener puros sus pensamientos. Es una oración que todos nosotros deberíamos elevar diariamente. Piensa en ello. Las acciones malas, las obras malas y las palabras malas comienzan con pensamientos malos. Mantén pensamientos correctos, y las palabras, los actos y las obras serán buenos.

Considera: Lee otra vez la súplica de David en Salmo 19:14. ¿Por qué es una lucha tan grande el mantener puros los pensamientos? ¿Por qué es necesario hacerlo? ¿Qué esperanza hay para nosotros si fallamos?

III. La batalla entre el bien y el mal

(*Repasa Rom. 7:18-25 con tu clase.*)

La mayoría de nosotros estamos familiarizados con la expresión conocida de que la manzana no cae lejos del árbol. La usamos para decir que los hijos a menudo harán las mismas elecciones que hacen sus padres, sean buenas o malas, o sencillamente por causa de los genes que ellos heredaron. Del mismo modo, siendo que hemos heredado una naturaleza pecaminosa de Adán, estamos en una batalla constante con nuestra naturaleza caída.

Junto con este legado de nuestros primeros padres, heredamos una dotación genética de nuestros padres biológicos: rasgos tales como el color de los ojos, el color del cabello, la altura y la sonrisa, que definen nuestros rostros y nuestras formas. Desgraciadamente, nuestros padres que nos engendraron también nos dieron muchos otros rasgos que demasiado a menudo desearíamos que no lo hubieran hecho: una predisposición a comer demasiado, a ser impacientes, a enojarnos fácilmente, o a ser demasiado sensibles. Hasta podemos hacer bromas acerca de que nuestros rasgos pobres de carácter son el resultado de la "mala sangre" recibida de un lado del árbol genealógico o del otro. Pero, hay más verdad en esta declaración de lo que podríamos pensar. La sangre lleva en sí el material genético que nos hace lo que somos.

Afortunadamente, este hecho es una buena noticia cuando recordamos que de nuestro Padre celestial recibimos, por fe, el poderoso don de la sangre de Jesús. Lee, en Romanos 7:18 al 21, cómo describe el apóstol Pablo la eficacia de la sangre de Jesús en la guerra contra nuestra naturaleza caída. Él renueva un espíritu correcto dentro de nosotros. Su sangre nos limpia de todo pecado. Y, lo que es más, nos libra de la opresión del pecado en nuestra vida. La victoria sobre el yo es posible al aceptar el poder que hay en la sangre de Jesús. (Ver también los vers. 24, 25.)

Considera: ¿De qué modo el poder de la sangre de Jesús, como dice Pablo en Romanos 7:18 al 25, nos da la victoria sobre nuestras tendencias hacia el mal, heredadas y cultivadas? ¿Qué debemos entregar a Jesús a fin de que su victoria sea posible en nuestras vidas?

Preguntas para reflexionar:

1. Analiza la diferencia entre nuestra naturaleza pecaminosa y los actos pecaminosos que cometemos. ¿Por qué todavía tenemos naturalezas pecaminosas cuando no estamos pecando sino haciendo el bien?

2. Hay pecados de comisión (hacer cosas que no deberíamos hacer) y pecados de omisión (no hacer cosas que deberíamos hacer). ¿Por qué no es suficiente evitar hacer cosas malas? ¿Por qué también debemos hacer cosas buenas?

Preguntas de aplicación:

1. Lee Mateo 23:23. Usa una concordancia o una Biblia con referencias

para estudiar tres palabras: *justicia, misericordia* y *fe*. Jesús usó estas tres palabras cuando les dijo a los fariseos que habían omitido hacer esas tres cosas. ¿Qué aprendes, en tu estudio, acerca de estos tres atributos? Después de completar tu estudio, escribe por lo menos un ejemplo de cómo tu vida puede exhibir los atributos de justicia, misericordia y fe.

2. ¿Qué quiere decir la Biblia con la parábola de los talentos? Defínelo. Repasa Mateo 25:14 al 30. ¿Qué nos enseña la Biblia acerca del número de talentos que tiene cada persona? ¿Por qué es muy importante desarrollar los talentos y las capacidades que Dios nos ha dado?

Preguntas para testificar:

1. Supón que estás caminando por la calle. Alguien se acerca y te dice que está reuniendo donaciones para proteger las especies amenazadas, o para conservar un bosque o un lugar natural. ¿Cuál es el deber cristiano hacia la conservación del medio ambiente y la vida silvestre sobre nuestro planeta? ¿Cuán involucrados deberían estar los cristianos en estos "movimientos"? ¿Cuáles son algunas maneras en que los cristianos, con buena conciencia, pueden ocuparse en ayudar a cuidar nuestro planeta?

2. Un amigo te dice que él no ha hecho, a sabiendas, nada malo, y que por lo tanto no ha pecado. ¿Qué textos podrías usar para mostrarle que todavía todos necesitamos un Salvador?

SOLO PARA LOS MAESTROS: ESTA SEMANA HEMOS APRENDIDO QUE EL PECADO VA MÁS ALLÁ DE LOS ACTOS PECAMINOSOS. EL PECADO ES UN ESTADO DE LA MENTE, QUE DICE: "NO NECESITO OBEDECER A DIOS, PORQUE LO QUE ÉL ESTÁ DICIENDO NO TIENE SENTIDO O ES DEMASIADO DIFÍCIL; Y MIS ACCIONES SON LO MEJOR, O LO MÁS LÓGICO O CONVENIENTE PARA HACER". ENTONCES, NUESTRA TAREA PARA VENCER ESTA MANERA DE PENSAR ES SUMERGIRNOS EN ACTIVIDADES QUE NOS PONDRÁN EN SUJECIÓN A LA VOLUNTAD DE DIOS.

Prueba esto:

1. Busca el himno "Al andar con Jesús", N° 238 del *Himnario Adventista*. Con oración, lee las palabras, pidiendo a Dios que te ayude realmente a confiar en él. Luego, canta o tararea este himno.

2. Mantén un diario de victorias. Anota cada pecado que te acecha en tu vida, y con el cual estás luchando y quieres vencer. Por la mañana, escribe una promesa de la Biblia que te ayudará a vencer. Por ejemplo, si estás luchando contra el chisme en tu lugar de trabajo o en el círculo familiar, con los amigos o en la escuela, podrías elegir Salmo 15:1 al 3 o Santiago 1:26 como tu promesa. Por la noche, nota la forma o las formas en que Dios te ayudó a obtener la victoria. Al final de la semana, escribe una oración de gratitud a Dios por las victorias que te dio o te dará.

3. Los efectos del pecado están a nuestro alrededor: enfermedad, sufrimiento, muerte. Encuentra una o dos cosas que puedes hacer para aliviar algún efecto negativo en alguien o en el ambiente. Por ejemplo, podrías plantar flores en un área pública del vecindario que parece fea. O envía una nota a alguien que está sufriendo de depresión o de soledad.

LA GRACIA

LEE PARA EL ESTUDIO DE ESTA SEMANA: Éxodo 25:8; Isaías 53; Romanos 5:18, 19; 2 Corintios 3:16-18; Efesios 2:4-10; Tito 2:11-14.

PARA MEMORIZAR:

> "Mas Dios muestra su amor para con nosotros, en que siendo aún pecadores, Cristo murió por nosotros" (Rom. 5:8).

"DURANTE UNA CONFERENCIA acerca de religiones comparadas realizada en Gran Bretaña, los expertos de todo el mundo debatían si había alguna creencia que fuera específicamente de la fe cristiana. Comenzaron a eliminar posibilidades. ¿La encarnación? Otras religiones tenían diferentes versiones de los dioses que aparecían en forma humana. ¿La resurrección? Otras religiones tenían informes de retorno de la muerte. El debate siguió por unos momentos, hasta que C. S. Lewis [un renombrado escritor cristiano] entró en la sala. '¿Por qué tanto alboroto?', preguntó, y los colegas respondieron que estaban discutiendo cuál era la contribución singular del cristianismo entre las religiones mundiales. Lewis contestó: 'Oh, es muy fácil. Es la gracia'" –Philip Yancey, *What's So Amazing About Grace?*, p. 45.

La semana pasada nos confrontamos con el temible fenómeno del pecado, el "misterio de la maldad" (2 Tes. 2:7, NVI). En la sección final vimos que por la intervención divina se había provisto una solución. Cuál fue esa intervención, y qué logró para nosotros, será el tema del estudio de esta semana.

UN VISTAZO A LA SEMANA: ¿Cuáles son algunas de las imágenes que usa Dios para enseñarnos el plan de salvación? ¿Qué es la expiación? ¿Cuán central es el concepto de la sustitución para nuestra comprensión de la cruz?

Domingo   *10 de mayo*

DIOS PROPORCIONA LA SALVACIÓN

La historia de cómo fue probada la lealtad de Abraham es bien conocida. Dios le pidió que sacrificara a su hijo Isaac. Sin saber lo que Dios le había pedido a su padre que hiciera, y pensando que era sencillamente ofrecer un sacrificio en alguna parte, Isaac le preguntó por qué no habían traído consigo un animal. Abraham le respondió con las palabras proféticas que resuenan como un eco en todo el Antiguo Testamento, así como en el Nuevo: "Dios se proveerá de cordero para el holocausto" (Gén. 22:8).

¿Cuál era la importancia profética de las palabras de Abraham a su hijo?

_____

_____

¿En qué otro lugar del Antiguo Testamento encontramos textos que señalan a la redención que vendría por medio de Cristo? ¿Cuáles son esos textos, y qué dicen? Ver, por ejemplo, Gén. 3:15; Éxo. 25:8; Isa. 53.

_____

_____

Jesucristo es el centro del Antiguo Testamento. De hecho, el propósito de los servicios del Santuario terrenal era señalar la venida del Mesías (ver Heb. 8, 9). Todo lo anterior a la entrada de Cristo al mundo era apenas un preludio de la Cruz. Dios esperó hasta el momento adecuado. Entonces, "cuando vino el cumplimiento del tiempo" (Gál. 4:4), Cristo vino para vivir entre nosotros.

"En toda época y en todo momento, el amor de Dios se había manifestado en favor de la especie caída. A pesar de la perversidad de los hombres, hubo siempre indicios de misericordia. Y, llegada la plenitud del tiempo, la Deidad se glorificó derramando sobre el mundo tal efusión de gracia sanadora que no se interrumpiría hasta que se cumpliese el plan de salvación" (*DTG* 28).

Piensa en cuántos siglos pasaron entre las promesas del Mesías venidero y su venida. ¿Qué nos debería decir eso –a nosotros, que vivimos generalmente solo unas pocas decenas de años– acerca de la paciencia, acerca de confiar en Dios aunque las cosas parezcan que llevan demasiado tiempo?

Lunes   *11 de mayo*

CUADROS DEL MILAGRO DE LA GRACIA

¿Cómo explicas a un niño de 3 años qué es la electricidad? ¿Cómo explicas a los que viven en la selva africana, que nunca viajaron a más de cuarenta kilómetros de donde viven, para qué existen los semáforos y cómo funciona un ascensor? ¿Cómo puede un físico explicar la teoría de la relatividad de Einstein a una persona que solo terminó la escuela primaria? Dios afrontó una brecha de comunicación que va mucho más allá de los ejemplos de barreras a la comunicación humana. El amor divino demostrado en la vida y la muerte de Jesucristo no puede captarse plenamente con palabras humanas. No obstante, Dios quería que tuviésemos una idea adecuada de lo que involucra su plan de salvación. Dios inspiró a los autores de las Escrituras para que usaran numerosas imágenes con palabras, cada una de las cuales nos da una vislumbre adicional del misterio de su gracia. Ninguna de estas imágenes debe usarse aislada de las otras perspectivas. Sin embargo, tomadas en conjunto, nos dejarán un sentido de asombro y de inmensa gratitud.

¿Cuál es una de las imágenes verbales más destacada que Dios usó para ayudarnos a captar algunas vislumbres profundas del misterio de la gracia? Isa. 53:7; Juan 1:29.

¿Qué otros símbolos se usan para ilustrar una dimensión adicional de la verdad de la expiación? Mat. 20:28; Hech. 20:28; 1 Cor. 6:20.

Debemos ser cuidadosos de no usar un símbolo específico con exclusión de otras "imágenes verbales". Cuando combinamos todo lo que se dice acerca de la expiación, llegamos a tener un cuadro tan completo como el que los seres humanos finitos podemos absorber.

No obstante, la imagen de un rescate, de un alto precio pagado por nosotros, es muy vigorosa. "Cristo nos redimió del pecado; es decir, nos compró de nuevo desde el pecado [...]. Lo que la metáfora trata de decir es que: a) los medios de nuestra salvación son costosos; y que b) hemos pasado de un estado a otro: del estado de esclavitud a un estado de cercanía a Dios. Una redención significa el traspaso de la propiedad con un costo" –Edward W. H. Vick, *Let Me Assure You*, p. 33.

Medita en las implicaciones de la idea de que el Creador del universo, aquel que hizo todo lo que existe (Juan 1:1-3), voluntariamente fue a la cruz como el único medio de salvarnos de la ruina eterna. ¿Por qué la realidad de esta verdad influye poderosamente en nuestra manera de vivir? Piensa en cuán necio es permitir que cualquier cosa terrenal nos aparte de la Cruz.

Martes   *12 de mayo*

¿QUÉ SUCEDIÓ EN EL CALVARIO?

Hay mucha discusión entre los teólogos acerca de la doctrina de la expiación. Se promueven dos conceptos principales. Algunos eligen un concepto objetivo de la expiación, mientras que otros defienden un concepto subjetivo. ¿Qué significa esto? La primera corriente de pensamiento enfatiza que sucedió algo en el momento histórico en una colina en las afueras de Jerusalén, un evento histórico y concreto que proveyó la base para nuestra salvación. Otros teólogos subrayan que nuestra respuesta a la demostración de amor de Jesús y de su sacrificio propio en la cruz es el punto vital: somos transformados cuando contemplamos un amor tan grande. Ambas perspectivas tienen aspectos positivos y, cuando se las entiende juntas, cada una complementa la otra.

¿De qué manera explica la Biblia la relación entre lo que Cristo hizo por nosotros y lo que, como seres pecadores, de hecho, merecemos? Isa. 53:4, 5; Rom. 5:18, 19.

_____

_____

La idea de que Jesucristo murió en nuestro lugar, con el propósito de que no tengamos que sufrir la muerte eterna sino que lleguemos a ser participantes de la vida que él ofrece, generalmente se conoce con el nombre de *sustitución*. Para algunos, esta idea es repugnante. No les gusta el lenguaje legalista que a menudo se usa o el concepto de la ira divina contra el pecado. Pero, nos guste o no, la grandiosa verdad es que Dios ha tratado el problema del pecado de un modo que él decidió que era adecuado. Siendo justo, él no podía ignorar el pecado; siendo amor, él no podía abandonar al pecador. Nosotros debíamos pagar la penalidad de la muerte eterna porque somos los culpables. ¡Pero Jesús estuvo dispuesto a tomar nuestro lugar! Eso es lo que sucedió en la Cruz. Este evento real, el de su sustitución en lugar de nosotros, llegó a ser la base de nuestra redención.

Luego, como resultado de lo que Cristo hizo por nosotros, como una respuesta a su sustitución en nuestro lugar, nosotros somos atraídos a él, respondemos a él, cambiamos nuestra actitud hacia él y también hacia los demás seres humanos. Esto es el lado complementario y subjetivo del plan de la salvación (Juan 12:32; Rom. 5:1).

Piensa en las cosas malas que has hecho y que (tal vez) sigues haciendo. Luego, date cuenta de que Jesús, en la cruz, sufrió el castigo que tú merecías por aquellas acciones. ¿Cómo te sientes, sabiendo que él sufrió en tu lugar? ¿Cuál debería ser tu respuesta, sabiendo lo que sufrió Jesús en tu favor?

UN CAMBIO DE CORAZÓN

La manifestación sin paralelo de la compasión divina y de la gracia en el Calvario ha cambiado millones de corazones. Desde el mismo momento en que moría colgado de la cruz, la gente fue transformada al contemplar el amor de Cristo. Uno de los criminales crucificados con él notó que Jesús era un ser especial, con un futuro más allá de esa muerte vergonzosa (Luc. 23:39-43). Y, aun el centurión romano notó que Jesús no era un criminal (vers. 47).

¿De qué modo nuestras vidas deberían ser transformadas por la contemplación de Jesús y de lo que hizo por nosotros? 2 Cor. 3:16-18; Heb. 12:2, 3.

_____

"Fije el pecador arrepentido sus ojos en 'el Cordero de Dios, que quita el pecado del mundo' (Juan 1:29) y, *contemplándolo, se transformará*. Su temor se trueca en gozo, sus dudas en esperanza. Brota la gratitud. El corazón de piedra se quebranta. Una oleada de amor inunda el alma. Cristo es en él una fuente de agua que brota para vida eterna. Cuando [...] lo contemplamos en Getsemaní, sudando gruesas gotas de sangre, y muriendo en agonía sobre la cruz; cuando vemos eso, no podemos ya reconocer el clamor del yo. Mirando a Jesús, nos avergonzaremos de nuestra frialdad, de nuestro letargo, de nuestro egoísmo. Estaremos dispuestos a ser cualquier cosa, o nada, para servir de todo corazón al Maestro" (*DTG* 407, la cursiva fue añadida).

¿Cuán bien reflejan estas palabras tu propia experiencia con Cristo? ¿Qué te puede retener de lograr una experiencia más profunda con él? ¿Cuánto tiempo pasas contemplando el Calvario?

_____

Los teólogos proponen diversas teorías de la expiación. Pero, cuando se dijo y se hizo todo lo posible, no hay ninguna teoría o combinación de teorías que hará justicia a la maravilla de la gracia de Dios (ver 1 Cor. 1:20-25). Es bueno hablar juntos acerca de los pasajes de las Escrituras que revelan diferentes aspectos del sacrificio de Jesús. Pero, lo que hizo Jesús por nosotros debería ser no solo un tema de debate sino de contemplación y de experiencia con oración. Aunque hay mucho que no podemos comprender, se nos ha dado lo suficiente para que podamos asombrarnos por lo que Dios hizo por nosotros en Cristo.

Jueves

14 de mayo

CRISTO, NUESTRA SALVACIÓN

Es fácil que los cristianos sean desviados. Para algunos, el centro de su fe es la Biblia, o es la iglesia, o son las tradiciones o las doctrinas de su iglesia. Aunque todas estas cosas tienen su lugar, pueden ser muy problemáticas si nos alejan de Jesús, quien es la única Fuente de nuestra salvación.

Como adventistas del séptimo día, a menudo nos referimos a la "verdad" como el foco de nuestra fe. No hay nada de malo en esto, mientras no reduzca nuestro concepto de la verdad solamente a una lista de doctrinas a las cuales nos suscribimos intelectualmente. Las doctrinas son importantes, pero nuestra fe debería encontrar su centro en la verdad como la encontramos en Jesús. Creemos en una Persona que nos ha revelado a Dios, que vino para redimirnos, que actualmente es nuestro Mediador celestial y que retornará para llevarnos a casa. Esto debiera ser de importancia principal para nosotros.

¿Qué nos enseñan pasajes como Efesios 2:4 al 10 y Tito 2:11 al 14 acerca de la posición central de Cristo en nuestra fe?

Efesios 2:4 al 10 es un pasaje extraordinariamente rico. Subraya varias veces que somos salvados por la gracia. Se describe esta gracia como las "abundantes riquezas" ("incomparable riqueza", vers. 7, NVI) que proceden del "gran amor con que nos amó" (vers. 4). Esta gracia es *gratis*. No se la puede ganar. Nuestras obras no nos ganan la vida eterna. Si eso fuera así, tendríamos razón para jactarnos acerca de nuestra propia bondad. Es la gracia de Dios la que produce cambios visibles en nuestras vidas diarias, y eso nos capacitará para hacer "buenas" obras (vers. 10). Pero, aun estas buenas acciones son, esencialmente, la obra de Dios en nosotros.

¿Qué magnífica descripción de la posición central de Jesucristo en nuestra fe encontramos en las palabras de Pablo que están registradas en Hechos 17:28? Ver también Gál. 2:16-20.

¿De qué modo las doctrinas que tenemos como Adventistas nos ayudan a comprender mejor lo que Cristo hizo por nosotros? Supongamos, por ejemplo, que creyeras en el tormento eterno en el infierno. ¿De qué manera esa enseñanza falsa, o alguna otra, impactaría tu comprensión de Cristo? ¿Por qué, entonces, son tan importantes las doctrinas correctas para ayudarnos a conocer mejor a Jesús?

Viernes   *15 de mayo*

PARA ESTUDIAR Y MEDITAR: Cuando a los adventistas se les pregunta acerca de la obra expiatoria de Cristo, casi automáticamente se refieren al *El Deseado de todas las gentes*, de Elena de White. Los capítulos 78 y 79 (pp. 690-713) son especialmente apropiados en el contexto del estudio de esta semana. Nota la afirmación en la página 699: "Como Jesús crucificado con los ladrones, fue puesto 'en medio', así su cruz fue puesta en medio de un mundo que yacía en el pecado. Y las palabras de perdón dirigidas al ladrón arrepentido encendieron una luz que brillará hasta los más remotos confines de la tierra".

PREGUNTAS PARA DIALOGAR:

1. Algunas personas se ofenden por la idea de que Dios exigía la vida de su Hijo como "pago" por los pecados de la humanidad. Esa, sin embargo, es una imagen usada por la Biblia, y debemos aceptarla tal como está revelada. ¿Qué nos debería decir esa imagen acerca de la seriedad del pecado y cuán costosa fue nuestra redención?

2. Si hay una doctrina que objetan muchas personas contemporáneas es la de la expiación. Muchos no aceptan la idea de que nuestro problema debía ser resuelto por una intervención "de afuera". ¿No debería cada persona aceptar la responsabilidad por lo que hizo? ¿Cómo explicas a tales personas la necesidad de la intervención divina? Además, pregúntales a esas personas acerca del problema de la muerte. ¿Cómo se puede resolver ese problema si no es por la intervención divina?

3. Los que son salvados por gracia deben también mostrar gracia a quienes los rodean. ¿De qué modo podemos mostrar, como individuos, que nuestras vidas están arraigadas en la gracia? ¿De qué manera una iglesia puede dar ejemplo de esta gracia divina?

4. ¿De qué modo nos cambia la vida el darnos cuenta de que Cristo murió por nosotros? ¿Qué nos debería enseñar acerca del perdón, la humildad, la paciencia, el amor por los que no son dignos de ser amados? ¿Cuáles son algunas maneras prácticas y concretas en que podemos revelar la realidad de lo que significa la Cruz para nosotros?

Resumen: Los teólogos han desarrollado muchas teorías acerca de la expiación. La mayoría son deficientes o, por lo menos, unilaterales. Pueden ser comparadas con fotografías tomadas de diferentes ángulos de las montañas del Himalaya. Todas muestran montañas, pero no ofrecen un cuadro completo. El milagro de la gracia no debe ser reducido a una fórmula a la que le damos nuestro asentimiento intelectual. Es el fundamento de nuestra fe. Cristo murió por nosotros con el objetivo de que podamos tener vida eterna. Sin él, estamos perdidos. Con Jesús, como nuestro Salvador, nuestro futuro está asegurado.

El sábado enseñaré...

Texto clave: Romanos 5:8.

Enseña a tu clase a:

Saber que el sacrificio de Cristo nos asegura la vida eterna, si lo aceptamos a él.

Sentir la seguridad de tu futuro con él como tu Salvador personal.

Hacer: Seguir a Jesús respondiendo a la gracia de Dios.

Bosquejo de la lección:

I. **Comprendamos la gracia (Isa. 53)**

   A. Jesús es el punto central de todo el Antiguo Testamento. ¿Qué te dice esto acerca de la importancia de la gracia y la salvación en el mensaje de Dios a nosotros?

   B. "Habiendo él llevado el pecado de muchos, y orado por los transgresores" (vers. 12). Es por medio de su sufrimiento en nuestro favor que podemos reclamar la vida eterna. ¿Te parece que esto es justo? ¿Por qué sí o por qué no?

II. **Aceptemos la gracia (Efe. 2:8)**

   A. Lo más grande acerca de la gracia es que es gratuita. Este es un concepto difícil de comprender para muchos. Dios reconoció esta dificultad y usó muchas ilustraciones diferentes para ayudarnos a comprender mejor la gracia. ¿De qué manera te relacionas mejor con la gracia?

   B. ¿Cómo te sientes con la idea de la gracia? ¿Te sientes culpable por aceptar ese don inmerecido? ¿Sientes seguridad en la promesa de vida eterna? ¿Estás agradecido por el amor de Dios? Explica. ¿Qué podrían decir tus respuestas acerca de tu relación con Dios?

III. **Cambiados por la gracia (1 Cor. 15:10)**

   Así como la gracia cambió a Pablo, puede cambiarte a ti. Se requiere que creamos y aceptemos el don que Dios nos da. ¿De qué modo te ha cambiado la gracia?

Resumen: Cristo murió para que podamos tener vida eterna. Sin él, estamos perdidos.

Ciclo de aprendizaje

Concepto clave: Solo la gracia de Dios tiene la capacidad de transformar nuestras vidas heridas por el pecado.

PASO 1
¡Motiva!

SOLO PARA LOS MAESTROS: SI ES POSIBLE, TRAE ALGUNAS IMÁGENES (FOTOS) DIGITALES SIN RETOCAR Y RETOCADAS, A FIN DE MOSTRARLAS EN LA CLASE E ILUSTRAR EL PODER TRANSFORMADOR DE LOS PROGRAMAS PARA MODIFICAR IMÁGENES DIGITALES.

La capacidad que tienen los programas para modificar las imágenes digitales es casi más de lo que podemos pensar. Un fotógrafo digital puede tomar un sujeto imperfecto y hacer que se vea sencillamente hermoso. Un diente roto puede parecer entero otra vez. Lunares u otras imperfecciones pueden ser borrados tan fácilmente como las marcas de un lápiz sobre el papel; las arrugas se pueden eliminar para siempre. También se pueden borrar las sombras, y una nariz torcida puede enderezarse. En realidad, la mayor parte de los retratos perfectos que vemos han sido digitalmente mejorados.

La gracia de Dios en nuestras vidas hace un trabajo similar al de la fotografía digital. No obstante, aunque la fotografía digital parezca muy poderosa, solo puede cambiar la apariencia de algo, no el objeto mismo. Pero Dios nos cambia a su semejanza, al revelarnos su carácter. Al aceptar a Jesús como nuestro Salvador, él cubre nuestros defectos y fallas, y nos presenta perfectos delante de Dios. La transformación es más profunda. La gracia de Dios tiene la capacidad de quitar nuestras manchas espirituales a fin de restaurarnos a la imagen original perfecta de Dios.

Considera: El ojo de Dios es como la lente de una cámara, a la que no se le escapa nada, que nos capta tal como somos. No obstante, a pesar de lo que él ve, él quiere transformarnos hasta llegar a ser lo que él quería que fuéramos. ¿De qué modo la gracia nos restaura a su semejanza? ¿Qué significa ser hechos a su semejanza?

Comentario de la Biblia

PASO 2
¡Explora!

I. Cambiar el lugar

(*Repasa Rom. 6:23 y Heb. 9:22 con tu clase.*)

En Romanos 6:23 se expresa que el salario del pecado es la muerte, y en Hebreos 9:22 se nos dice que sin derramamiento de sangre no hay remisión de los pecados. En consecuencia, cuando nuestros primeros padres pecaron, se necesitaba que se derramara la sangre de alguien para pagar la deuda del pecado. El único calificado para esta tarea era Jesús. Voluntariamente se dispuso a pagar esa deuda.

"Tan pronto como hubo pecado, hubo un Salvador. Cristo sabía que habría de sufrir, y sin embargo se convirtió en el sustituto del hombre. Tan pronto como pecó Adán, el Hijo de Dios se presentó como el garante de la raza humana".–"Comentarios de Elena G. de White" (*CBA* 1:1.098).

Considera: ¿Por qué la sangre es el único camino para que el pecado sea limpiado o perdonado? ¿Qué simboliza el derramamiento de sangre? ¿Por qué Jesús era el único calificado para pagar la deuda del pecado?

II. ¿Cuánto vales?

(Repasa 1 Ped. 1:18, 19 con tu clase.)

Las personas más pobres de la tierra valen mucho más a los ojos de Dios que todas las riquezas del mundo. Nuestro valor no se revela por algo que fluctúa tanto como la economía del mundo sino por algo infinitamente más estable: la sangre del Hijo de Dios.

Somos comprados no con cosas corruptibles que podrían perecer o aun con plata y oro sino con la sangre preciosa de Jesús. La sangre de Jesús nos pone bajo la dirección del Espíritu, una vida renovada que está llena de paz y felicidad, a pesar de nuestras circunstancias presentes y temporarias.

Considera: Tenemos una fecha de vencimiento, debido al pecado. Nos quebrantamos. Cometemos errores. Pecamos. No obstante, a pesar de estas fallas, Dios nos estima como dignos recipientes de riquezas eternas. ¿Por qué? ¿De qué modo la sangre de Jesús paga la deuda de nuestro pecado y enriquece espiritualmente nuestras vidas?

III. ¿Quién es quién?

(Repasa 2 Cor. 3:16-18.)

Escucha la voz grabada de alguien durante suficiente tiempo, y comenzarás a hablar como esa persona. Las personas que están cerca unas de otras durante largos períodos de tiempo comienzan a actuar las unas como las otras. No es secreto: la asociación crea cambios.

Cuando contemplamos la muerte de Jesús, vemos el amor y la gloria de Dios. La gloria de Dios es su carácter. Al contemplar su carácter, somos transformados por el Espíritu Santo y llegamos a ser como él. Entonces llegamos a ser retratos vivientes de la gracia.

Considera: ¿De qué manera define la Biblia el carácter de Dios? ¿Qué significa llegar a ser un retrato viviente de la gracia de Dios?

IV. La levadura, la gracia y tú

(Repasa Gál. 2:20 con tu clase.)

Así como la levadura cambia la masa del pan, la muerte de Cristo en la cruz –la gracia de Dios en acción– actúa como un agente de cambio en nuestras vidas, haciéndonos levantar por sobre el pecado. Repasa Gálatas 2:20. "Este es el secreto de una vida cristiana de éxito: Cristo viviendo en nosotros, a la vista de todos, la misma vida perfecta que él vivió en la tierra" (*CBA* 6:949).

Considera: ¿Qué significa vivir la misma vida perfecta que vivió Jesús? ¿Significa eso que de un día para el otro dejaremos de cometer errores o repentinamente seremos incapaces de cometerlos en esta vida? ¿Cuál es la única manera en que la vida de Cristo puede ser vivida por medio de nosotros?

SOLO PARA LOS MAESTROS: PIDE A LOS MIEMBROS DE TU CLASE QUE CUENTEN CUÁL FUE SU EXPERIENCIA AL HACER PAN CON LEVADURA Y SIN ELLA.

Lección objetiva

Un bollo de masa mezclado con levadura se levanta en forma característica, y es más grande que una masa a la que no se añadió levadura. La gracia de Dios actúa en una forma similar. La gracia activa el crecimiento de nuestra vida espiritual. Aunque la justicia demanda la pena de muerte para la raza humana, la misericordia de Dios intercede por nosotros, otorgándonos la suspensión del castigo. Eso es gracia.

Desgraciadamente, también el pecado tiene cualidades similares a la levadura. Un poco de él, dice la Biblia, "puede leudar toda la masa", que es nuestra vida. La única esperanza que tenemos contra el poder leudante del pecado es la gracia de Dios.

Aquellos que hemos aceptado a Jesús como nuestro Salvador hemos recibido la misericordia de Dios y el perdón por los pecados, y continuaremos haciéndolo mientras pidamos perdón. Eso también es gracia. Así como la levadura levanta la masa, del mismo modo los que han aceptado la gracia de Dios deberían elevarse por sobre el pecado y vivir una vida transformada, dejando la vida vieja que tuvieron antes.

Preguntas para reflexionar:

1. ¿En qué áreas de mi vida estoy exhibiendo la gracia de Dios? ¿De qué modo la gracia nos ayuda a elevarnos por sobre el pecado en nuestras vidas? Presenta ejemplos específicos.

2. ¿En qué áreas la gracia de Dios necesita manifestarse más en la iglesia? ¿De qué modo podemos permitir que la gracia ejerza su poder transformador en nosotros, como individuos?

Una parábola acerca de la gracia

Un hombre cae por la borda de un barco, de noche. Cuando su cabeza emerge por sobre el agua, el barco se ha ido. El agua y el cielo son de una negrura desorientadora. No puede ver nada. Grita, pero nadie responde. El hombre es un buen nadador, pero después de varias horas de bracear, sus brazos están demasiado cansados para seguir nadando, y su cuerpo está adormecido por el frío. Exhausto, cierra los ojos, flotando sobre sus espaldas. De repente, una ola lo sumerge. Con las manos se abre paso hacia la superficie, respira en forma desesperada, antes de que el agua lo hunda otra vez. Esta vez su cabeza no reaparece. Pero un bote salvavidas lo alcanza antes de que se ahogue. La tripulación saca su cuerpo inconsciente del agua. Otro bote aparece y se lleva la tripulación, pero dejan al hombre, semiconsciente, en el bote salvavidas, sobre el mar abierto, con una botella de agua y comida suficiente para tres días.

Considera: La mayor parte de las historias de rescate no terminan de este modo. Después de todo, ¿cuán necio es rescatar a alguien de la muerte, solo para abandonar a esa persona a una muerte segura por hambre? Pero, si Dios se hubiera limitado meramente a no eliminar la raza humana cuando pecó, entonces el resultado para nosotros no habría sido diferente que el destino seguro del hombre en el bote salvavidas: temporariamente se salvó de ahogarse, pero no se le dio comida y agua suficiente para salvar su vida.

Típicamente, durante un rescate exitoso, la víctima desgraciada es alzada y llevada a la orilla, donde se le da atención médica inmediata hasta su restablecimiento. Dios no hizo menos por nosotros. En lugar de dejarnos abandonados, él envió físicamente a Jesús para responder a nuestra llamada de auxilio. Jesús vino no solo para salvarnos de ahogarnos en nuestros pecados sino también para remar y llevarnos hasta la orilla de la vida eterna.

Preguntas para dialogar:

1. Los elementos de esta historia pueden representar diferentes aspectos de la gracia. Identifica los siguientes: ¿Quién es el nadador? ¿En qué forma nos parecemos al nadador?

2. ¿Qué representa el bote salvavidas?

3. ¿Qué simboliza el acto de llevar al nadador a la orilla?

PASO **4**
¡Aplica!

Prueba esto:

1. Investiga acerca de Juan Newton, autor del himno "Amazing Grace" [Sublime gracia]. Canta el himno mientras meditas en el poder de Dios de cambiar la vida de este hombre, así como la tuya y las vidas de otros que te rodean.

2. ¿Puedes pensar en alguien que te ha hecho daño? Luego pídele a Dios que te ayude a mostrar su gracia, al ofrecer el perdón a esa persona. Pídele a Dios que te ayude a perdonar a esa persona en tus pensamientos y en tus acciones.

EL REPOSO

Sábado   *16 de mayo*

LEE PARA EL ESTUDIO DE ESTA SEMANA: Génesis 2:2, 3; Deuteronomio 5:12-15; Isaías 58:12-14; Ezequiel 20:12; Hebreos 4:9-11.

PARA MEMORIZAR:

> "**También les dijo: El día de reposo fue hecho por causa del hombre, y no
> el hombre por causa del día de reposo. Por tanto, el Hijo del Hombre es
> Señor aun del día de reposo**" (Mar. 2:27, 28).

SI HAY ALGO RELEVANTE en la fe cristiana para la gente que vive a
comienzos del siglo XXI es el sábado. Es el remedio que necesitan con
urgencia millones de personas en las sociedades afligidas por el estrés, los
problemas del corazón y la depresión. Ofrece una salida de las presiones in-
cesantes de la vida moderna. Proporciona una posibilidad de recargar nuestras baterías agotadas y reenfocar las prioridades reales de la vida. El sábado
nos dice que hay un tiempo en que debemos cerrar las puertas de nuestro
hogar y de nuestra mente a la confusión y el ruido del mundo, y llegarnos a
la presencia de aquel que nos hizo y que sabe lo que necesitamos.

"Si hay un mandamiento que necesita la gente moderna, tan apurada y
ocupada, es el del sábado. Estamos tan ocupados tratando de darle sentido
a nuestra vida y sirviéndonos a nosotros mismos que nos olvidamos de que
Dios es el único que puede darle sentido a nuestra vida. Mostramos que
'descansamos' en él al reposar en su día" –Jon L. Dybdahl, *Éxodo*, p. 195.

UN VISTAZO A LA SEMANA: ¿Por qué es tan importante el sábado
para nosotros? ¿Por qué Dios instituyó el sábado? ¿Qué es tiempo santo? ¿Quién o qué hace que el sábado sea santo? ¿Cómo podemos hacer
de la observancia del sábado una experiencia deliciosa y significativa?

Domingo

EL REGALO DE DIOS PARA LA GENTE OCUPADA

Hay dos instituciones básicas para toda la humanidad desde la primera semana de la historia de la tierra: el matrimonio y el sábado. Son una parte intrínseca del programa divino para la felicidad humana. No resulta extraño que ambas, a lo largo de los siglos, hayan estado tanto bajo el ataque del Maligno. Dios sabía lo que la humanidad necesitaría y, por lo tanto, creó el tiempo con un ciclo perfecto de seis días "normales" más un día extraordinario: el sábado. Y, desde entonces, los que han respetado este ritmo instituido por Dios han sido bendecidos por él.

¿Por qué Dios mismo descansó el séptimo día después de la creación del mundo? Gén. 2:2, 3.

_____

_____

¿Con qué término se refiere el profeta Ezequiel al sábado? ¿Qué piensas que significa? Eze. 20:12.

_____

_____

"Después de descansar el séptimo día, Dios lo santificó; es decir, lo escogió y apartó como día de descanso para el hombre. Siguiendo el ejemplo del Creador, el hombre había de reposar durante este sagrado día para que, mientras contemplara los cielos y la tierra, pudiese reflexionar sobre la grandiosa obra de la creación de Dios; y para que, mientras mirara las evidencias de la sabiduría y la bondad de Dios, su corazón se llenara de amor y reverencia hacia su Creador. [...]

"Dios vio que el sábado era esencial para el hombre, aun en el paraíso. Necesitaba dejar a un lado sus propios intereses y actividades durante un día de cada siete para poder contemplar más de lleno las obras de Dios, y meditar en su poder y su bondad. Necesitaba el sábado para que le recordara más vivamente la existencia de Dios, y para que despertase su gratitud hacia él. Pues todo lo que disfrutaba y poseía procedía de la mano benéfica del Creador" (*PP* 28, 29).

¿Cuál es tu experiencia con el sábado? ¿Lo gozas? ¿Llegas a apreciar más profundamente a Dios al contemplar las maravillas de su creación? Si no, ¿qué cambios podrías hacer para ayudarte a tener una experiencia sabática más satisfactoria?

Lunes   *18 de mayo*

TIEMPO SANTO

La palabra *santo* aparece en la Biblia en una variedad de lugares. A veces se hace referencia a que las personas son santas, lo mismo que objetos y períodos de tiempo. El significado básico es "poner aparte para un uso específico". Los sacerdotes eran personas *santas* porque habían sido apartados para el servicio del Santuario. Ellos usaban vasos e instrumentos *santos*, que fueron retirados del servicio secular para un propósito ritual específico. Una vez que habían sido apartados como *santos*, ya no estaban disponibles para el uso común, porque habían sido destinados a un propósito más elevado. Las actividades en tales días *santos* debían corresponder con el propósito que Dios había asignado a esos días.

Debemos "acordarnos" de guardar santo el sábado. ¿Somos nosotros o es Dios quien hace santo el día? ¿Qué diferencia produce esto? Gén. 2:3; Isa. 58:13.

"El sábado es un testimonio poderoso de la soberanía de Dios. Solo él puede crear, y solo él puede hacer que algo sea santo. Por eso, los adventistas tienen una objeción muy fuerte al cambio del sábado al domingo como el día de descanso y adoración cristiano. Sin un mandato divino claro, ese cambio no es menos que una afrenta a Dios" –Richard Rice, *The Reign of God*, p. 403.

¿De qué modo el santo sábado semanal impacta a quienes eligen obedecer el mandato de observar el sábado, el día de tiempo santo, designado por Dios? Éxo. 31:12, 13.

Guardar el sábado combina los aspectos interno y externo. Cuando nuestra observancia del sábado es solo una cuestión de conducta externa, de seguir una lista de reglas, hemos perdido de vista su verdadero significado. Pero, al mismo tiempo, nuestra observancia del sábado es visible para los demás. Les dice a otras personas que somos separados y diferentes. Es una señal de nuestra lealtad a nuestro Creador y Redentor.

Dios quiere que su pueblo sea "santo"; es decir, quiere personas que se hayan separado conscientemente de las cosas de este mundo. ¿De qué manera el guardar el sábado debería ayudarnos de una forma concreta a estar "separados" del mundo? ¿De qué modo la realidad de la proximidad del sábado, cada semana, debería servir como un recordativo para ti cuando afrontas tentaciones durante la semana, ya que se espera que seas una persona santa, un pueblo separado de las cosas que contaminan en el mundo?

Martes

EXPERIMENTAR EL GOZO DEL SÁBADO

Cuando hablamos acerca del mandamiento del sábado, generalmente nos referimos a la versión que encontramos en Éxodo 20. Allí, el mandamiento está vinculado con la creación del mundo. Cada sábado nos recuerda que Dios es nuestro Creador y que somos sus criaturas, con todo lo que esta gloriosa verdad implica. Pero, en la versión de los Diez Mandamientos en el libro de Deuteronomio descubrimos un aspecto adicional. El sábado semanal también es una conmemoración de la liberación del pueblo de Israel de la esclavitud egipcia y, por ello, por extensión, de toda clase de esclavitud de la cual la gracia de Dios ha liberado a la humanidad.

Lee Deuteronomio 5:12 al 15 cuidadosamente y compara el pasaje con Éxodo 20:8 al 12. ¿Qué añaden el uno al otro? ¿De qué modo se complementan? ¿Podría haber posiblemente otras cosas que deberíamos "recordar" en nuestra observancia del sábado? Si es así, ¿cuáles podrían ser?

_____

_____

El sábado es una señal no solo de la Creación sino también de la Redención. Nos señala la salvación que tenemos en Jesús, quien no solo nos re-crea ahora (2 Cor. 5:17; Gál. 6:15) sino también nos ofrece la esperanza de una eternidad en un cielo nuevo y una tierra nueva (2 Ped. 3:13). De hecho, los judíos habían visto el sábado como un símbolo del "mundo por venir"; es decir, los cielos nuevos y la Tierra Nueva. Es un anticipo semanal de lo que tendremos por la eternidad y debería servir como un recordativo especial de lo que se nos ha dado en Jesús.

En un nivel más práctico, el sábado nos ayuda a librarnos de la esclavitud del reloj y del calendario. Muchos son, además, esclavos de las computadoras y los teléfonos móviles. Para muchas personas, ha llegado a ser increíblemente difícil separar el tiempo del trabajo del tiempo de ocio. Parece que la vida moderna demanda que siempre podamos ser alcanzados y siempre debemos estar listos para pasar a la modalidad de trabajo. El sábado es el antídoto perfecto para esta enfermedad, que amenaza a cada forma del reposo verdadero, tanto físico como espiritual.

"Guardar el sábado santo significa que podemos cesar de nuestra productividad y realizaciones durante un día de cada siete. Lo emocionante de esta práctica es que cambia nuestras actitudes para el resto de la semana. Nos libera de preocuparnos acerca de cuánto producimos los otros días. Además, cuando terminamos esa inútil carrera con el viento, podemos verdaderamente descansar y aprender a deleitarnos de maneras nuevas" –Marva J. Dawn, *Keeping the Sabbath Wholly*, p. 19.

UN MODELO DEL DESCANSO SABÁTICO PARA EL MUNDO

Lee Isaías 58:12 al 14. ¿Qué principios podemos obtener de estos versículos, acerca de la observancia del sábado, que nos ayudarán a experimentar mejor las bendiciones que Dios tiene para nosotros, si recordamos adecuadamente el sábado?

_____

_____

Es una realidad sumamente desafortunada: muchos adventistas no gozan verdaderamente del sábado de Dios. Algunos recuerdan con total frustración la forma en la que el sábado se guardaba en su hogar paterno. Aun en las instituciones adventistas, la observancia del sábado puede dejar mucho que desear. Las reglas y los reglamentos deberían asegurar que el sábado sea guardado "santo". Algunas de estas reglas están basadas en principios bíblicos, pero otras, de hecho, tienen más que ver con la tradición y la cultura que con un "así dice Jehová".

El sábado nunca debe ser un día principalmente asociado con prohibiciones y restricciones. Si estamos buscando un modelo para seguir, debemos dejarnos inspirar por el ejemplo de Jesús.

Considera cuidadosamente los siguientes pasajes y descubre cómo guardaba Jesús, nuestro Modelo máximo, el sábado como "santo". Mar. 2:23-3:6; Luc. 4:16; 6:1-11.

_____

_____

"La obra del cielo no cesa nunca, y los hombres no debieran nunca descansar de hacer bien. El sábado no está destinado a ser un período de inactividad inútil. La Ley prohíbe el trabajo secular en el día de reposo del Señor; debe cesar el trabajo con el cual nos ganamos la vida; ninguna labor que tenga por fin el placer mundanal o el provecho es lícita en ese día; sino que, como Dios abandonó su trabajo de creación y descansó el sábado, y lo bendijo, el hombre ha de dejar las ocupaciones de su vida diaria y consagrar esas horas sagradas al descanso sano, al culto y a las obras santas. La obra que hacía Cristo al sanar a los enfermos estaba en perfecta armonía con la Ley. Honraba el sábado" (*DTG* 177).

Trata de imaginar cómo sería un "sábado perfecto". ¿Cómo lo observarías? ¿Qué tendrías a tu disposición que no podrías tener durante la semana de trabajo? Lleva tu descripción a la clase el sábado.

Jueves

LA SEÑAL DEL REPOSO

Como observadores del sábado, se nos acusa a menudo de tratar de ganar nuestro camino al cielo mediante la observancia del sábado. Escuchamos esto todo el tiempo. ¿Cómo deberíamos reaccionar?

Lee de nuevo el mandamiento del sábado en Éxodo 20. ¿Qué nos enseña que debemos hacer? Nos indica que debemos descansar: nuestros hijos, nuestras hijas, nuestros siervos, nuestros animales y aun los extranjeros entre nosotros. Todo tiene que ver con el descanso.

Ahora, una pregunta sencilla: ¿Cómo es que el Mandamiento dedicado al *descanso*, el Mandamiento que específicamente expresa *reposo*, el mandamiento que nos da una oportunidad especial para *descansar*, se ha convertido en el universal símbolo de obras del "Nuevo Pacto"? El único Mandamiento que, por su misma naturaleza, habla del descanso ha llegado a ser, para muchos que no lo comprenden correctamente, la metáfora de la salvación por obras. ¿Qué está mal en este cuadro?

De hecho, lejos de ser un símbolo de obras, el sábado es el símbolo bíblico eterno del descanso que el pueblo de Dios siempre ha tenido en Dios.

Lee Hebreos 4:9 al 11. ¿Cuál es el mensaje para nosotros aquí acerca del sábado?

Desde el mundo anterior a la caída de Adán y Eva en el Edén hasta el descanso del Nuevo Pacto que los seguidores de Dios tienen en la obra de redención de Cristo para ellos, el sábado es una manifestación, en tiempo real, del descanso que Cristo ofrece a todos. En Mateo 11:28 al 30, Jesús nos llama a descansar en él. Él nos dará reposo, y ese reposo encuentra una expresión en su universal día de sábado. Cualquiera puede decir que está descansando en Cristo: cualquiera puede decir que es salvado por gracia. Pero, la observancia del sábado es una expresión visible de ese descanso, una parábola viviente de lo que significa estar cubierto por su gracia. Nuestro descanso semanal de nuestras obras seculares y mundanas es como un símbolo de nuestro reposo en la obra completada de Jesús en nuestro favor.

Nuestra obediencia a este Mandamiento es una manera de decir: "Estamos tan seguros de nuestra salvación en Jesús, estamos tan firmes y seguros en lo que Cristo hizo por nosotros, que podemos –de una manera especial– descansar de cualquiera de nuestras obras, porque sabemos lo que Cristo ha realizado en favor de la humanidad por medio de su muerte y su resurrección".

El sábado es una expresión y una manifestación muy real, muy expresiva y muy visible del descanso que tenemos en Jesús y lo que él hizo por nosotros. No tenemos que decirlo; pero podemos expresarlo de una manera real, una manera que aquellos que no guardan el sábado no pueden expresar.

PARA ESTUDIAR Y MEDITAR: Lee los comentarios que hizo la señora de White acerca de cuando Dios dio la ley de los Diez Mandamientos, en *Patriarcas y profetas*, pp. 310-318, y sobre la historia de la observancia del sábado junto con los discípulos de Jesús, en *El Deseado de todas las gentes*, pp. 248-256.

Una rica fuente de información adicional es el artículo "The Sabbath in the New Testament", en Kenneth A. Strand, ed. *The Sabbath in Scripture and History*, pp. 92-113.

Nota específicamente este pasaje: "En el informe de Marcos (cap. 2:27), Jesús planteó el tema del propósito del sábado. El sábado no era un fin en sí mismo. [...] Esta diseñado con el fin de ser una bendición para el hombre, un día de descanso físico, pero también un día dedicado a ejercicios espirituales. Los fariseos trataron el día como si el hombre hubiera sido creado para servir al sábado, en vez de que el sábado satisficiera las necesidades del hombre. El rabí Shim'on ben Menasya, alrededor del año 180 d.C., hizo una afirmación similar [a la declaración de Jesús]: 'El sábado les fue dado a ustedes, pero ustedes no se han rendido al sábado'" (p. 96).

PREGUNTAS PARA DIALOGAR:

1. En la clase, comparen las descripciones de cómo sería un sábado "perfecto". ¿Qué pueden hacer para acercarse lo más posible a ese ideal?

2. A comienzos de esta semana se sugirió que algunas de las reglas y las restricciones que aplicamos al sábado están arraigadas más en la tradición que en la Palabra de Dios. Como clase, analicen cuáles podrían ser estas reglas humanas, frente a lo que dice la Biblia. ¿Cómo podemos determinar la diferencia?

3. Medita más en la idea que se expresa en la sección del jueves. ¿Cómo podemos mostrar mejor al mundo que el descanso especial del que gozamos en Jesús por medio del sábado revela la realidad de la gracia de Cristo en nuestras vidas? ¿Qué cosas podríamos haber hecho para dar a otros una impresión equivocada?

Resumen: El sábado es el don de Dios para la humanidad. Es el antídoto perfecto para la inquietud y el estrés actuales. Es una cantidad muy específica de tiempo en la semana, que Dios ha "hecho santa" para nosotros. Ese día puede ser, si lo enfocamos con la actitud correcta, una fuente de descanso físico y espiritual, y un tiempo de gran gozo. El ejemplo máximo de la verdadera observancia del sábado es Jesús, quien se refirió en forma muy significativa a sí mismo como el Señor del sábado.

El sábado enseñaré...

Texto clave: Marcos 2:27, 28.

Enseña a tu clase a:
Saber que el sábado nos permite separarnos del mundo a fin de descansar y tener comunicación con Dios.
Sentir el gozo que nos llega por medio del sábado.
Hacer del sábado la experiencia que Dios desea que tengamos.

Bosquejo de la lección:
I. **Recordar el sábado (Lev. 23:3)**
   A. Vivimos en un mundo turbulento. ¡Qué bendición es tener un día para descansar! ¿Cómo pasas los sábados? ¿Qué elementos del día contribuyen al descanso y al refrigerio? ¿Cuál es tu idea de un sábado ideal?
   B. Los Diez Mandamientos nos dicen que debemos guardar el sábado como un día santo. Define lo que es "santo".

II. **Gozar del sábado (Mar. 2:27)**
   A. El sábado es un día dedicado a gozarnos en nuestro Creador e interrumpir los ritmos normales del mundo. ¿Por qué es, entonces, más fácil hacer del sábado un día de reglamentos en vez de un día de comunión con Jesús?
   B. Es muy fácil llegar a ser legalista en la observancia del sábado, cuestionándonos constantemente si alguna actividad específica es apropiada. ¿Cómo podemos distinguir lo que es apropiado para el sábado?

III. **Compartir el sábado (Luc. 4:16)**
   A. Para experimentar el sábado como Dios quiere, debemos mirar el ejemplo de su Hijo. ¿Qué hizo Jesús en sábado?
   B. ¿Cómo podemos aplicar la observancia que hizo Jesús del sábado a nuestras vidas?

Resumen: El sábado es un día santo, puesto aparte del resto de la semana. Es el tiempo para que descansemos y tengamos comunicación con Dios.

Ciclo de aprendizaje

Concepto clave: El sábado es una ocasión para descansar en Jesús aparte de los cuidados diarios del mundo.

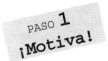

SOLO PARA LOS MAESTROS: SI PUEDES, TRAE SÍMBOLOS, LOGOS O FIGURAS DE IMÁGE-NES O SIGNOS, PARA ESTIMULAR LA DISCUSIÓN ACERCA DE LOS ELEMENTOS SIMBOLIZA-DOS. ¿CUÁL ES EL PODER DE LOS SÍMBOLOS? ¿DE QUÉ MODO PUEDEN REPRESENTAR ALGO SIN USAR NINGUNA PALABRA PARA ENTREGAR SU MENSAJE?

Ningún marinero experimentado del mar Caribe ignoraba lo que la blanca calavera sonriente y los huesos cruzados sobre una bandera negra significaban: piratas. La vista de esa bandera en un barco que se aproximaba no necesitaba palabras de explicación de lo que seguiría si el barco perseguido no podía escapar a tiempo, y eso era pánico y saqueo, y una batalla mortal por la carga de azúcar, esmeraldas o ron que llevaba el barco, y apropiarse del barco mismo como la recompensa máxima. Y, cuando el humo de la pólvora abandonaba las cubiertas, los caídos en desgracia que todavía vivían recibirían el dudoso honor de unirse a los piratas, o de ser comidos por los tiburones. Todos estos pensamientos inundaban la mente de la tripulación de un barco mercante mientras se acercaba el barco pirata con su siniestra bandera. Ese era el poder del símbolo, sin que ningún capitán pirata tuviera que hablar siquiera una palabra.

Los símbolos no necesitan ser terroríficos para ser poderosos. Para los cristianos que observan el sábado, ese día es también una señal poderosa, o símbolo clarísimo; pero, a diferencia de la bandera pirata, es un símbolo de paz y reposo. Observar el sábado es una señal, al mundo, de que fuimos creados por Dios, redimidos por él, y que él tiene capacidad para santificarnos ahora y para siempre.

Considera: Antes de atacar a otro barco, los piratas izaban la bandera negra al mástil más alto, a fin de infundir temor en los corazones de la tripulación del otro barco. El sábado, de cierto modo, también es como una bandera, pero produce un efecto muy diferente. ¿Cómo piensas que es un signo visible de nuestra lealtad a Dios? ¿De qué modos podemos, como observadores del sábado, "izar" el sábado de modo que todos puedan ver nuestra intención de honrar a nuestro Creador? ¿Qué nos puede decir la manera en que los piratas usaban su bandera acerca del poder que tienen los símbolos para afectar a otros? ¿De qué manera puede ser observado el sábado para influir sobre otros en forma positiva? ¿Cómo pueden nuestras vidas ser símbolos vivientes del sábado?

SOLO PARA LOS MAESTROS: REPASA LA PRIMERA PREGUNTA DE LA SECCIÓN DEL DOMIN-GO CON LA CLASE. LOS MIEMBROS DE LA CLASE DEBEN PODER LLEGAR A LA CONCLU-SIÓN DE QUE DIOS DESCANSÓ EL SÉPTIMO DÍA PARA CELEBRAR SUS OBRAS CREADAS.

Comentario de la Biblia

I. ¿De quién eres tú?

(Repasa Gén. 2:2, 3 con tu clase.)

El sábado está intrínsecamente vinculado con Dios como Creador. Como muestra este texto, el sábado fue instituido enseguida después de que Dios hubo completado su obra de Creación, cuando se dispuso a celebrar esa obra. "Por eso, la observancia del sábado es una señal, o marca, de que la persona que observa este día reconoce a Jehová como su Dios, porque estos hechos de la creación solo se aplican a él" (*CBA* 4:675). El sábado es, entonces, también una salvaguarda contra todas las teorías falsas acerca del origen de nuestra existencia. ¿Por qué esto es tan importante actualmente, especialmente en un momento cuando el evolucionismo es popular en la enseñanza?

Considera: Analiza la conexión entre el sábado y nuestro Dios Creador. ¿De qué manera sirve el sábado para salvaguardarnos contra ideas falsas acerca de nuestros orígenes?

II. Verdaderamente libres

(Repasa con tu clase Deut. 5:12-15, notando especialmente el versículo 15. También considera Éxo. 31:12, 13 y Eze. 20:12.)

SOLO PARA LOS MAESTROS: ENFATIZA A LOS MIEMBROS DE TU CLASE QUE EL TEMA PRINCIPAL DE ESTOS TEXTOS ES QUE DIOS NOS SANTIFICA.

En Deuteronomio 5:15 vemos que la liberación de los israelitas de Egipto está vinculada con la observancia del sábado. Del mismo modo, al guardar nosotros el sábado semana tras semana, recordamos el poder de Dios para librarnos del pecado y santificarnos. "De esta manera el sábado llega a ser, para el cristiano, no solo un monumento recordativo de la Creación, sino también de la nueva creación de la imagen de Dios en su propio corazón y en su propia mente. [...] Así, el sábado llega a ser una 'señal' [...] de redención tanto como de creación" (*CBA* 1:986).

Considera: ¿Qué debe recordarnos el sábado? Analiza maneras en las que el sábado actúa como un monumento recordativo.

III. Reposar o no reposar

(Repasa Isa. 58:12-14 con tu clase.)

Al seguir el ejemplo de Dios y de su mandato de observar el sábado, también reposamos de nuestras labores, o dejamos de hacerlas. Sin embargo, el sábado tiene que ver con más que una lista de cosas para hacer y para no hacer. Reposar en Jesús significa estar en comunicación activa con él.

"Dios requiere no solo que evitemos el trabajo físico en sábado, sino también que disciplinemos nuestra mente para que se espacie en temas sagrados. Se infringe virtualmente el cuarto Mandamiento al conversar de cosas mundanales, o al dedicarse a una conversación liviana y trivial" (*JT* 1:287).

Si realmente observamos el sábado en la manera en que Dios quiere, seremos bendecidos en todas las áreas de nuestra vida: física, mental, social y financiera. Realmente estaremos en los lugares altos de la tierra y seremos elevados más de lo que alguna vez imaginamos.

Considera: ¿De qué modo debe ser guardado el sábado como santo? ¿Por qué abstenerse del trabajo no es suficiente? ¿Qué significa el verdadero reposo?

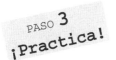

PASO 3
¡Practica!

SOLO PARA LOS MAESTROS: PIDE A UN VOLUNTARIO QUE LEA LA SIGUIENTE PARÁBOLA, EN VOZ ALTA, A LA CLASE. LUEGO, PIDE QUE RESPONDAN LAS PREGUNTAS QUE SIGUEN.

Parábola

El teléfono celular de Susana comenzó a vibrar mientras aparecía un mensaje de texto de Tito: "No puedo esperar hasta el domingo a las 13 para verte". Tito estaba en otra universidad, pero el domingo viajaba los ochenta kilómetros a fin de que pudieran pasar dos o tres horas juntos.

Susana se despertó tarde el domingo. Se había quedado levantada hasta altas horas de la noche anterior, estudiando para un examen. Cuando Tito llamó a la puerta, Susana lo saludó apresuradamente y le preguntó si le molestaría esperarla mientras terminaba el lavado. Media hora más tarde salieron rápidamente por la puerta.

En el almuerzo, Susana se encontró con una amiga de la escuela secundaria que no había visto en años. Demoraron bastante conversando hasta ponerse al día. Tito parecía aburrido, pero Susana pensó: "Todavía me queda bastante tiempo para estar con él. Además, puedo recuperar este tiempo el domingo próximo". La amiga apenas se había ido cuando sonó el teléfono de Susana. Era Sara, que le decía que hoy era el último día de una liquidación de esos zapatos negros de charol fabulosos que había estado deseando. De mala gana, Tito fue con Susana a la tienda. Pero, para el momento en que terminaron las compras, era el tiempo en que Tito debía volverse.

"¿Adónde se fue todo el tiempo?", se preguntaba Susana, mientras Tito se marchaba con el auto. "Oh bueno", se prometió a sí misma, "puedo recuperar el tiempo con él la semana que viene..."

Preguntas para dialogar:

1. ¿En qué forma la observancia del sábado es similar a una relación personal?

2. ¿De qué modo piensas que se sintió Tito después de esta cita? ¿Cómo quieres que Dios se sienta después de cada sábado contigo? ¿Qué puedes hacer para mejorar el tiempo que pasas con Dios?

3. ¿Por qué crees que Susana actuó en la forma en que lo hizo? ¿Cuán a menudo somos parecidos a Susana por la forma en que tratamos a Dios?

4. Cada sábado lleva consigo un recordativo de que el gran Dios del universo quiere pasar tiempo con nosotros personalmente. ¿Qué podemos hacer para que nuestro tiempo no esté dividido y tenga un propósito específico?

PASO **4**

¡Aplica!

SOLO PARA LOS MAESTROS: AYUDA A TU CLASE A COMPRENDER QUE LA MEJOR MANERA DE GOZAR EL SÁBADO ES PREPARARSE PARA ÉL.

El viernes es el día de preparación para el sábado; pero, si comenzamos a prepararnos a nosotros mismos, física y espiritualmente, desde el domingo, seremos capaces de gozar más plenamente de las bendiciones del sábado y, además, ser una bendición para otros.

Prueba esto:

1. Haz una lista de todas las cosas que necesitas hacer a fin de estar listo para el sábado. Ahora, elige algo de esta lista que puedas comenzar a hacer el domingo, y terminarlo antes del viernes.

2. Prepara un plato especial el viernes, para gozarlo al comienzo del sábado.

3. Dirige un culto de recepción del sábado con cantos, o hazlo el sábado de tarde. Aprende himnos nuevos que celebren el significado del sábado.

4. Haz un dibujo o una pintura de lo que el sábado significa para ti. Cuélgalo en un lugar que permita que todos los que entren en tu casa o tu departamento sean bendecidos por él.

EL CIELO

Sábado

23 *de mayo*

LEE PARA EL ESTUDIO DE ESTA SEMANA: Eclesiastés 9:5, 6; Colosenses 1:10-14; 1 Tesalonicenses 4:13-18; Apocalipsis 21:1-4, 8.

PARA MEMORIZAR:

> "En la casa de mi Padre muchas moradas hay; si así no fuera, yo os lo hubiera dicho; voy, pues, a preparar lugar para vosotros. Y si me fuere y os preparare lugar, vendré otra vez, y os tomaré a mí mismo" (Juan 14:2, 3).

PARA MUCHOS, LA PALABRA *CIELO* ha perdido totalmente su significado, un concepto que pertenece al campo de los cuentos de hadas. Dicen ellos: Nos engañamos a nosotros mismos, si pensamos que hay alguna clase de vida más allá de la existencia terrenal. Algunos hasta llegan a decir que es totalmente erróneo decir a la gente que hay un cielo. Alegan que impide que la gente ponga todos sus esfuerzos en lo que podrían lograr aquí y ahora en la vida.

Aun muchos cristianos luchan con este concepto. No están seguros de que el cielo sea un lugar real. ¿No sería mejor que el *cielo* sea interpretado como un *estado de la mente*? Por otro lado, hay muchos que creen que en la muerte el alma es liberada y entra en el *cielo* para vivir con Dios. Están confiados de que su padre, su madre, su esposo, su esposa o su hijo –que los han precedido en la muerte– están ahora con Dios en el cielo y que unos pocos años los separan para reunirse con sus amados.

¿Cuál es la verdad en este tema importante?

UN VISTAZO A LA SEMANA: ¿Por qué la promesa del cielo es tan importante para nosotros? ¿Cómo será la vida allá? ¿Cómo podemos experimentar un anticipo de ello ahora? ¿Qué destino espera a aquellos cuyas elecciones los excluyan del cielo?

Domingo

¿CUÁNDO LLEGAMOS AL CIELO?

Es sorprendente cómo la idea de un alma inmortal –que puede separarse del cuerpo físico y que asciende al cielo al morir– ha llegado a ser tan dominante entre los cristianos. La mentira de Satanás en el Edén fue: "No moriréis" (Gén 3:4).

¿Qué nos enseñan los siguientes pasajes acerca de la verdadera naturaleza de la muerte?

1 Rey. 11:21 _____

Sal. 13:3 _____

Ecl. 9:5, 6 _____

1 Cor. 15:51 _____

Cuando morimos, entramos en un estado de inconsciencia que la Biblia compara con el sueño. Sin saber lo que ocurre en el mundo, esperamos la mañana de la resurrección. Solo entonces la gran multitud de los redimidos entrará en el cielo para unirse a los pocos, tales como Enoc y Elías, que los han precedido. Pero no será una espera larga. Luego del momento en que cerramos los ojos en la muerte, lo siguiente que sabremos será que Cristo viene por segunda vez. En otras palabras, en lo que respecta a los que mueren en Cristo, no hará diferencia si murieron hace tres mil años o el día antes del regreso de Cristo. Cierran sus ojos en la muerte, y lo siguiente de lo que son conscientes es que Jesús regresa para llevarlos consigo. Para ellos, les parecerá instantáneo.

¿Cuál es la gloriosa verdad acerca de nuestra entrada futura en el ámbito celestial? Juan 14:1-3; 1 Tes. 4:13-18.

_____

_____

"En el Nuevo Testamento, la esperanza bienaventurada nunca se concentra en la muerte individual, sino siempre en el regreso de Cristo, y en la resurrección y la traslación de los santos para encontrarse juntos con Cristo al mismo tiempo. Es en este futuro, y no en lo que sucede en la muerte, donde los santos pueden encontrar consuelo" –Norman Gulley, *¡Cristo viene!*, p. 315.

¿Por qué la promesa del cielo es tan importante para nosotros? Si no hubiera cielo y esta vida fuera todo lo que existe, ¿qué esperanza habría para todos?

¿CIELO O INFIERNO?

No todas las personas serán salvadas. Algunos estarán eternamente perdidos. Los seres humanos fueron creados con libre albedrío. Alguien una vez lo dijo de este modo: Hay solo dos clases de personas: los que dicen: "Señor, sea hecha tu voluntad", y aquellos a quienes el Señor dice: "Tengo que respetar tu elección; ¡sea hecha tu voluntad!" Al fin, ninguno pidió nacer. Estamos aquí solo porque hemos sido creados sin nuestro consentimiento. Dios nos ofrece la esperanza de la vida eterna, si la escogemos. Si no lo hacemos, entonces volveremos a ser nada, que es desde donde salimos. Al fin, es nuestra propia elección.

Toda la humanidad espera uno de los dos destinos finales. ¿Cuáles son? Mat. 25:46; Juan 5:29; Apoc. 21:1-4, 8.

_____

_____

El cielo es una realidad. Es un lugar. Es donde vive Dios junto con los otros miembros de la Deidad y una hueste de ángeles no caídos. También es donde viviremos si permanecemos del lado de Dios. Cuando Cristo regrese y ocurra la primera resurrección, los santos resucitados acompañarán al Señor al cielo, donde permanecerán por mil años (Apoc. 20:4-6). Después de mil años ocurrirá una serie de eventos, que culminarán con la creación de un "cielo nuevo" y una "tierra nueva" (Apoc. 21:1), donde vivirán para siempre los redimidos.

Pero el infierno también será una realidad. La creencia popular en un lugar donde los pecadores serán atormentados y quemarán durante toda la eternidad no tiene apoyo bíblico. Pero tampoco lo tiene la idea popular de que al fin todas las personas serán salvadas. Aquellos que rechazan las buenas nuevas de salvación y rehúsan ser obedientes a Dios serán juzgados y condenados, y afrontarán una muerte de la cual nunca habrá resurrección. Los que creen que toda la gente se salvará alegan que un Dios de amor no permitirá que ninguno se pierda la bienaventuranza eterna. Es cierto que Dios es, realmente, el amor personificado y quiere salvar a todos los hombres y las mujeres. Pero, trágicamente, no todas las personas quieren ser salvas. Cristo no podría haberlo dicho más claramente: "De cierto, de cierto os digo: El que oye mi palabra, y cree al que me envió, tiene vida eterna; y no vendrá a condenación", pero añade que "Los que hicieron lo malo, [saldrán] a resurrección de condenación" (Juan 5:24, 29).

Es nuestra elección. El cielo puede ser nuestro si elegimos creer en Dios y estamos dispuestos a ser discípulos de su Hijo, Jesucristo.

Martes

EL REINO - AHORA Y ENTONCES

Cuando aceptamos a Jesucristo como nuestro Salvador, entramos en una nueva clase de existencia. Aunque todavía estamos sujetos a los resultados del pecado –envejecimiento, enfermedad y el "sueño" temporario de la muerte–, ya tenemos, en un sentido muy real, la vida eterna. Es importante que nunca perdamos de vista este hecho vital. Hemos nacido de nuevo y tenemos una vida nueva "en Cristo". Los que han declarado su lealtad a Cristo son "hijos" de Dios (1 Juan 3:2). "Han pasado", declara Jesús, "de muerte a vida" (Juan 5:24). Han llegado a ser ciudadanos del Reino de Dios al incorporar los valores del Reino en su vida. Ahora tienen un Amo diferente y su foco, en última instancia, ya no son las cosas de este mundo, sino la Ciudad Eterna.

¿De qué modo expresó Jesús la realidad de la ciudadanía del Reino para sus seguidores aun en este mundo? Luc. 17:21; Juan 14:27.

_____

_____

¿Qué confirmación de esta verdad encontramos en las palabras de Pablo? Rom. 14:17; Col. 1:10-14.

_____

_____

Pero no se detiene allí. Lo que experimentamos de la realidad del Reino celestial mientras estamos aquí sobre la tierra es solo un anticipo de la "herencia" que vendrá. Esto nos hace desearla aún más. Cuando Jesús venga en su gloria, "todas las naciones" se reunirán delante de él (Mat. 25:32). "Entonces el Rey dirá a los de su derecha: Venid, benditos de mi Padre, heredad el reino preparado para vosotros desde la fundación del mundo" (vers. 34). ¡Ese es el momento que los hijos de Dios han estado esperando. Por fin estarán en casa!

"Mejor que toda la amistad del mundo es la amistad de los redimidos de Cristo. Mejor que un título de propiedad para el palacio más noble de la tierra es un título a las mansiones que nuestro Señor ha ido a preparar. Y mejores que todas las palabras de alabanza terrenal serán las palabras del Salvador a sus siervos fieles: 'Venid, benditos de mi Padre, heredad el reino preparado para vosotros desde la fundación el mundo' (Mat. 25:34)" (*PVGM* 308).

Repasa los textos para hoy. ¿Cómo has experimentado la realidad de lo que se promete en ellos? ¿Qué elecciones estás haciendo que podrían impedirte gozar de lo que Cristo ofrece ahora mismo?

MÁS ALLÁ DE NUESTRAS MAYORES EXPECTATIVAS

¿Te has preguntado alguna vez cómo serán el cielo nuevo y la nueva tierra? ¿Nos reconoceremos unos a otros? ¿Tendremos una juventud eterna? ¿Qué haremos allá? ¿Tendremos nuestras propias ocupaciones? ¿O solo cantaremos alabanzas a Dios? ¿Cuánto recordaremos de nuestra existencia sobre la tierra? ¡No somos los primeros en hacernos estas preguntas!

¿Qué quisieron saber los saduceos acerca de la vida en el más allá? Mat. 22:23-28.

_____

¿Qué les contestó Jesús? Mat. 22:29, 30.

_____

La declaración de Jesús que se registra en Mateo 22 fue parte de una discusión con los saduceos. Estos eran un grupo de líderes judíos que negaban la posibilidad de una resurrección corporal. Es claro que no era la intención de Jesús darles una descripción detallada de las condiciones de la vida eterna. El contexto aclara que Jesús quería enfatizar que la muerte había sido conquistada. Él les señaló más allá de la realidad de la muerte y la resurrección. Los que mueren están seguros en la memoria de Dios, y él, por lo tanto, puede todavía llamarse el Dios de Abraham, de Isaac y de Jacob. No obstante, las declaraciones de Jesús también indican claramente que, a pesar de toda continuidad, seremos resucitados con la identidad singular que teníamos en esta vida temporaria; pero también habrá mucha discontinuidad.

¿Cuáles son algunas de las cosas que ya no experimentaremos en la tierra hecha nueva? Apoc. 21:1, 4, 22-27; 22:5.

_____

A los que nos gusta tomar vacaciones a orillas del mar podremos estar chasqueados de que el mar "ya no existía más". Sin embargo, para la gente que oyó estas palabras por primera vez, el mar era una amenaza. Israel nunca fue una nación navegante. Por buenas razones, temían las oscuras profundidades del océano. Y sabemos, por los evangelios, que aun cruzar el mar de Galilea podía ser una experiencia aterradora. Juan el Revelador nos cuenta que, en el nuevo mundo que Dios creará, todo lo que pudiera ser una amenaza para nosotros habrá sido eliminado y todo lo que pudiera representar un peligro para nosotros estará ausente. ¡Estaremos eternamente seguros!

Trata de imaginarte un mundo sin enfermedades, muerte, temor, pérdidas, un mundo en el que solo creceremos en conocimiento y amor. ¿Qué cosas aquí nos dan una sugerencia de cómo será allí? Permite que tu imaginación capte cómo será esa nueva existencia. ¿Qué estás esperando tú en forma especial?

Jueves

28 de mayo

ENCONTRAR AL SEÑOR EN EL AIRE

Tenemos razones para creer que sobre la Tierra Nueva podremos reconocer a quienes conocimos en esta vida. Nuestros cuerpos resucitados se parecerán a los del Salvador resucitado. Cuando él apareció a sus seguidores después de su resurrección, claramente fue reconocido por los que habían estado con él antes de su muerte. Qué gozo indecible será estar reunidos con los que perdimos por la muerte. Pero, la experiencia suprema será encontrarnos con el Señor del universo. Nuestros cantos serán una realidad: "Cara a cara allá en el cielo, he de ver a mi Jesús". Qué privilegio será estar ante el Alfa y la Omega del universo.

¿Qué seguridad tenemos de que nos encontraremos con el Señor de señores? 1 Tes. 4:16, 17; Apoc. 21:22, 23.

No podemos todavía imaginar qué será encontrarnos con nuestro Salvador. ¡Cuántas preguntas desearemos hacer! Las preguntas acerca de por qué, que tan a menudo estuvieron en nuestros labios, finalmente recibirán su respuesta definitiva. Por fin entenderemos por qué Dios permitió ciertas pruebas y tentaciones específicas en nuestra existencia terrenal. Nunca más dudaremos de la sabiduría y la bondad de Dios. Toda desconfianza será disipada al descubrir por qué Dios permitió que ciertas cosas ocurrieran. Y solo entonces nos daremos cuenta plenamente de cómo hemos sido protegidos de toda clase de peligros.

¿Cuál será un aspecto dominante de la vida eterna? Rom. 14:11; 1 Tim. 1:17; Apoc. 5:13.

La vida eterna será cantar alabanzas eternas y adorar al Rey. ¿Por qué? Porque él es digno de nuestra adoración. "El hecho de que el Hacedor de todos los mundos, el Árbitro de todos los destinos, dejara su gloria y se humillase por amor al hombre despertará eternamente la admiración y la adoración del universo. Cuando las naciones de los salvos miren a su Redentor y vean la gloria eterna del Padre brillar en su rostro; cuando contemplen su trono, que es desde la eternidad hasta la eternidad, y sepan que su Reino no tendrá fin, entonces prorrumpirán en un cántico de júbilo: '¡Digno, digno es el Cordero que fue inmolado, y nos ha redimido para Dios con su propia preciosísima sangre!'" (CS 709, 710)

¿Cómo será encontrarnos cara a cara con Jesús? ¿Qué piensas que le dirás, y por qué? ¿Qué piensas que él te dirá?

PARA ESTUDIAR Y MEDITAR: Elena de White escribió mucho acerca del cielo y de nuestra entrada al Reino celestial. Los capítulos finales de *El conflicto de los siglos* son una descripción sublime de eso que será nuestro. Pero la compilación *La historia de la redención* también capta este tema en forma admirable. Considera los cuatro últimos capítulos, pp. 438-453.

" 'Vi un cielo nuevo y una tierra nueva; porque el primer cielo y la primera tierra pasaron' " (Apoc. 21:1). El fuego que consume a los malvados purifica la tierra. Todo rasgo de maldición desaparece. Ningún infierno eterno mostrará a los redimidos las terribles consecuencias del pecado. Solo queda un recuerdo: nuestro Redentor llevará siempre las marcas de su crucifixión. En su frente herida, sus manos y sus pies, se encuentran los únicos vestigios de la cruel obra que el pecado realizó" (*HR* 450).

PREGUNTAS PARA DIALOGAR:

1. ¿Cómo tratamos el tema de la salvación con aquellos que nunca oyeron el nombre de Jesús? ¿De qué modo el hecho de que Jesús murió por los pecados de toda la humanidad, aun de aquellos que nunca escucharon de él, nos ayuda a confiar en que Dios no se ha olvidado de ellos tampoco?

2. La Biblia describe la muerte como un sueño, un estado de inconsciencia. ¿Cómo podemos explicar las experiencias "cercanas a la muerte", en las que la gente pretende haber visto seres celestiales en luz incomparable, o a amigos y familiares ya muertos? ¿Cómo podemos ayudar a estas personas a darse cuenta de que lo que experimentaron puede no ser lo que ellos creen que fue? En otras palabras, ¿cómo podemos ayudarlas a darse cuenta de que lo que vieron no pudo ser lo que ellos creen que era, no importa cuán real les pareció a sus sentidos?

3. ¿De qué modo la gente ha abusado de la promesa de vida eterna de maneras que les permitió manipular a otros para su ganancia personal o política? ¿Cuáles son algunas maneras en que podemos ser culpables de hacer lo mismo, aunque sea en escala menos dramática?

Resumen: Somos personas con un destino que se extiende mucho más allá de nuestra breve existencia en este mundo actual. Somos ciudadanos de un reino celestial. Este Reino es tanto presente como futuro. Ya está con nosotros, pero se manifestará plenamente en toda su gloria cuando Cristo regrese para llevarnos a casa. Entonces la vida eterna, en la presencia de Dios, será nuestra.

El sábado enseñaré...

Texto clave: Juan 14:2, 3.
Enseña a tu clase a:

Saber lo que quiso decir Jesús cuando habló de que el Reino de Dios está entre nosotros.

Sentir ánimo sabiendo que la vida sobre la tierra es solo temporal.

Hacer que la comunicación de persona a persona con tu Dios creador sea el centro de lo que esperas cuando esta vida haya terminado.

Bosquejo de la lección:

I.   El Reino entre nosotros (Luc. 17:21)

Cuando los fariseos le preguntaron a Jesús cuándo vendría el Reino de Dios, él les respondió que el Reino ya está entre nosotros. ¿Qué quiso decir con esta declaración?

II. No de este mundo (Juan 15:19)

Somos hijos de Dios, y "no somos del mundo". No obstante, somos llamados a vivir en este mundo hasta que Cristo regrese. ¿De qué modo podemos representar mejor el Reino de los cielos mientras estamos aquí sobre la tierra?

III. Centrados en el Reino (1 Cor. 13:12)

A. Siendo incapaces de comprender la realidad del cielo, tendemos a dar importancia a las cosas materiales, tangibles, terrenales. Satanás usa nuestra falta de comprensión para torcer nuestro concepto de la vida y nuestro sistema de valores. Identifica elementos específicos en tu vida que monopolizan tu tiempo y tu atención.

B. ¿Qué puedes hacer para mantenerte concentrado en el cielo a pesar del hecho de que sabemos tan poco acerca de él?

Resumen: Jesús aseguró a sus discípulos que él iba a "preparar lugar" para ellos. Cuando el desánimo y el pesimismo se introducen en tu vida, recuerda que tu Creador está preparando el cielo para ti.

Ciclo de aprendizaje

PASO 1
¡Motiva!

Concepto clave: La lección de esta semana apunta a la realidad del cielo y nos desafía a vivir esa esperanza.

¿Hay vida después de la muerte? Esta pregunta ha persistido a lo largo de toda la historia. Más de un tercio de la población del mundo cree en la reencarnación, el ciclo interminable de nacimiento y muerte. Muchos niegan que haya algún futuro después de la muerte. Pero los cristianos toman muy en serio el futuro y creen en el cielo, aunque sus conceptos pueden diferir unos de otros.

Cuando el evangelio llegó a Tesalónica, los creyentes lo aceptaron de todo corazón y creyeron que Jesús regresaría pronto para llevarlos a su hogar. Pero los santos iban muriendo, y Jesús no venía. ¿Fue su esperanza un sueño vacío? La primera Epístola a los Tesalonicenses fue escrita para responder esta pregunta.

Considera: Analiza lo que Pablo dice en 1 Tesalonicenses 4:13 al 16 acerca de vivir con Cristo para siempre.

PASO 2
¡Explora!

SOLO PARA LOS MAESTROS: DESDE EL MOMENTO EN QUE ADÁN Y EVA PERDIERON EL PARAÍSO EDÉNICO, CADA GENERACIÓN DEL PUEBLO DE DIOS HA ESPERADO EL CIELO NUEVO Y LA TIERRA NUEVA COMO SU HOGAR ETERNO. ESTA ESPERANZA NO ES UN INVENTO DE LA IMAGINACIÓN SINO UNA REALIDAD BASADA EN LAS PROMESAS DE DIOS. PEDRO ESCRIBIÓ: "PERO NOSOTROS ESPERAMOS, SEGÚN SUS PROMESAS, CIELOS NUEVOS Y TIERRA NUEVA, EN LOS CUALES MORA LA JUSTICIA" (2 PED. 3:13). ANALIZA CON LA CLASE LA RELACIÓN QUE HAY ENTRE LAS PROMESAS DE DIOS Y LA REALIDAD DEL CIELO.

Comentario de la Biblia

Panorama: El futuro es una preocupación importante en las Escrituras; considera el futuro como parte de la estrategia de Dios para concluir la gran controversia. El cielo es el destino prometido por Dios para su pueblo. Y, aun mientras esperamos este gran final del plan de Dios, necesitamos reafirmar qué es el cielo y cuáles son los gozos que hay allí.

I. El cielo: ¿Qué es?

Las Escrituras proporcionan dos significados principales para "cielo". Primero, el cielo es la morada de Dios, desde donde reina y actúa (Deut. 26:15; 1 Sam. 2:10; Sal. 11:4; 53:2; 103:19; Isa. 6:1-4; 63:15; Mat. 5:16; Apoc. 3:12; 11:13; 20:9). El cielo es su trono y la tierra es el estrado de sus pies, y su dominio se extiende a todo el orden creado (Isa. 66:1; Hech. 7:49). El cielo es el lugar donde los ángeles adoran a Dios continuamente, y aguardan para cumplir sus órdenes (Sal. 103:19, 20; Mat. 18:10; 22:30; 24:36; Apoc. 3:5), Jesús vino desde el cielo (Juan 3:13, 31; 6:38, 42) y ascendió al cielo, y allí actúa como Mediador (Heb. 8:1; 9:24; 1 Ped. 3:22). Desde allí volverá otra vez (Juan 14:1-3).

Segundo, el cielo es el hogar de los redimidos (Juan 14:1-3; 1 Tes. 4:17). El plan de salvación alcanza su etapa final cuando los redimidos entren en el gozo del cielo nuevo y la Tierra Nueva, donde Dios mismo "morará con ellos" (Apoc. 21:1-3).

La definición máxima del cielo, entonces, es donde mora Dios. Al fin, el cielo nuevo y la Tierra Nueva llegarán a ser el lugar de la morada de Dios (Apoc. 21:1-3) y la herencia de los redimidos. ¿No será eso el cielo, por fin?

Analiza:

1. ¿Cuáles son algunos conceptos diferentes que tienen los cristianos acerca del cielo?

2. ¿Cuándo heredarán los santos el cielo?

II. El cielo: sus gozos

Cuatro veces menciona Juan, en Apocalipsis 21:1 al 8, que la iniciativa y el cumplimiento de este hogar eterno de los redimidos depende de Dios. Él tiene empeñados su nombre, su naturaleza y su autoridad para validar sus promesas. Negar esta posibilidad es negar a Dios. ¿Cuáles serán los gozos de este hogar celestial?

Primero, Dios mismo morará con nosotros (Apoc. 21:3, 4). El concepto bíblico de la Tierra Nueva late con la idea suprema de que Dios será la dinámica de ese orden. La tierra renovada llegará a ser el lugar donde estará establecido su Trono. El compañerismo con Dios será totalmente restaurado. La comunicación cara a cara será la fuente de máximo gozo y felicidad para los santos (Apoc. 22:4).

Segundo, las cosas del pasado –todas asociadas con el pecado– desaparecerán (Apoc. 22:5; Isa. 65:17). No habrá lágrimas. No habrá dolor. No habrá más injusticias ni faltas de equidad (Isa. 65:21, 22). El trabajo tendrá su dignidad y su satisfacción (Isa. 65:23). La enfermedad desaparecerá, y la salud perfecta caracterizará a sus habitantes: "Las hojas del árbol [de la vida] eran para la sanidad de las naciones" (Apoc. 22:2; ver también Sal. 46:4). La vida, en la Tierra Nueva, estará marcada por una paz perfecta, un gozo perfecto de Dios y una adoración perfecta, junto con una obediencia alegre. (2 Cor. 6:16; Heb. 8:10; Sof. 3:9.)

Tercero, la armonía y la justicia caracterizarán la tierra y la vida en la

Tierra Nueva (2 Ped. 3:13). Con la abolición de la maldición sobre la tierra (Apoc. 22:3; comparar con Gén. 3:16-19), la creación estará libre de su esclavitud y su decadencia (Rom. 8:18-22). Los desiertos serán transformados y llegarán a ser como fue el Jardín del Edén (Isa. 30:23; 35:1, 2, 7; 65:17; 66:22; Ose. 1:10; 2:18; Zac. 8:12). La paz caracterizará el ambiente: "El lobo y el cordero serán apacentados juntos" (Isa. 65:25).

Analiza: Jesús habló del Reino de Dios como si ya hubiera venido pero todavía por venir (Mat. 6:10; Luc. 17:21). ¿Cómo puedes distinguir entre ambos aspectos?

Solo para los maestros: "A medida que entramos por Jesús en el descanso, empezamos aquí a disfrutar el cielo. [...] El cielo consiste en acercarse incesantemente a Dios por Cristo. [...] A medida que andamos con Jesús en esta vida, podemos estar llenos de su amor, satisfechos con su presencia" (*DTG* 299).

Analiza: Tu hogar es conocido por su alegría y su felicidad, un pequeño cielo en la tierra. Pero, recientemente, tu hijo adolescente ha mostrado una actitud rebelde y ha hecho algunas elecciones en cuanto a su estilo de vida con las cuales no te sientes cómodo. Tu pequeño cielo sobre la tierra está perturbado. ¿Cómo podrías aplicar el pensamiento citado arriba, de *El Deseado de todas las gentes,* a la situación de tu hogar?

Solo para los maestros: Para algunos, el cielo es una realidad verdadera pero distante, demasiado lejos de la lucha diaria de la vida para que los impacte mucho. Para otros, es una mitología reconfortante; todavía para otros, es un opio que adormece el dolor del presente. Como creyente, ¿cómo te relacionas con la realidad del cielo?

Piensa en esto:

Mientras estaba en la India, un hombre detuvo un taxi para que lo llevara a un colegio adventista. Al bajar del taxi, el conductor lo miró detenidamente y le preguntó si él era el pastor que había dado una serie de evangelización anteriormente ese año. El pastor respondió, con algo de sorpresa, que sí, que era él. La siguiente pregunta del conductor del taxi fue si el hombre lo reconocía. El pastor no lo recordaba. Pero, el conductor despertó de golpe la memoria del pastor al relatarle un incidente que había ocurrido en esa campaña de evangelización. El conductor y su esposa habían llevado a su hijo de 3 años cada día, para pedir oraciones especiales. El pastor había orado pidiendo sanidad divina, a fin de que ese hermoso niño pudiera caminar.

–Sí, ahora lo recuerdo. ¿Cómo está el niño? –preguntó el pastor.

–Está muy bien –respondió el conductor del taxi con alegría.

Luego explicó:

–En su último sermón, usted habló acerca del cielo, donde no habrá más tristeza, ni dolor ni muerte. Hasta leyó de la Biblia, en Isaías 35:6: 'Entonces el cojo saltará como un ciervo, y cantará la lengua del mudo'. Esa esperanza es la razón de mi gozo.

Analiza: ¿De qué modo la promesa del cielo puede ser tan real para ti hoy, en tu caminar cristiano, como lo era para este hombre?

EL DISCIPULADO

LEE PARA EL ESTUDIO DE ESTA SEMANA: Éxodo 18:13-27; Mateo 4:19; 9:9; Marcos 3:13-19; 8:31-38; Romanos 8:18.

PARA MEMORIZAR:

"En esto es glorificado mi Padre, en que llevéis mucho fruto, y seáis así mis discípulos" (Juan 15:8).

ES IMPORTANTE QUE USEMOS nuestras capacidades intelectuales para captar tanto como sea humanamente posible de lo que Dios nos ha revelado. No obstante, el conocimiento perfecto de todas las doctrinas no es un requisito previo para la salvación. Sin embargo, se nos ordena que hagamos todas las cosas que se nos ha instruido hacer. Ser un discípulo es ser un aprendedor de todo lo que hizo el Maestro durante su vida, y un seguidor permanente de él.

¿Qué es un discípulo? El *Diccionario bíblico adventista* lo define, básicamente, como una "persona que, como alumno o adherente, sigue las enseñanzas de otra, especialmente las de un maestro público.[...] En el NT, el sustantivo [...] se relaciona con el verbo *mantháno*, 'aprender'; de allí que signifique 'aprendiz', 'alumno', 'adherente'" (*DBA* 334). Consideremos un poco más de cerca lo que significa ser un discípulo.

UN VISTAZO A LA SEMANA: Un discípulo es un aprendedor durante toda la vida. Cuando Cristo nos llama, hemos de seguirlo, dondequiera que nos conduzca y no importa el sufrimiento que involucre, porque habrá sufrimiento aunque no fuera por otra razón que porque debe involucrar sacrificio. En términos humanos, las recompensas del discipulado parecerían más bien escasas. Pero, cuando se descubre la verdadera dimensión de la vida en Cristo, nos damos cuenta de que vale la pena el sufrimiento, no importa cuál sea el costo aquí y ahora.

Domingo

SEGUIDORES Y LÍDERES

Lee Éxodo 18:13 al 27. ¿Qué principios de liderazgo se encuentran en estos versículos? ¿Qué podemos aprender de ellos acerca de los líderes y de los seguidores?

_____

_____

Aunque toda la gente es fundamentalmente igual a los ojos de Dios, hay grandes diferencias en la manera en la que actúa. Algunos tienen el don del liderazgo. Nuestra sociedad, y cada organización dentro de ella, pronto se desmoronaría si no hubiera líderes. Aun en el cielo parece que hay una diferenciación en los roles: Hay, por ejemplo, ángeles y arcángeles. Cuando Dios llamó a su pueblo a salir de Egipto, él designó líderes. Cuando organizó un servicio para el Santuario, se aseguró que hubiera un liderazgo adecuado. Dios actuó mediante jueces, profetas, reyes, etc.

Pero los líderes son inútiles sin seguidores que estén dispuestos a aceptar su liderazgo. Específicamente, ellos necesitan un grupo de asociados próximos que estén dispuestos a aprender de su líder y a ayudarlo en la realización de las metas que él tiene.

Jesús llamó a doce discípulos. Lee Marcos 3:13 al 19 para ver una versión condensada de su selección de los doce hombres. ¿Qué otros ejemplos de maestros que se rodearon de discípulos encontramos en una historia del Evangelio? Ver Mar. 2:18.

_____

_____

No había nada extraordinario en el hecho de que Jesús tenía un grupo de discípulos. Era costumbre que los maestros tuvieran un grupo de "aprendices". Sin embargo, lo notable es la clase de hombres que Jesús escogió. Jesús vio el potencial de estos hombres, que la mayoría de nosotros no habría discernido. Lo que también es notable fue la disposición instantánea de ellos a dejar sus ocupaciones diarias y seguir a este carpintero de Nazaret. Aparentemente vieron algo extraordinario en este hombre que aun la mayoría de sus familiares no había descubierto todavía.

No obstante, debería notarse que, aunque los Doce constituyeron un grupo muy especial, hay muchos otros que en los evangelios se designan como discípulos.

En algunas sociedades tiende a existir una actitud contraria a los líderes; en contraste, en otras sociedades prácticamente siguen ciegamente a sus líderes. ¿Cuál es la tendencia en tu sociedad, y de qué maneras logras alcanzar un equilibrio adecuado?

CARACTERÍSTICAS DEL DISCIPULADO: OBEDIENCIA Y LEALTAD

Jesús no solo compartió conocimientos con sus discípulos, aunque debió haber sido un privilegio tremendo escuchar constantemente a Jesús cuando explicaba las Escrituras y respondía a las numerosas preguntas con que los líderes espirituales de sus días lo bombardeaban. Ellos notaron rápidamente lo que otros también percibían. Él enseñaba con una autoridad que sobrepasaba a la de los eruditos de sus días. Separaba las tradiciones muertas de los asuntos de la vida real, de los que se ocupa la Palabra de Dios. Sin embargo, había más cosas que los discípulos necesitaban aprender. También necesitaban aprender a hacer que su propia voluntad y sus deseos se sujetaran a la voluntad del Todopoderoso.

¿Qué principios del discipulado podemos encontrar en los siguientes textos? Mat. 4:19; 9:9; Mar. 8:34.

_____

_____

"Sí, sígalo tanto en los buenos momentos como en los malos. Sígalo al amistarse con los más necesitados y desamparados. Sígalo al olvidarse de sí misma, y al abundar en actos de abnegación y sacrificio en beneficio de los demás; al no responder a la injuria con injuria; al manifestar amor y compasión por la raza caída. Él no consideró preciosa su vida: la dio por todos nosotros. Sígalo desde el humilde pesebre hasta la cruz. Él fue nuestro Ejemplo" (*T* 2:178).

¿De qué manera reaccionó Pedro cuando muchos seguidores abandonaron a Jesús? Juan 6:60-70.

_____

_____

No todos los discípulos permanecieron con Jesús. Muchos se alejaron. Pedro habló en nombre de los discípulos cuando declararon su lealtad. Con la excepción de Judas, oportunamente demostraron ser seguidores fieles, aun cuando hubo momentos de graves dudas y desilusión cuando su Maestro fue tomado prisionero y ejecutado. Su experiencia nos da gran consuelo. Muchos de nosotros hemos tenido momentos en los que nuestra resolución de ser discípulos estaba en un punto muy bajo, pero, como en el caso de los apóstoles, esto no significa que no podemos sobreponernos a nuestra falla temporaria.

Si alguien te preguntara: "¿Cuán leal eres a Jesús?", ¿cómo responderías, y por qué? ¿Qué evidencias externas darías de tu lealtad a él?

Martes

SACRIFICIO

A la mayoría de nosotros nos gusta estar con gente importante. Encontrarnos con un jefe de Estado o un ministro del Gobierno u otra celebridad nos proporciona un tema de conversación muy codiciado. Conocer a alguien importante, o aun conocer a alguien que conozca a una persona importante, de alguna manera pareciera otorgarnos un halo de gloria. Parece natural desear trepar la escalera social en vez de permanecer en su base. Los discípulos de Jesús no fueron excepción a este rasgo humano desafortunado.

¿De qué modo algunos discípulos (y sus familiares) esperaban que seguir a Jesús fortalecería su condición social? ¿Cuál fue la respuesta de Jesús? Mat. 20:20-23; Mar. 10:35-41. ¿A qué te recuerda esta actitud? Isa. 14:12-14.

En lugar de prometer a sus discípulos prosperidad material y posición social, Jesús los preparó para una realidad de tipo diferente: Seguirlo cuesta mucho.

Lee Marcos 8:31 al 38. ¿Qué te enseña este pasaje acerca del costo del discipulado?

En su conocido libro *The Cost of Discipleship*, Dietrich Bonhoeffer, el joven teólogo alemán que fue martirizado por los nazis en 1945, enfatiza que la gracia divina no viene en forma barata. Y seguir a Cristo no es algo fácil de hacer. Inevitablemente involucra sufrimiento. Así como Cristo dijo que él debía "padecer mucho", también debemos sufrirlo nosotros. Si queremos identificarnos con él en esta vida, tenemos también que hacerlo con sus sufrimientos y su muerte. "Sobrellevar la cruz no es una tragedia; es el sufrimiento que ocurre como fruto de una lealtad exclusiva a Jesucristo. Cuando sucede, no es por accidente, sino por necesidad. [...] Solo un hombre [...] totalmente comprometido en el discipulado puede experimentar el significado de la cruz. La cruz está allí, desde el mismo principio, solo necesita tomarla; no hay necesidad de que salga y busque una cruz para sí mismo, no hay necesidad de correr intencionalmente al sufrimiento. Jesús dijo que cada cristiano tiene su propia cruz que lo espera, una cruz destinada y designada por Dios" –Dietrich Bonhoeffer, *The Cost of Discipleship*, p. 98.

¿Cuál es la cruz que Dios te dio para llevar? ¿Qué te costó seguir a Cristo? Si tu respuesta es "Nada, realmente", tal vez necesitas considerar más cuán de cerca sigues al Maestro.

LAS RECOMPENSAS DEL DISCIPULADO

Jesús dijo a sus discípulos que, sin ninguna duda, seguirlo a él requeriría sacrificios. Fue totalmente franco con ellos con respecto a lo que debían esperar.

¿Qué prometió Jesús en cuanto a las recompensas a corto plazo que hay al seguirlo como discípulos? Lucas 9:57, 58; Juan 15:18-25. ¿Qué "promesa" específica le dio Jesús a Pedro? Juan 21:15-18. ¿Qué nos indica esto acerca del costo de seguir a Cristo?

_____

Los discípulos, excepto Judas, oportunamente llegaron a ser apóstoles. Desde los primeros capítulos del libro de los Hechos, es claro que estos hombres habían aprendido muchas lecciones. Habían estado con Jesús, y ahora, con el poder del Espíritu, eran capaces de tratar con la oposición y la persecución. Aunque no podemos estar completamente seguros de todos los detalles, hay buenas razones para creer las tradiciones del tiempo de la iglesia primitiva que dicen que todos los apóstoles, finalmente, sufrieron el martirio. Pareciera que todos sufrieron una muerte violenta, excepto Juan, pero su exilio en Patmos tampoco fue una vacación de lujo. Él también fue un "hermano, y copartícipe vuestro en la tribulación, en el reino y en la paciencia de Jesucristo" (Apoc. 1:9).

¿Qué aspecto del discipulado contrapesa todo el sufrimiento que pudiéramos tener al seguir a Cristo? Juan 10:10; Rom. 8:28-39.

_____

Los que siguen a Cristo afrontarán numerosos desafíos. Si se mantienen enfocados en su Maestro, serán capaces de sobrellevar todo lo que les suceda. Tendrán algo que es más precioso que las palabras. Dios les da paz, que es diferente de la clase de paz imperfecta y pasajera que el mundo ofrece (Juan 14:27). Es la paz que trasciende toda comprensión (Fil. 4:7). Esa paz es la característica de la vida abundante que Cristo da a sus discípulos (Juan 10:10). A pesar de todas las pruebas y las tentaciones, esta es la clase de vida que satisface en un nivel que está más allá del alcance de los que eligen vivir sin Cristo.

Aun más, los fieles seguidores de Cristo tienen la seguridad de la vida eterna, la seguridad de que cualquier cosa con la que luchen ahora no puede compararse con la promesa de la eternidad que los espera.

Lee Romanos 8:18. ¿Qué esperanza y consuelo puedes obtener para ti de esta promesa? ¿Por qué te dice que nunca, nunca, debes abandonar la lucha?

Jueves   *4 de junio*

EL SEÑORÍO DE JESUCRISTO

Ser un discípulo implica el reconocimiento de tener un maestro, una lealtad a alguien a quien estamos dispuestos a seguir y a servir. Nuestra relación con otros generalmente se expresa por la manera en que nos dirigimos a ellos.

¿Cuál fue uno de los títulos dados a Cristo por sus seguidores? Juan 20:28; 1 Cor. 16:22.

_____

El Nuevo Testamento usa una variedad de nombres para Jesús. Se lo llama el Hijo de Dios, pero también el Hijo del Hombre o el Mesías. Centenares de veces se hace referencia a Jesús como el Señor. Esta palabra, que inicialmente era bastante general en su aplicación, llegó a ser altamente significativa para los primeros cristianos. El emperador romano pretendía ser divino y quería que se dirigieran a él como el Señor. Confesar que Cristo era su Señor máximo en vez de que lo fuera el César romano no era sencillamente expresar una opinión. Literalmente podía ser un asunto de vida o muerte. Los que vivían en el Imperio Romano debían tener tan solo un *kúrios* [señor], y aplicar este título a cualquier persona que no fuera el emperador bien podía terminar en tortura y muerte.

Así que, se necesitaba fe y un discipulado consagrado para llamar "Señor" a Jesús. Pero hoy tampoco es cosa pequeña llamar a Jesús nuestro Señor y realmente decirlo con toda intención. Si él es nuestro Señor, él es el Soberano sobre nuestra vida entera, sobre todo lo que decimos y hacemos.

¿Cuál es el elemento clave que revela cuán genuinamente llamamos "Señor" a Jesús? Mat. 7:22, 23; Luc. 6:46.

_____

Una cosa es llamar a Jesús nuestro Señor y nuestro Dios, y profesar fe, amor y lealtad a él. Pero otra cosa es realmente vivirlo. Jesús fue claro: Nuestra fidelidad a él se manifestará por medio de nuestra obediencia a él y a sus mandatos. De hecho, la palabra para "maldad" en Mateo 7:23 significa "ilegalidad". Sin dudas, un verdadero seguidor de Jesús, un verdadero discípulo, obedecerá sus mandamientos (Juan 14:15).

Trata de imaginarte cuán diferente sería nuestra iglesia si cada uno de los que profesan seguir a Cristo fuera verdaderamente un discípulo de Jesús. ¿Qué diferencias veríamos? Aunque no podemos cambiar a otros, ¿qué diferencia producirías si tu vida fuera de real conformidad con la voluntad de Jesús?

Viernes

Viernes *5 de junio*

LECCIÓN 10

PARA ESTUDIAR Y MEDITAR: Para comentarios sobre el llamado de los discípulos, lee en *El Deseado de todas las gentes*, el capítulo "Hemos hallado al Mesías", pp. 106-117.

"No era suficiente que los discípulos de Jesús fuesen instruidos en cuanto a la naturaleza de su reino. Lo que necesitaban era un cambio de corazón que los pusiese en armonía con sus principios. Llamando a un niñito a sí, Jesús lo puso en medio de ellos; y luego, rodeándolo tiernamente con sus brazos, dijo: 'De cierto os digo, que si no os volviereis, y fuereis como niños, no entraréis en el reino de los cielos'. La sencillez, el olvido de sí mismo y el amor confiado del niñito son los atributos que el Cielo aprecia. Son las características de la verdadera grandeza" (*DTG* 404).

PREGUNTAS PARA DIALOGAR:

1. Como clase, repasen la pregunta acerca de lo que cuesta ser un verdadero seguidor de Cristo. Pide a los que están dispuestos a hablar que cuenten lo que les costó seguir al Señor. Pregúntales también por qué creen que valió la pena.

2. ¿Qué podemos hacer para ayudar a los nuevos creyentes que hay entre nosotros a llegar a ser mejores discípulos de Cristo? ¿Por qué ser un discípulo es mucho más que afirmar intelectualmente ciertas doctrinas, o aun más que creer que Jesús murió por tus pecados?

3. Somos llamados a ser discípulos de Jesús. Pero, en el ámbito humano, también tenemos modelos para imitar. ¿Es legítimo considerarnos también discípulos de un líder humano que respetamos y lo consideramos un modelo para nosotros? Si es así, ¿cómo podríamos hacer esto mientras al mismo tiempo no olvidamos a quién debemos nuestra lealtad suprema?

4. ¿Cómo podemos luchar contra el deseo humano pecaminoso de tener más exaltación propia, más adulación, más poder y prestigio? ¿Por qué estos deseos son tan contrarios a todo lo que significa ser un discípulo de Cristo?

Resumen: Ser un discípulo de Cristo no es algo pequeño. Requiere mucha convicción y vigor, y una disposición a seguir al Señor, sin importar todo el sufrimiento que esto signifique. Ser un discípulo de Cristo significa vivir por fe, confiar en Dios aun en los momentos más duros. Significa estar dispuesto a morir al yo, y vivir para el bien de otros y para la gloria de Dios.

El sábado enseñaré...

Texto clave: Juan 15:8.

Enseña a tu clase a:

Saber que el discipulado es reflejar a Jesús durante toda la vida.

Sentir que el Espíritu Santo los guía a través de su peregrinación de discipulado.

Hacer la decisión de perseverar a través del sufrimiento que viene como resultado de la oposición a una vida consagrada a Cristo.

Bosquejo de la lección:

I. **La tarea de un discípulo (Mat. 28:19)**

A. Se conoce generalmente Mateo 28:19 como la Gran Comisión. Aquí, Jesús les da a sus discípulos su tarea más importante: hacer más discípulos en su nombre. ¿Cómo ves tu lugar en la Gran Comisión?

B. Difundir el evangelio es una parte importante del discipulado. Pero los apóstoles hicieron mucho más que eso. Su ministerio se extendió a muchas otras áreas. ¿De qué modo el discipulado es más que solo la conversión, el bautismo y el añadirse a la iglesia?

II. **El Guía de un discípulo (Hech. 1:8)**

Antes de ascender al cielo, Jesús prometió que enviaría al Espíritu Santo. Este Espíritu es el que nos guía a ser discípulos. ¿De qué modo el Espíritu Santo influyó en tu vida?

III. **La motivación de un discípulo (Rom. 8:17, 18)**

Pablo, un gran ejemplo de discipulado, reconoció el sufrimiento que está asociado con el seguir a Cristo. No obstante, a pesar del sufrimiento, él fue un devoto discípulo de Cristo. ¿Qué te convence para que seas igual a Pablo?

Resumen: La vida de un discípulo está llena de la presencia de Dios. Es una devoción que dura toda la vida. Haz o renueva este compromiso y consérvalo presente a pesar de las pruebas.

Ciclo de aprendizaje

Concepto clave: Responder al llamado para ser un discípulo significa dejar la vida antigua atrás y seguir a Jesús.

El musculoso pescador se apresuró a ir a su casa y anunció:
—Conseguí un trabajo nuevo. No voy a pescar más.
Su esposa lo miró sorprendida y con sospechas. ¿Cuál sería ese nuevo trabajo? Después de todo, su esposo era solo un pescador.
Pedro, sin embargo, estaba seguro de su llamamiento.
—Seré un pescador de hombres.
Pero, la voz desde la cocina reveló una mezcla de sarcasmo y enojo:
—Nosotros no comemos hombres; comemos pescado.
Sin alterarse, Pedro dejó sus redes y siguió a Jesús. Ese es el costo y el apremio del discipulado.

Considera: "Discípulo" significa ser un seguidor. Pedro y Andrés (Mar. 1:16-18), dos discípulos de Juan el Bautista (Juan 1:35-37); Mateo (Mat. 9:9); Felipe (Juan 1:43); y, de hecho, todos los discípulos (Mat. 19:27), dejaron todo y siguieron a Jesús. Dejar y seguir son dos preludios esenciales del discipulado. ¿Qué has abandonado tú? ¿Hasta qué punto estás siguiendo a Jesús?

SOLO PARA LOS MAESTROS: SÓCRATES TUVO A PLATÓN. GAMALIEL TUVO A SAULO. LOS DIRIGENTES DE DIVERSAS RELIGIONES TUVIERON SUS DEVOTOS SEGUIDORES. LAS DIFERENCIAS ENTRE EL DISCIPULADO EN TALES CASOS Y EL DISCIPULADO DE JESÚS ES QUE EL PRIMERO ESTABA BASADO EN EL CONTENIDO DE UNA FILOSOFÍA, O ENSEÑANZA, MIENTRAS QUE EL ÚLTIMO ESTABA ARRAIGADO EN LAS REALIZACIONES DE JESÚS. LO QUE JESÚS LOGRÓ ES LA REDENCIÓN DEL PECADO MEDIANTE SU MUERTE Y SU RESURRECCIÓN. DE ESTE MODO, EL DISCIPULADO CRISTIANO DESCANSA NO SOLO EN LAS ENSEÑANZAS DE CRISTO SINO TAMBIÉN ESPECÍFICAMENTE EN LO QUE ÉL HIZO POR LA SALVACIÓN DE LA HUMANIDAD. DE AQUÍ QUE JESÚS PIDE A TODOS SUS SEGUIDORES QUE SE IDENTIFIQUEN PLENAMENTE CON ÉL, Y TOMEN SU CRUZ Y LO SIGAN (MAT. 10:38; MAR. 8:34; VER TAMBIÉN LUC. 9:23). SIN NUESTRO CAMINAR EN LAS PISADAS DEL CALVARIO, NO HAY DISCIPULADO CRISTIANO. (ENFATIZA ESTE PUNTO CUANDO ENSEÑES HOY.)

Comentario de la Biblia

Panorama: La palabra *discípulo* aparece más de 270 veces en el Nuevo Testamento, mayormente en los evangelios y en Hechos. Ser un discípulo de Jesús es la experiencia más satisfactoria que podemos tener en la vida. Da energías al espíritu, desafía la mente, y demanda lo máximo en nuestra relación con Dios y los demás seres humanos. Por lo tanto, es importante analizar lo que hace uno como discípulo y cuáles son las características del discipulado.

I. La formación de un discípulo

El discípulo no se hace solo. Es el resultado de responder al llamado de Jesús. Él "llamó a sí a los que él quiso; y vinieron a él" (Mar. 3:13). Aunque originalmente Jesús llamó a los Doce, también llamó a los Setenta (Luc. 10:1-20), y luego ordenó a sus discípulos que hicieran discípulos en "todas las naciones" (Mat. 28:19). De este modo, el discipulado no es restrictivo: está gobernado por el mismo principio de "todo aquel" que actúa en el plan de salvación divino (Juan 3:16).

Todo aquel que escucha su llamado experimenta el perdón de Jesús, y se compromete a servir a Cristo como su discípulo. El discipulado cristiano es un eslabón operativo entre los salvados y el Salvador: los primeros deben vivir, obedecer, relacionarse y servir según la voluntad del segundo. De este modo, Pablo pudo decir: "Con Cristo estoy juntamente crucificado, y ya no vivo yo, mas vive Cristo en mí" (Gál. 2:20).

Analiza: La Gran Comisión (Mat. 28:19) requiere que hagamos discípulos a todas las naciones. ¿Qué áreas de la vida son afectadas por el concepto de "todas las naciones"? ¿De qué modo te relacionarías con esas áreas?

II. Las características del discipulado

Debemos enfatizar, por lo menos, cuatro características del discipulado.

Primero, la prioridad de Jesús. Jesús dijo: "Si alguno quiere venir en pos de mí, niéguese a sí mismo, tome su cruz cada día, y sígame" (Luc. 9:23). Todas las relaciones, las actividades, las esperanzas y los sueños deben estar bajo el señorío de Cristo *cada día y perpetuamente*. Nada debe interponerse entre el discípulo y el Maestro (Mat. 10:37-39). El lema constante de un discípulo será: "Para mí el vivir es Cristo, y el morir es ganancia" (Fil. 1:21).

Segundo, permanecer en Jesús. "Si vosotros permaneciereis en mi palabra, seréis verdaderamente mis discípulos" (Juan 8:31). El discipulado cristiano es un llamado a vivir continuamente en Jesús, y permitir que su Palabra sea la constante guía de la fe y la conducta. La fidelidad a las doctrinas, la obediencia durante toda la vida y el testimonio sin temor a favor del Maestro distinguirán al discípulo de los demás.

Tercero, amarse unos a otros. "Un mandamiento nuevo os doy: [...]. En esto conocerán todos que sois mis discípulos, si tuvieres amor los unos con los otros" (Juan 13:34, 35). En el nuevo mandamiento de Jesús (vers.

34), la novedad no se refiere al amor sino al alcance del amor. Amamos, pero amamos a los que se pueden amar, a los nuestros. Pero Jesús espera que sus discípulos amen como él amó: con sacrificio, amor a toda costa, amor sin barreras, amor que abarca a todos, amor para edificar la comunidad, amor para ensanchar el Reino de Dios y amor para hacer discípulos.

Cuarto, llevar fruto. "En esto es glorificado mi Padre, en que llevéis mucho fruto, y seáis así mis discípulos" (Juan 15:8). Lejos de ser una construcción teórica, el discipulado es un testimonio práctico de lo que Cristo ha hecho a un pecador. Lo ha perdonado, redimido y le ha dado poder a fin de que el que una vez fue débil y lleno de culpa sea liberado de condenación para vivir una vida de obediencia que sea fructífera. Los discípulos son vencedores y reflectores de la justicia de Cristo.

Analiza: Lee Hechos 11:19 al 27. Los predicadores llaman a esta narración el efecto de Antioquía: el efecto de la gracia, que produjo discípulos tanto de los judíos como de los gentiles e hizo una familia común conocida por primera vez como "cristianos". ¿Qué lecciones puedes obtener de esta narración?

SOLO PARA LOS MAESTROS: EL DISCIPULADO INVOLUCRA UN COMPROMISO (MAR. 8:34-36). EL COMPROMISO ES TOTAL, DURANTE TODA LA VIDA Y COSTOSO. INVOLUCRA NUESTRO DINERO, TIEMPO, TALENTOS Y FAMILIA. PUEDE PONERSE EN EL CAMINO DE NUESTRO ORGULLO, SUFICIENCIA PROPIA Y DESEOS. ¿CÓMO ES TU DISPOSICIÓN PARA EL COMPROMISO?

Distribuye trozos de papel a tu clase. Pide a cada miembro que considere con oración áreas en las que su compromiso con el discipulado necesita ser refinado, y luego que enumeren esas áreas. Pide que pongan esa lista en sus Biblias y la repasen durante sus devociones privadas.

SOLO PARA LOS MAESTROS: COMPARTE CON LA CLASE LA SIGUIENTE HISTORIA QUE IMAGINA LO QUE SUCEDIÓ INMEDIATAMENTE DESPUÉS DEL REGRESO DE JESÚS AL CIELO. LUEGO SIGUE CON LAS PREGUNTAS PARA DIALOGAR.

Cuando Jesús ascendió al cielo, los ángeles, jubilosos, le dieron la bienvenida al Conquistador triunfante con un resonante coro de alabanzas. Jesús les contó a los ángeles de su misión victoriosa en la tierra, y lo que le había costado en términos de su sufrimiento y su muerte. Viendo las marcas de los clavos en sus manos, los ángeles se emocionaron por el amor que el Padre y el Hijo habían mostrado por los pecadores.

Un ángel pudo haber preguntado a Jesús: "Después de que hiciste tanto por la humanidad, ¿qué planes dejaste atrás para que todo el mundo sepa del amor de Dios y de tu acto redentor?"

Jesús pudo haber respondido: "He dejado a Pedro, Santiago, Juan y los otros, y les dije que fueran a hacer discípulos a todos los hombres y las mujeres. Mi obra en la tierra ya está hecha, pero que se complete descansa ahora con mis discípulos".

Analiza: ¿Cómo sabemos que somos discípulos de Jesús? ¿Qué clase de discípulos desea Jesús que seamos? ¿Cómo podemos ser la clase de discípulos con que Jesús cuenta para hablar a otros acerca de lo que él hizo por ellos?

La misión más costosa del Cielo demanda nuestra fidelidad en el discipulado. ¿Cómo podemos hacer para comprometernos a tener una fidelidad más profunda como sus discípulos?

¿Qué obra ha dejado Jesús para que la terminemos, en su nombre?

LA MAYORDOMÍA

LEE PARA EL ESTUDIO DE ESTA SEMANA: Deuteronomio 8:18; Salmo 50:12; Mateo 24:46; 25:14-30; Lucas 4:16; 1 Corintios 6:19, 20.

PARA MEMORIZAR:

"Porque al que tiene, le será dado, y tendrá más; y al que no tiene, aun lo que tiene le será quitado" (Mat. 25:29).

LA MAYORDOMÍA NO SE LIMITA al cuidado de los recursos financieros y a asegurarse que Dios reciba su diez por ciento. Aunque eso es ciertamente parte de ella, hay mucho más involucrado.

"El término *mayordomo* es mal comprendido y aun es extraño para nuestra sociedad. No tenemos ningún término en nuestro vocabulario moderno que tenga la riqueza de este término. *Cuidador* no capta la responsabilidad puesta en el mayordomo. *Administrador* parece inadecuado para describir la relación entre el dueño y el mayordomo. *Custodio* es un término demasiado pasivo. *Agente* pone hoy demasiado énfasis en el servicio de sí mismo. *Embajador* es demasiado político, y le falta el aspecto del servicio. *Vigilante* es demasiado administrativo, y no tiene el sentido personal. *Guardián* está demasiado estrechamente vinculado solamente con las responsabilidades paternales" –R. Scott Rodin, *Stewards in the Kingdom*, p. 27.

UN VISTAZO A LA SEMANA: ¿Cómo uso mis talentos, mi tiempo, mis recursos materiales, todas las cosas que Dios me ha dado como mayordomo? ¿De qué modo realmente vivo mis responsabilidades hacia mi Hacedor y Redentor? De esto se trata la mayordomía.

Domingo

LOS TALENTOS

Si hubiera un premio para la explicación más clara de un concepto profundo y que abarca todo, Jesús fácilmente sería el ganador con su parábola de los talentos.

Lee Mateo 25:14 al 30. ¿Qué mensaje básico acerca de la mayordomía encuentras en estas palabras de Jesús?

Realidad número uno: Todos tenemos talentos. Nota que, en la parábola, todos los siervos recibieron uno o más talentos. Ninguno quedó sin algún talento. Esta es la primera verdad que Jesús quería grabar en sus discípulos.

Realidad número dos: No todos tenemos el mismo número de talentos. Es un hecho de la vida que tendremos que aceptar. Algunas personas recibieron, de muchas maneras, más talentos que otras. Los que tienen varios talentos nunca debieran despreciar a los que tienen menos talentos. Lo que Jesús quería destacar es claro: la cantidad de nuestros talentos no es lo más importante; lo que importa es lo que hacemos con aquello que hemos recibido.

Realidad número tres: Algunos rehúsan usar sus talentos. Algunos nunca reconocen los talentos que tienen. Lamentablemente, ninguno les recordó sus dones. O se dieron cuenta de sus dones, pero, por diferentes razones, rehusaron invertir su energía en desarrollarlos.

Realidad número cuatro: No usar tus talentos es un asunto serio. El "siervo inútil" no tiene una segunda oportunidad. Es arrojado a "las tinieblas de afuera; allí será el lloro y el crujir de dientes" (Mat. 25:30); esa es la descripción simbólica de la nada total, es decir, de la muerte eterna. No usar lo que Dios nos ha confiado no solo nos perjudica en esta vida sino también pone en peligro nuestra vida eterna. Esto significa que el tema de ser mayordomos fieles no es algo que pertenece a la periferia de nuestra experiencia cristiana: es la característica vital del discipulado.

¿Cuáles son tus dones? Pero, más importante todavía, ¿qué estás haciendo con ellos? ¿Los estás usando para servirte solo a ti mismo y a tus deseos o los usas también en el servicio del Señor? ¿Por qué es tan importante esta pregunta?

Lunes

EL TIEMPO

Hay una abundancia de libros y de cursos sobre el tema de la administración del tiempo. Han ayudado a millones de personas a usar mejor su tiempo. Muchos cristianos harían bien en leer algunos de estos libros o asistir a un buen seminario. Pero hay aspectos del uso cristiano del tiempo que uno aprenderá solamente leyendo la Biblia y, en particular, estudiando la vida de Jesús.

¿Qué aprendemos de los evangelios acerca de cómo usaba Jesús el tiempo? ¿Cuáles son algunos elementos que deben ser notados, fuera de su agenda completa de predicar y sanar? ¿Qué otros pasajes pueden añadir más información?

Mat. 4:23 _____

Mar. 1:29-31 _____

Luc. 4:16 _____

Juan 2:1-11 _____

Juan 12:2 _____

En el mundo estresante actual, el ejemplo de Jesús es tan refrescante como digno de ser imitado. Jesús trabajaba mucho y estaba completamente comprometido con su misión. Pero, se aseguraba de no perder las bendiciones del sábado. Los evangelios dejan muy en claro que él tenía tiempo para su Padre, para sus amigos, para relajarse y para tener una buena comida. Este tipo de manejo del tiempo (o más bien: mayordomía del tiempo) será una bendición para todos los que lo practiquen.

La Biblia no alaba a los trabajadores compulsivos, ni felicita a los que siempre hacen lo menos posible. Como siempre, debe haber un equilibrio en hacer las cosas que hay que hacer, mientras al mismo tiempo no nos consumimos emocional o físicamente. Dios tiene el primer derecho sobre nuestro tiempo. Manifestamos esto al guardar el sábado y al usar nuestro tiempo diario de oración y adoración. Nuestros amados también tienen derecho a una parte justa de nuestro tiempo. Entonces, hay tiempo para trabajar, para el descanso y para una cantidad de otras cosas. La iglesia también reclama una parte sustancial de nuestro tiempo. Pero, siempre debe haber un equilibrio fin de que no caigamos en una trampa o en otra.

¿Hacia dónde te inclinas: hacia no hacer lo suficiente o hacia hacer demasiado? ¿Cómo podemos vivir una vida más equilibrada con respecto a la mayordomía de nuestro tiempo? ¿Por qué es importante que lo hagas?

MAYORDOMOS DE NUESTRO CUERPO

En el mundo secular, la mayor parte de la gente considera sus cuerpos como su propiedad personal. Tienen la última palabra sobre todo lo que sucede con su cuerpo. Esto no solo se aplica al inmenso número de mujeres que pretenden ser libres para decidir si tendrán un aborto o no, sino también a todos los que sienten que tienen derecho a perjudicar sus cuerpos por el uso de sustancias a menudo ilegales, o por comer grandes cantidades de comida chatarra o por tener relaciones sexuales siempre que quieran, con tantas parejas como deseen.

Lee 1 Corintios 6:19 y 20, y ora sobre el pasaje. ¿Qué nos enseñan estos versículos acerca de cómo usamos nuestros cuerpos? ¿En qué formas prácticas podemos aplicar estas palabras?

_____

_____

El contexto inmediato indica que el apóstol Pablo está refiriéndose, específicamente, al abuso de nuestro cuerpo mediante la inmoralidad sexual. Desgraciadamente, esto es tan relevante hoy en muchas partes del mundo como lo era en la antigua Corinto, una ciudad conocida por sus perversidades.

Pero, la idea básica es que no deberíamos "pecar contra nuestro cuerpo", porque no somos sus dueños. Primero, hemos sido creados por Dios por medio de Jesucristo. Él es nuestro Hacedor, y por lo tanto somos responsables ante él por todo lo que hacemos. Segundo, él es nuestro Redentor, aquel que nos compró "por precio". La mayordomía de nuestros cuerpos implica también cuidar bien de nuestra salud. Esto tiene que ver no solo con lo que comemos sino también con la cantidad de descanso que tomamos y con mantenernos en buena forma por medio de un ejercicio adecuado. Y no puede haber dudas en cuanto a que no debemos usar sustancias que son adictivas o nos dañan de algún modo.

No obstante, otra vez, se necesita equilibrio. "La salud misma no debe ser una preocupación. Debiera ser una parte del esquema cristiano de vivir, y de funcionamiento más bien automático. Una preocupación excesiva por la salud puede ser una forma de idolatría que nos estorba para lograr una relación satisfactoria con Dios. La salud nos capacita para servir a Dios, pero no es un fin en sí misma" –Leo R. Van Dolson y J. Robert Spangler, *Healthy, Happy, Holy*, p. 43.

Considera cuidadosamente todos tus hábitos de salud, además de la dieta. ¿Qué necesitas mejorar? ¿Qué cambios puedes y debes hacer? ¿Qué te frena de hacer lo que sabes que es lo correcto?

NUESTRAS POSESIONES MATERIALES

La mayordomía cristiana decididamente *no se refiere solo* al dinero. Pero, con el mismo énfasis, *también* se refiere al dinero. El dinero es una parte esencial de nuestras vidas y forma una parte central en la mayordomía.

Lee los siguientes textos: Lev. 27:30; Deut. 8:18; Sal. 50:12; Mal. 3:8-10; Mat. 6:31; 23:23. ¿Qué lecciones obtienes de ellos? Compara tus respuestas con lo que sigue más abajo.

_____

_____

_____

_____

Hecho número uno: Todo comienza con Dios. Dios es el Dueño de todo. Y él nos da la fuerza para trabajar y ganarnos la vida. Los que dicen *Todo es el resultado de mi trabajo duro* se olvidan de una verdad fundamental, que es solo Dios quien los capacitó para ganar lo que obtuvieron.

Hecho número dos: Dios ocupa el primer lugar en todo lo que tenemos y hacemos, incluyendo nuestro uso del dinero. Antes de gastar cualquier parte de tu dinero, asegúrate que has puesto aparte tus diezmos y tus ofrendas. Luego emplea el resto responsablemente, siempre recordando que la mayordomía se extiende al uso de todo el dinero que se te ha confiado.

Hecho número tres: Dios espera que su pueblo le devuelva, por lo menos, el diez por ciento de sus ingresos. Esa era la regla en el Antiguo Testamento, y ese principio nunca ha sido eliminado. En los tiempos del Antiguo Testamento, los sacerdotes recibían los diezmos y los usaban para el sostén de los cultos del Santuario. De la misma manera, hoy nuestros diezmos son recibidos y usados para financiar la comisión evangélica mundial que Dios ha encomendado a su iglesia.

Hecho número cuatro: Cuanto más damos, tanto más somos bendecidos. Pruébalo, y verás por ti mismo la verdad de las palabras de que "más bienaventurado es dar que recibir" (Hech. 20:35).

Hay un antiguo dicho inglés que reza: "Que ponga su dinero donde está su boca". La idea es que la gente puede hablar acerca de cuánto cree en algo, pero a menos que esté dispuesta a poner algo de dinero en ello, lo dicho no tiene significado. ¿De qué modo el acto de dar diezmos y ofrendas revela dónde está realmente tu corazón? ¿Qué revela tu forma de dar acerca de tu fe?

Jueves

MIENTRAS ESPERAMOS

Hay una dimensión importante en las parábolas acerca de los talentos y de las minas que no debemos pasar por alto. En Mateo 25, "el señor" (vers. 19) se fue lejos y volvió después de mucho tiempo para ajustar cuentas con sus siervos. En Lucas 19, se nos dice que "un hombre noble" (vers. 12) se fue a un país lejano. En su lugar de destino lo hicieron rey, y luego volvió (vers. 15).

Jesús claramente se estaba refiriendo a sí mismo. Él quería que sus discípulos supieran que él se iba y que pasaría un buen tiempo antes de que regresara. Pero, cuando lo hiciera, pediría cuentas de lo que habían hecho con lo que les había dado.

¿Qué debería caracterizarnos mientras esperamos la segunda venida de Cristo? Mat. 24:42-46. ¿Qué significan estos versículos para nosotros en el sentido práctico de cómo vivir?

Mientras esperamos, vivamos con un propósito. No es esperar en ociosidad sino como discípulos consagrados que son capaces mayordomos de todo lo que han recibido. "Debemos ser vigilantes y velar por la venida del Hijo del Hombre. También debemos ser diligentes. Se requiere de nosotros que obremos y esperemos; debemos unir las dos actitudes. Esto equilibrará el carácter cristiano, y lo hará simétrico y bien desarrollado. No debemos creer que nos toca descuidar todo lo demás y entregarnos a la meditación, el estudio o la oración, ni tampoco debemos rebosar apresuramiento y actividad, con descuido de la piedad personal. La espera, la vigilancia y el trabajo deben combinarse. 'En lo que requiere diligencia, no perezosos; fervientes en espíritu sirviendo al Señor' [Rom. 12:11]" (*HAd* 19).

Estamos esperando que el Dueño de todo regrese. Pronto vendrá y querrá saber lo que hemos hecho con nuestros dones, nuestro tiempo, nuestras fuerzas físicas y nuestros recursos materiales. El hecho de que viene para inspeccionar los resultados de nuestra mayordomía fiel no debería asustarnos de ningún modo. La acusación del siervo que enterró su talento y rehusó emplearlo en forma provechosa, porque el dueño era un "hombre duro" que quería cosechar donde no había sembrado, era totalmente falsa. Nota que los siervos que fueron mayordomos fieles no compartieron este concepto negativo. Todo el esfuerzo que habían puesto en administrar lo que les había dado valió la pena cuando escucharon que el dueño decía: "¡Ven a compartir la felicidad de tu señor!" (Mat. 25:21, NVI).

Si Jesús regresara la semana próxima, ¿qué piensas que te diría con respecto a lo que hiciste la semana anterior con las cosas que él te confió?

PARA ESTUDIAR Y MEDITAR: Una mina para explorar más el tema de la mayordomía es la compilación *Consejos sobre mayordomía cristiana*, en la cual se han reunido comentarios de Elena de White sobre este tema. Considera, específicamente, la Sección VIII, que trata de cuáles son los motivos correctos para dar (pp. 205-218).

"El Señor no pedirá de los pobres lo que no tienen para dar. No exigirá de los enfermos las energías activas de las cuales carece la debilidad corporal. Nadie debe quejarse porque no puede glorificar a Dios con talentos que nunca le fueron confiados. Pero, si tenéis un talento nada más, usadlo bien, y se aumentará. Si los talentos no se entierran, ganarán otros talentos" –"Comentarios de Elena G. de White" (*CBA* 5:1.075).

PREGUNTAS PARA DIALOGAR:

1. ¿Cómo hemos de entender todo el tema de la mayordomía y la responsabilidad ante Dios en el contexto de la salvación "solo por fe"? ¿Somos salvados por cuán buenos mayordomos seamos? ¿O revela nuestra mayordomía la realidad de nuestra fe? Y, aun si cometiéramos errores aquí, ¿por qué no deberíamos abandonar todo con desesperación?

2. ¿Qué tiene de equivocado lo que se ha llamado "el evangelio de la salud y la prosperidad", la idea de que si vivimos correctamente Dios nos dará mucho dinero y buena salud? ¿Cómo crees que esto es una perversión de los verdaderos principios de la mayordomía?

3. Analiza la siguiente declaración: "Las personas más grandes y talentosas son inútiles si no están disponibles para ser usadas por Dios". En resumen, *"la disponibilidad"* es más importante que *"la capacidad"* –Mike Nappa, *The Courage to Be a Christian*, p. 164.

4. ¿Qué consejo le darías a un feligrés que, luchando con dificultades financieras, dice que no puede darse el lujo de devolver el diezmo y, mucho menos, dar ofrendas? ¿Qué sugerencias podrías o deberías darle a esa persona?

Resumen: Todos hemos recibido uno o más talentos. Se nos han confiado recursos. Como mayordomos, se espera que "administremos" estos recursos con nuestra mejor habilidad, en agradecido reconocimiento de que, de hecho, todo lo que tenemos viene de Dios. La mayordomía no debiera ser un deber pesado, sino una gozosa ordenación de prioridades en todos los aspectos de nuestra vida.

El sábado enseñaré...

Texto clave: Mateo 25:29.
Enseña a tu clase a:
Saber que la mayordomía es un estilo de vida.
Sentir el gozo que proviene de vivir una vida de mayordomía.
Hacer una buena administración de los recursos que Dios te ha confiado.

Bosquejo de la lección:
I. **Una vida de mayordomía (Luc. 16:1-12)**
    A. Este pasaje es una de las parábolas más citadas cuando se habla sobre la mayordomía, en la que los talentos son considerados dinero. Pero la mayordomía es más que el uso prudente del dinero; la mayordomía es hacer de Dios una prioridad por sobre todo lo demás en la vida. ¿Cuáles son algunos aspectos de tu vida en los cuales podrías ser un mejor mayordomo?
    B. Jesús realizó muchas cosas en sus tres años y medio de ministerio, equilibrando el ministerio con la familia, los amigos, y el crecimiento espiritual personal. ¿De qué modo puedes imitar la mayordomía de Jesús en tu vida?

II. **Los gozos de la mayordomía (Rom. 12:1)**
    A. Pablo nos anima a llegar a ser sacrificios vivos, dedicados a agradar a Dios. ¿Qué pasos podemos dar en nuestras vidas para que las palabras de Pablo sean una realidad en nosotros?
    B. Una vida de mayordomía es un estado continuo de adoración. ¿Qué gozos obtienes al saber que estás adorando a Dios mediante tus acciones?

III. **El equilibrio de la mayordomía (Ecl. 3:1)**
    A. La Biblia enseña que hay un tiempo para todo. Esta enseñanza sugiere una vida de equilibrio. ¿De qué maneras la mayordomía es una clase de acto de equilibrio?
    B. También nosotros debemos luchar por alcanzar un equilibrio en todo lo que hacemos. ¿De qué modo podemos alcanzar en la vida un equilibrio como el que tuvo Jesús?

Resumen: La mayordomía es vital para el discipulado. Pon en tu vida las responsabilidades y los valores en orden de prioridad, y vive de acuerdo con el plan de Dios.

Ciclo de aprendizaje

Concepto clave: Dios nos ha hecho mayordomos de dones específicos para ser usados en su servicio.

PASO 1
¡Motiva!

SOLO PARA LOS MAESTROS: LOS DONES QUE DIOS NOS HA DADO SON SINGULARES PARA CADA UNO DE NOSOTROS INDIVIDUALMENTE Y, DE ALGUNA MANERA, SON SIMILARES A LOS QUE DA A TODOS SUS HIJOS. PRESENTA ESTOS DONES A LOS MIEMBROS DE TU CLASE DE UNA MANERA QUE RECUERDEN QUE LOS DONES SON DE ORIGEN DIVINO Y QUE DIOS TIENE INTERÉS EN QUE SE DESARROLLEN.

Actividad inicial: Prepara cuatro bolsas con regalos. En una bolsa, pon un reloj, para simbolizar el don del tiempo. En la segunda bolsa, pon un modelo anatómico de alguna parte del cuerpo, una escultura, un modelo de un artista, o una figura del cuerpo humano, para simbolizar nuestros cuerpos. En la tercera bolsa, pon varias herramientas como pinceles, calculadora, llaves de mecánico y otras, para simbolizar los talentos y las habilidades. En la cuarta bolsa, pon cosas tales como un auto de juguete, una casa en miniatura, una billetera o una alcancía, para simbolizar las posesiones materiales.

Invita a diferentes miembros de la clase a abrir cada bolsa. (Puedes elegir miembros que desearías que se acercaran más al grupo.) Enfatiza que, mientras los tamaños y los tipos de objetos en cada bolsa pueden ser diferentes para cada persona, todos tenemos los cuatro tipos de dones, y provienen de Dios. Analiza las semejanzas y las diferencias en nuestros dones. Por ejemplo, aunque todos tenemos 24 horas en un día, algunos somos solteros, otros casados, y algunos tienen hijos. Algunos trabajan para la iglesia, y otros no. Algunos viven más años que otros. ¿De qué modo estos factores afectan el don del tiempo que cada uno tiene? Analiza la paradoja de cómo estos son dones pero también son inversiones que Dios ha hecho, y él espera el desarrollo de estas inversiones.

Opcional: Prepara cuatro tarjetas para cada miembro de tu clase. En el frente de cada tarjeta, pon una figura o un recorte de un paquete de regalo. Adentro o en la parte de atrás de la tarjeta, escribe los nombres de los dones. Entrega las tarjetas a los miembros de tu clase, para que lleven a casa como recordatorios del estudio que hicieron.

PASO 2
¡Explora!

SOLO PARA LOS MAESTROS: LA HISTORIA DE LOS TALENTOS NO SOLO HABLA DE LA MAYORDOMÍA SINO TAMBIÉN SE RELACIONA CON VARIAS OTRAS HISTORIAS QUE JESÚS RELATÓ ACERCA DE NUESTRAS RELACIONES CON SUS DONES. EN ESTA SECCIÓN DE LA LECCIÓN, ANALIZA CON TU CLASE DE QUÉ MODO ESTAS HISTORIAS PRESENTAN PRINCIPIOS DE MAYORDOMÍA.

Opción: Después de analizar la historia de los talentos, puedes elegir dividir a la clase en tres grupos, y asignar a cada grupo una de las otras historias, para comparar y contrastar con la de los talentos.

Luego, termina pidiendo a cada grupo que comente algunos aspectos de su estudio con el resto de la clase.

Comentario de la Biblia

I. El amo y sus propiedades

(*Repasa Mat. 25:14-30 con tu clase.*)

En la parábola de los talentos, las propiedades claramente pertenecen al Amo. Él confía a sus siervos sus propiedades, pero estas no son donadas; claramente, él espera un informe de su propiedad y sus ganancias, cuando vuelva de su viaje. ¿Por qué el amo está tan molesto con el tercer siervo, que meramente le devolvió la propiedad sin ninguna ganancia?

II. Las ovejas y los cabritos

(*Repasa Mat. 25:31-46.*)

Esta historia sigue inmediatamente a la parábola de los talentos. ¿Cuáles son las bendiciones materiales y temporales que han tenido ambos, las ovejas y los cabritos? Ninguna de las ovejas ni de los cabritos reconoce cómo el uso de sus bendiciones ha afectado a su Rey, pero el Rey directamente reconoce la mayordomía de ellos con las consecuencias de la muerte y la vida eterna, como lo hizo el Amo de la parábola de los talentos.

Considera: ¿Por qué la mayordomía es un asunto de vida o muerte?

III. Las diez vírgenes

(*Repasa Mat. 25:1-13 con tu clase.*)

En esta parábola, el aceite no es el don; debe ser comprado. En este caso, el dinero no es dinero físico, sino la fe que compra el don.

La presencia o la ausencia del aceite tiene consecuencias eternas para las diez vírgenes. Nota, también, que la parábola es acerca de diez vírgenes, cinco insensatas y cinco prudentes, en vez de cinco vírgenes sabias y cinco prostitutas necias. ¿Por qué vírgenes? ¿Qué simbolizan ellas? Obviamente, las vírgenes son un símbolo de pureza. Se podría decir que el hecho de que todas ellas son vírgenes significa pureza en su religión. Pero, lo que distingue a las prudentes de las insensatas son sus acciones.

Las prudentes no solo tienen fe, sino también una fe viva. Las vírgenes prudentes mantienen sus lámparas llenas de aceite, respaldando sus creencias con acciones. Son buenas como mayordomos o custodios de la luz que han recibido.

A la luz del día, puede ser difícil indicar la diferencia entre las vírgenes insensatas y las prudentes. Pero, en la oscuridad, la diferencia entre las lámparas con aceite y las que no lo tienen brilla. Las que no tienen aceite no tienen luz ni calor para impartir a otros. Una lámpara sin aceite es inútil; del mismo modo lo es una vida sin el Espíritu Santo, que nos inspira a actuar como mayordomos diligentes de todo lo que se nos ha confiado.

Considera: ¿Qué problemas con la mayordomía tuvieron que enfrentar tanto las vírgenes prudentes como las insensatas? ¿De qué modo las vírgenes prudentes hicieron provisión para eventos imprevisibles? ¿Qué principio de mayordomía ilustra esta parábola?

PASO 3
¡Practica!

Solo para los maestros: Usa los paquetes de regalo de la introducción para ayudar a la clase a reconocer que, aunque estos regalos de Dios son preciosos, no deberían ser el centro y el propósito de nuestras vidas.

Actividad para la clase:

Usa un pizarrón o un papel grande, para hacer una lista de algunas cosas que son más importantes que nuestro tiempo, nuestras posesiones materiales, nuestro cuerpo o nuestros talentos. Estas cosas podrían incluir la salvación, la vida, el amor, etc. Analiza la relación entre los dones que Dios nos da y estos valores eternos. Los dones que Dios da a cada uno son como el dinero; podemos usarlos para desarrollar el carácter, para servir, para difundir el evangelio de la salvación, o podemos gastarlo en cosas triviales.

Parábola

Una mujer pobre que había vivido por mucho tiempo en el vecindario, y que apenas podía sobrevivir, finalmente falleció. Los que vinieron para atender sus asuntos estaban limpiando algunos de los cajones de su armario, cuando encontraron una pila de cheques. Un pariente distante le había enviado dinero fielmente, pero la anciana, o por no saberlo o a propósito, nunca había cobrado los cheques. Ella vivió y murió en abyecta pobreza, sin aprovechar las bendiciones que le habían sido provistas fielmente.

Aplicación a la vida

¿De qué modo podemos dejar sin usar las bendiciones que Dios nos ha proporcionado? ¿Cuál podría ser el costo para nosotros mismos y para

PASO **4**

¡Aplica!

otros que nos rodean?

SOLO PARA LOS MAESTROS: SUGIERE LAS SIGUIENTES ACTIVIDADES COMO MANERAS EN QUE LOS MIEMBROS DE LA CLASE PUEDEN PRACTICAR LA MAYORDOMÍA EN LAS PRÓXIMAS SEMANAS.

1. ¿Dónde encuentras tu mayor gozo en el servicio? Enumera cinco actividades en las que has experimentado tu mayor satisfacción y, si tienes tiempo, anota descripciones detalladas de lo que te dio la más alta satisfacción en esas experiencias. ¿Qué puedes aprender, de esta lista, acerca de los dones que Dios te ha dado? ¿Cómo puedes encontrar felicidad profunda en deleitarte con tus dones?

2. Considera anotar todo lo que estás haciendo cada quince minutos durante uno o más días de la semana próxima. Al final de la semana, analiza cuánto de tu tiempo lo consume el trabajo, la recreación, la familia, el ejercicio, las devociones, etc. Busca tu tiempo perdido como buscarías un tesoro. ¿Necesitas evaluar de nuevo cuáles son las prioridades con que usas el tiempo? Siendo que Dios es el Creador de tu tiempo, y que ha invertido tanto en este don que te dio, ¿qué expectativas tiene él, con todo derecho, del uso de tu tiempo?

3. Haz una lista de los recursos con que cuentas en tu cuerpo, tales como tu fuerza, tu vista, tu movilidad, etc. Enumera tus bienes materiales, sociales y mentales, así como tus talentos y tus habilidades. ¿De qué modo usaste estos recursos para el servicio a Dios? ¿Cómo han aumentado a lo largo de los años? ¿De qué modos podrías usarlos para Dios?

4. Considera invertir uno de tus recursos en el servicio de Dios. Haz planes acerca de cómo podrías consagrar ese bien o ese recurso para Dios. Planifica series de pasos para dar durante un mes, para tres meses, un año y cinco años, apuntando a esta meta de inversión. Actualiza tu plan en tu calendario. Pero, más importante todavía, recuerda poner todos tus planes cada día ante Dios.

LA COMUNIDAD

Sábado *13 de junio*

LEE PARA EL ESTUDIO DE ESTA SEMANA: Génesis 11:1-4; 12:1-3; 1 Corintios 12:12-27; Efesios 4:1-13; Apocalipsis 22:1-6.

PARA MEMORIZAR:

"Vosotros, pues, sois el cuerpo de Cristo, y miembros cada uno en particular" (1 Cor. 12:27).

LOS SERES HUMANOS SON SOCIALES. Dios podría haber creado cien millones de seres humanos perfectos "separados" y que cada uno siguiera tras sus propias metas independientes. En cambio, él primero creó un varón y una mujer, y afirmó que no sería bueno que el hombre estuviera solo. La primera pareja debía complementarse mutuamente. Y debían multiplicarse y crear una comunidad de miembros de familia y, con el tiempo, unidades sociales mayores.

Una de las unidades sociales más importantes a la que la gente puede pertenecer es su iglesia. Desgraciadamente, muchas personas ya no reconocen los beneficios sociales de pertenecer a una iglesia. Por supuesto, la iglesia es más que un club para hombres y mujeres que casualmente comparten ciertos intereses. La iglesia es una comunidad de creyentes que comparten la experiencia máxima de la salvación y reconocen a Cristo como su Señor.

UN VISTAZO A LA SEMANA: *Creer* y *pertenecer* están estrechamente vinculados. Dios quiere que seamos parte de una comunidad que él inició. Es un privilegio pertenecer a esa comunidad, pero eso también lleva consigo responsabilidades. Todos tenemos que hacer nuestra contribución singular para constituir el cuerpo de Cristo.

Domingo   *14 de junio*

DIOS QUIERE UN PUEBLO

En Génesis 11 encontramos el registro de un experimento en la edificación de una comunidad que no recibió la aprobación de Dios. Cuando, después del Diluvio universal, los descendientes de los sobrevivientes originales decidieron unirse y construir una ciudad con una enorme torre en la parte sur de lo que ahora conocemos como Iraq, Dios estaba muy disgustado. Esto no era lo que Dios había querido. No obstante, en el capítulo siguiente –Génesis 12– la idea de construir una comunidad se encuentra otra vez en el foco, pero ahora en un sentido bien positivo. Dios le dijo a Abraham (que en ese tiempo todavía se llamaba Abram) que él quería formar un pueblo a quien él pudiera llamar suyo.

¿Cuál era la diferencia más importante entre la iniciativa de la comunidad que edificaba la Torre de Babel y el plan de Dios de hacer un pueblo de Abraham y su posteridad? Comparar Gén. 11:1-4 con Gén. 12:1-3.

Desde la historia del llamado de Abraham en adelante, el Antiguo Testamento se centra en las experiencias del pueblo de Dios, sus fracasos y sus triunfos. El pueblo de Israel tenía la misión de hacer que el Dios del pacto fuera conocido por todas las demás naciones. Debían preparar el camino para la venida del Mesías. Sabemos que, como pueblo, Israel no cumplió su tarea. Cuando vino el Mesías, este fue rechazado y muerto como un criminal por ciertos líderes que deberían haberle dado la bienvenida a él como su Redentor. Al mismo tiempo, muchos israelitas permanecieron fieles al Señor y formaron el núcleo de lo que había de llegar a ser la iglesia cristiana.

Lee 1 Pedro 2:9 y 10. ¿Cuál es el mensaje que contiene para nosotros hoy?

El pueblo de Dios en tiempos del Nuevo Testamento constaba de judíos y gentiles, de hombres y mujeres de toda nación, tribu y lengua. Como el Israel en los tiempos del Antiguo Testamento, tenían ahora la responsabilidad de enseñar a otros acerca de la gracia divina. Como el Israel de antaño, también los nuevos creyentes pertenecen a una comunidad especial.

¿Qué similitudes encuentras entre el antiguo Israel y la iglesia actual? ¿Qué lecciones deberías aprender de aquellos? ¿Qué equivocaciones deberías evitar?

EL PRIVILEGIO DE PERTENECER

Laurence J. Peter, un escritor y educador estadounidense, en cierta ocasión declaró: "¡Ir a la iglesia no te hace un cristiano más que ir a un garaje te hace un automóvil!" Realmente, *pertenecer* a la iglesia de Cristo es más que tener el nombre anotado en los registros de la iglesia. Implica darse cuenta de lo que es la iglesia y de cuál es el lugar que uno tiene en ella.

En numerosos lugares, Pablo se refiere a los creyentes como *santos* (Efe. 1:1; Fil. 1:1; Col. 1:2). Esta palabra ha adquirido hoy un significado que no tenía en los tiempos bíblicos. Los santos no son personas perfectas; ciertamente no son personas que han sido declaradas "santas" después de un largo y complejo proceso eclesiástico mucho después de su muerte. "Para Pablo [y otros autores bíblicos], el término *santo* no tenía las connotaciones de los vitrales que tiene para nosotros. Un santo no era algún antiguo cristiano perfecto, que estaba por encima de la vida real, sino cualquier persona llamada y puesta aparte por Dios que llegaba a ser parte de la comunidad de la fe" –John C. Brunt, *Romans*, p. 42.

¿Qué lugar importante se les da a quienes pertenecen a la iglesia, el "cuerpo de Cristo"? ¿De qué modo cada "santo" debe relacionarse con otro? 1 Cor. 12:12-27.

_____

_____

Un feligrés no debe ser reducido a una estadística. Cada miembro de la iglesia tiene un lugar especial y una contribución específica para hacer. Ninguno puede desaparecer sin causar por lo menos cierta disfunción en el cuerpo. Al mismo tiempo, ningún miembro puede pretender que su contribución es muy superior a la de ningún otro miembro. La metáfora del cuerpo con sus muchos miembros, en forma sublime, ilustra esta verdad. Algunas partes parecen más vitales que otras. El corazón, el cerebro, los pulmones y el estómago pueden parecer estar entre las partes más destacadas, pero el funcionamiento o el mal funcionamiento de alguna glándula menor a menudo es un asunto de vida o muerte.

¿De qué modo te ubicas en tu cuerpo local? ¿Estás contento con el papel que desempeñas? ¿Estás celoso del papel de alguna otra persona? ¿Eres un órgano muerto, sin vida? ¿O tal vez estás tratando de hacer más de lo que necesitas hacer? ¿De qué modo las palabras de Pablo te ayudan a comprender mejor cuál debería ser tu papel?

Martes

LA RESPONSABILIDAD DE PERTENECER

Pertenecer al cuerpo de Cristo es un gran privilegio. Otra figura del lenguaje subraya esta gran verdad: todos somos parte de la familia de Dios. "Mirad cuál amor nos ha dado el Padre, para que seamos llamados hijos de Dios" (1 Juan 3:1). Pero, los privilegios siempre van acompañados por responsabilidades.

¿Qué implica la figura de la iglesia como el cuerpo de Cristo y cada uno de nosotros como miembros de ese cuerpo, en lo que respecta a nuestras responsabilidades personales? Efe. 4:1-13.

_____

_____

"Todos deben proceder como partes de un mecanismo bien ajustado, en el cual cada una depende de la otra, aun cuando su actividad es diferente. Y cada uno debe ocupar el lugar que se le asigne y hacer la obra que se le encomiende. Dios ruega a todos los miembros de su iglesia que reciban al Espíritu Santo, que se unan en comprensión fraternal y que vinculen sus intereses con amor" (*MeM* 284).

¿Cuáles son otras responsabilidades clave para todos los miembros de la iglesia? 1 Cor. 16:2; 1 Tes. 5:14, 17, 25; Heb. 10:25; 1 Ped. 3:15.

_____

_____

Muchas personas viven en sociedades de consumo y, como resultado, tienden a traer esta mentalidad de consumidores a su iglesia. La primera pregunta a menudo es: *¿Qué hay en ella para mí?* En vez de *¿Cómo puedo contribuir con mis talentos y mis dones?* Cuando John F. Kennedy prestó juramento como presidente de los Estados Unidos de Norteamérica en 1961, pronunció estas palabras memorables: "No preguntes qué puede hacer tu país por ti, sino qué puedes hacer tú por tu país". Estas palabras también se pueden aplicar a nuestra actitud hacia la iglesia. Aun cuando la iglesia puede y hace mucho por los que asisten a ella fielmente y se unen en sus muchas actividades, deberíamos primero de todo preguntarnos constantemente: ¿Cómo puedo servir mejor? ¿Cómo puedo animar a otros? ¿Cómo puedo ser un modelo para nuestros jóvenes? ¿Cómo puedo contribuir a hacer de mi iglesia local un hogar espiritual en el que muchos puedan encontrar la paz interior y el alimento que necesitan?

Hazte estas preguntas personalmente, y en forma honesta considera tus respuestas: ¿Cuál es mi motivo principal para asistir a la iglesia? ¿Qué puedo obtener de ella; qué puedo darle?

UNIDAD EN LA DIVERSIDAD

Muchos cristianos se esfuerzan por tener más unidad entre las muchas confesiones religiosas. Hablan del "escándalo" de la división y la falta de unidad, y nos recuerdan que Cristo repetidamente pidió que entre sus seguidores hubiera unidad. La unidad es también un tema clave para la Iglesia Adventista del Séptimo Día, que está amenazada por la fragmentación y la polarización desde adentro. Pero, la unidad que buscan los adventistas no se puede reducir solo a una unidad organizativa o a una uniformidad en estilos de adoración y de otras tradiciones. Debe ir mucho más profundamente.

¿Cuáles son las cualidades clave de una unidad verdaderamente cristiana? Juan 14:6; Efe. 4:3, 13.

Estar unidos a Cristo significa estar unidos a la verdad. Cristo se definió como la Verdad. Esto no quiere decir que no puede haber verdadera unidad entre personas que difieren con respecto a ciertos detalles teológicos o en la interpretación de ciertos pasajes. Pero, la verdadera unidad requiere un compromiso común con las Escrituras como la Palabra de Dios y con sus enseñanzas fundamentales, y un deseo común de practicar lo que la Palabra enseña. Sin embargo, no requiere que todos los miembros piensen exactamente del mismo modo y adoren exactamente de la misma manera. No anula la maravillosa diversidad cultural que enriquece tanto nuestra comunidad eclesiástica mundial.

¿De qué modo la descripción de la Nueva Jerusalén ilustra la rica diversidad que caracteriza al pueblo de Dios? Apoc. 21; 22:1-6; específicamente, 21:12-14, 19, 26; 22:2.

La Nueva Jerusalén se refiere a algo concreto y real que Dios crea para su pueblo, aun si la descripción es altamente simbólica. Lo que nos llama la atención cuando la leemos es el énfasis en la diversidad. No sorprende, pues, que los redimidos vendrán de "todo linaje y lengua y pueblo y nación" (Apoc. 5:9; comparar con Apoc. 7:9).

"En las ramas de una vid hay diversidad y, no obstante, en esta diversidad hay unidad. Cada rama está unida al tronco paterno. Cada rama obtiene su alimento de la misma fuente. Cuando somos ramas de la Vid verdadera, no habrá peleas entre nosotros, no habrá luchas por la supremacía, no habrá menosprecio los unos de los otros" –E. G. de White, *General Conference Bulletin*, 25 de abril de 1901.

Si ha de haber tanta diversidad en el cielo, ¿por qué hay contiendas étnicas en nuestras iglesias actuales? ¿Por qué tendemos a querer congregarnos con los que son de nuestra misma raza en oposición a los otros? ¿Qué clase de mensaje estamos dando al hacer esto?

Jueves

JESUCRISTO: EL FUNDAMENTO DE LA IGLESIA

A menudo hablamos de *nuestra* iglesia. Tenemos muchas razones para estar orgullosos de *nuestra* iglesia. Por otro lado, nos damos cuenta de que *nuestra* iglesia no es perfecta. Hemos invertido en ella mucho de nosotros, de nuestros talentos, tiempo, energía y dinero, y tenemos buenas razones para tener un claro sentido de propiedad. Sin embargo, en último análisis la iglesia no es *nuestra*. Es de Dios. Y eso marca una diferencia decisiva.

¿Qué afirmó Cristo mismo en respuesta a la pregunta de a quién pertenece la iglesia? Mat. 16:18.

_____

Muchos han entendido mal la afirmación de Cristo acerca de la roca sobre la cual debía ser edificada la iglesia de Dios. Cuando se toma en consideración el contexto completo y todas las demás evidencias bíblicas, no hay base para sugerir que Pedro era la roca sobre la cual se fundaba la iglesia y que se transfería una autoridad especial de él a todos los futuros obispos de Roma. Cristo, el Hijo del Dios viviente (Mat. 16:16), es la Roca sobre la cual Dios fundó su iglesia.

Considera el significado de algunos otros símbolos usados para subrayar la misma verdad, es decir, que la iglesia está edificada sobre Jesucristo y que la iglesia es de él en vez de ser nuestra. Efe. 2:20; 4:15, 16; Apoc. 1:12-16, 20.

_____

Como tantos otros pasajes del libro del Apocalipsis, la descripción de Jesucristo en Apocalipsis 1:12 al 20 está llena de imágenes del Antiguo Testamento. Se presenta a Cristo como caminando en medio de siete candeleros, vestido como un sumo sacerdote. Nuestra mente automáticamente vuelve al símbolo del candelero en el antiguo Tabernáculo, que proclamaba la presencia de Dios entre su pueblo. Antes de que el libro del Apocalipsis entre en detalles acerca de "las cosas que deben suceder pronto" (1:1), se asegura que veamos todo desde la perspectiva correcta. Es la revelación de Jesucristo, el Alfa y la Omega, el Primero y el Último, nuestro Sumo Sacerdote celestial, que no es una deidad distante y estática, sino aquel que camina en medio de su iglesia.

Si, en última instancia, la iglesia pertenece a Dios, ¿cuál es nuestro papel en ella? ¿No somos, entonces, mayordomos de ella? ¿Qué clase de responsabilidades pone esto sobre nosotros? ¿Cuán bien estás viviendo tu responsabilidad? ¿Qué puedes hacer mejor?

PARA ESTUDIAR Y MEDITAR: Para un estudio adventista completo acerca de la naturaleza de la iglesia, ver Raoul Dederen, ed., *Handbook of Seventh-day Adventist Theology*, pp. 538-581. Ver también el capítulo 45 de *El Deseado de todas las gentes*, pp. 378-387.

"Jesús contestó a Pedro: 'Bienaventurado eres, Simón, hijo de Jonás; porque no te lo reveló carne ni sangre, sino mi Padre que está en los cielos' [Mat. 16:17].

"La verdad que Pedro había confesado es el fundamento de la fe del creyente. Es lo que Cristo mismo ha declarado ser la vida eterna. Pero la posesión de este conocimiento no era motivo de engreimiento. No era por ninguna sabiduría o bondad propia de Pedro por lo que le había sido revelada esa verdad. Nunca puede la humanidad de por sí alcanzar un conocimiento de lo divino. 'Es más alto que los cielos: ¿qué harás? Es más profundo que el infierno: ¿cómo lo conocerás?' (Job 11:8). Solo el espíritu de adopción puede revelarnos las cosas profundas de Dios" (*DTG* 380).

PREGUNTAS PARA DIALOGAR:

1. Ser miembro de la iglesia ¿es una condición necesaria para ser salvos? ¿O nos unimos a la iglesia por otras razones? Si es así, ¿cuáles son? ¿Qué grandes ventajas tenemos al ser parte de un cuerpo? Al mismo tiempo, ¿acerca de qué cosas debemos ser cuidadosos y vigilar?

2. Algunas personas dicen: "He dejado de ir a la iglesia. Cuando asistía, salía vacío. Cuando voy afuera, a la naturaleza, tengo una experiencia religiosa más profunda que cuando escucho un sermón que no es interesante". ¿Qué le responderías a una de esas personas?

3. Medita más en las preguntas planteadas en la sección del miércoles con respecto a la diversidad étnica en nuestra iglesia. ¿Por qué deberían los cristianos ser los que más aceptan o aman a los otros, sin tomar en cuenta las diferencias étnicas? ¿Qué podríamos hacer que nos ayude a vivir mejor a la altura de lo que sabemos que el Señor quiere que hagamos con respecto al tema importante de la armonía racial y étnica?

Resumen: La iglesia es una iniciativa divina. Es la iglesia de Dios, en vez de ser la iglesia nuestra. Somos miembros del cuerpo de Cristo –cada uno con su función específica–, pero siempre debemos recordar que él es la Cabeza. No se llama a la uniformidad, sino que debemos hacer todo lo que podamos para mantener la verdadera unidad en Cristo.

El sábado enseñaré...

Texto clave: 1 Corintios 12:27.

Enseña a tu clase a:
    Saber que ser parte de la comunidad de la iglesia incluye una responsabilidad hacia esa comunidad y el mundo.
    Sentir un sentido de pertenencia y de privilegio dentro del cuerpo de la iglesia.
    Hacer todo lo que puedas para mantener la unidad en Cristo dentro de tu iglesia.

Bosquejo de la lección:
I.   **Comunidad y responsabilidad (1 Ped. 2:9, 10)**
    A través de toda la Biblia, Dios ha tenido un pueblo elegido. En el Antiguo Testamento, fueron los israelitas. En el Nuevo Testamento, fue la iglesia primitiva. Hoy, nosotros somos el pueblo escogido de Dios. Y tenemos la responsabilidad de ser buenos mayordomos de la iglesia de Dios. ¿De qué modo vivimos a la altura de esa responsabilidad?

II. **La comunidad de Cristo (Efe. 4:16)**
    A. Este versículo, así como el versículo para memorizar, llama a la iglesia el cuerpo de Cristo. Cada parte del cuerpo tiene su propósito. ¿Cuál es tu lugar en el cuerpo de Cristo? ¿De qué modo las diferentes partes actúan juntas? ¿De qué maneras puede trabajar tu iglesia unida en forma más efectiva?
    B. Como parte del cuerpo de Cristo, ¿de qué modo puedes hacer tu parte en difundir la Palabra?

III. **La comunidad de unidad (Efe. 4:3-6, 11-13)**
    El elemento unificador principal en la iglesia es Jesucristo. Sin embargo, la unidad prospera con el apoyo y el estímulo de los unos con los otros; una iglesia con divisiones profundas está sentenciada. ¿Qué puedes hacer para promover la unidad dentro de tu iglesia local?

Resumen: Como miembros del cuerpo de Cristo, tenemos el privilegio de servirlo como familia de la iglesia. Debemos esforzarnos para recordar nuestro propósito y mantener la verdadera unidad en Cristo.

Ciclo de aprendizaje

Concepto clave: Las comunidades de fe diseñadas por Dios fueron creadas con el fin de ser una bendición tanto para ellas mismas como para el mundo.

Dante se encontró con Gladys en el funeral de la nieta de ella. Más tarde, él buscó una oportunidad para animarla y llegar a conocerla mejor. Hablaron acerca de la muerte prematura de la nieta, pero luego la conversación cambió cuando él le preguntó acerca de los cambios que ella había visto en el lugar donde había vivido toda su vida.

–Hijo –comenzó ella–, he visto más cambios de los que hubiera querido ver. Recuerdo cuando podías caminar por las calles tarde en la noche sin necesidad de preocuparte –rememoró ella–. Recuerdo que mi madre y las otras mujeres se ocupaban de ayudar a las madres nuevas cuando traían sus bebés a casa. Los adultos cuidaban a los niños, y los niños respetaban a los adultos. La gente se interesaba en los demás.

Luego, con resignación en su voz, añadió:

–Ahora ya no es así.

Lo que dijo Gladys era un lamento por la pérdida de la comunidad. Mientras ella hablaba, se le ocurrió a Dante que Dios había creado a su iglesia para satisfacer precisamente esa necesidad.

Considera: Pide a tus alumnos que compartan sus recuerdos del tiempo en que experimentaron el poder sanador de una comunidad amante.

Comentario de la Biblia

I. Dios quiere un pueblo

(*Repasa con tu clase Gén. 11:1-4; 12:1-3.*)

La Biblia puede considerarse como un registro de los esfuerzos de Dios para crear un pueblo que sirviera como anuncios vivientes para él, en lugar de serlo para ellos mismos. En Génesis 11:1 al 4, los constructores de Babel formaron una comunidad con la única intención de la exaltación propia. Génesis 12:1 al 3 también captura el nacimiento de una comunidad. Dios llamó a Abram y le prometió: "Y haré de ti una nación grande, y te bendeciré" (vers. 2). A esa promesa maravillosa, Dios añadió: "Y engrandeceré tu nombre" (vers. 2).

Nota el objetivo máximo de Dios al hacer de Abram una gran nación: "Serán benditas en ti todas las familias de la tierra" (vers. 3). Las comunidades de fe creadas por Dios realmente han sido diseñadas para bendecir al mundo.

Considera: ¿Qué tuvo que ver la condición de Israel como "la nación más favorecida" –y las bendiciones inherentes a ella– con su fracaso al no bendecir al mundo? ¿De qué modo nosotros, el Israel espiritual, podemos vivir a la altura de nuestra condición favorecida? (Ver 1 Ped. 2:9, 10.)

II. El privilegio de pertenecer

(Repasa, con tu clase, 1 Cor. 12:12-27.)

Tal vez ningún otro pasaje de las Escrituras capta la esencia de la unidad y la igualdad que debería existir en el cuerpo de Cristo, la iglesia, mejor que 1 Corintios 12:12 al 27. Todos los miembros son importantes, no importa cuán insignificantes parezcan sus contribuciones al cuerpo de Cristo. De hecho, Pablo parece alegar que "los miembros del cuerpo que parecen más débiles, son los más necesarios; y a aquellos del cuerpo que nos parecen menos dignos, a éstos vestimos más dignamente" (1 Cor. 12:22, 23).

Considera: ¿De qué manera debería una iglesia tratar a los miembros que cometen errores morales o éticos?

III. La responsabilidad de pertenecer

(Repasa, con tu clase, Efe. 4:1-13; Mat. 20:20-34.)

Los creyentes efesios, a quienes dirige Pablo su carta, eran personas normales, que habían llegado a conocer a Cristo como su Salvador y que estaban aprendiendo a hacer de Cristo el Señor de sus vidas. En Efesios 4:1 al 13, el apóstol Pablo les suplica que anden "como es digno de la vocación" (vers. 1) que habían recibido, siendo pacientes, bondadosos, unidos, llenos de oración, humildes, y que acepten el lugar que Dios les asignó.

Pablo comprendió correctamente que el "perfeccionar a los santos para la obra del ministerio, para la edificación del cuerpo de Cristo (vers. 12), requería un espíritu de sacrificio. Este espíritu de sacrificio era una manera de preparar al pueblo de Dios para la "obra del ministerio", o servicio (Efe. 4:12).

Considera: ¿Qué sucedería en nuestras iglesias si juntos nos ocupáramos fervientemente en las responsabilidades de los feligreses que se encuentran en Hebreos 10:25; 1 Tesalonicenses 5:14, 17 y 25; y 1 Corintios 16:2?

IV. Unidad en la diversidad

(Repasa, con tu clase, Juan 14:6; Efe. 4:3, 13.)

Efesios 4:13 llama al cuerpo desarticulado de Dios a un final hermoso: a "la unidad de la fe y del conocimiento del Hijo de Dios", para que el cuerpo pudiera llegar a ser un "varón perfecto, a la medida de la estatura de la plenitud de Cristo". Si este es el fin glorioso que Dios visualiza para su iglesia, entonces solamente Jesús es el medio para llegar a ese fin. ¡Él es el camino!

Pero, es crítico recordar que nuestra diversidad, dada por Dios, cesa de ser una bendición y llega a ser una maldición cuando Cristo queda subordinado a las costumbres de nuestra herencia y nuestras prácticas culturales.

Considera: Si Jesús es la vid y nosotros somos los pámpanos (Juan 15:1-17), ¿qué alimento obtenemos de él que podría ayudarnos a usar nuestra diversidad como una fortaleza en vez de una debilidad?

V. El fundamento de la iglesia: Jesucristo

(Repasa, con tu clase, Mat. 16:18.)

"'Sobre esta piedra' –dijo Jesús– 'edificaré mi iglesia'. En la presencia de Dios, y de todos los seres celestiales, en la presencia del invisible ejército del infierno, Cristo fundó su iglesia sobre la Roca viva. Esa Roca es él mismo: su propio cuerpo quebrantado y herido por nosotros. Contra la iglesia edificada sobre ese fundamento, no prevalecerán las puertas del infierno" (*DTG* 381).

Preguntas para reflexionar:

1. El cuerpo de Cristo, descrito en 1 Corintios 12:12 al 27, ¿es la Iglesia Adventista del Séptimo Día o incluye a creyentes de otras confesiones religiosas también? Explica tu respuesta.
2. ¿De qué modo Mateo 5:13 y 14 nos da a entender el lugar que debemos ocupar en el mundo?

Preguntas de aplicación:

1. ¿Qué nos enseña Mateo 20:20 al 34 acerca de la lucha de Jesús para unificar a sus discípulos?
2. Enumera tres maneras en las que tu iglesia local puede trabajar

en conjunto con una iglesia adventista del séptimo día de otra herencia cultural o étnica, para servir a la comunidad que los rodea.

Testificación

¿Qué podemos hacer para exponer, a los que no son creyentes, cuáles son los gozos y las bendiciones que tenemos al pertenecer a la comunidad de la fe de Dios?

PASO **4**
¡Aplica!

Aunque muchos miembros de la clase pueden tener un sentido de pertenencia en el cuerpo de Cristo, muchos pueden haber entendido por primera vez el lugar singular que ocupan en ese cuerpo y su responsabilidad hacia él. Pide a la clase que comparta algo nuevo que hayan aprendido en el estudio de esta semana. Luego, pide a algunos voluntarios que compartan maneras en las que pueden servir mejor a los miembros de la comunidad de Dios.

LA MISIÓN

LEE PARA EL ESTUDIO DE ESTA SEMANA: Marcos 16:15, 16; Lucas 24:46, 47; Juan 14:6; Efesios 4:11-15; 2 Pedro 2:1-3; Apocalipsis 14:6-12.

PARA MEMORIZAR:

> "Estad siempre preparados para presentar defensa con mansedumbre y reverencia ante todo el que os demande razón de la esperanza que hay en vosotros" (I Ped. 3:15).

MISIÓN NO ES UNA PALABRA ANTICUADA, asociada con períodos de seis años en lugares aislados alrededor del mundo. El término *misión* se refiere a un aspecto esencial de la vida cristiana. "Las palabras *misión* y *misionero* vienen de palabras latinas que significan *enviar* y *ser enviado* [...]. Las versiones castellanas suelen usar el sustantivo *apóstol*, que también viene de la palabra griega que significa *uno enviado* [...]. Treinta y nueve veces el Evangelio de Juan dice que Jesús fue *enviado* por Dios. Treinta y nueve veces, entonces, Jesús es definido solamente en ese libro como un misionero, o apóstol" –Jon Dybdahl, "Missionary God – Missionary Church", en Erich W. Baumgartner, ed., *Re-Visioning Adventist Mission in Europe*, p. 8.

Cuanto más tiempo estemos aquí, sin embargo, tanto mayor es el peligro de que nos concentremos en nosotros mismos, procurando mantener nuestras estructuras y nuestras instituciones a expensas de lo que se nos ha llamado para hacer, que es predicar al mundo el mensaje de la verdad presente que Dios nos ha dado.

UN VISTAZO A LA SEMANA: La misión es el corazón de la iglesia. El destino de la gente, lejos y cerca, está en juego. La misión no es uno entre los muchos programas de la iglesia. Es la verdadera razón de su existencia. Cada cristiano es llamado a ser un misionero.

Domingo   *21 de junio*

LA GENTE SE PERDERÁ, A MENOS QUE...

Los teólogos, a lo largo de los siglos, han debatido si Dios finalmente salvará a toda la gente o no. Algunos dicen que el amor de Dios garantiza que, finalmente, ninguno se perderá. Otros dicen que la gente que nunca escuchó de Cristo tendrá una oportunidad después de la muerte para llegar a creer. Todavía otros defienden diversas teorías alternativas. Sin embargo, el problema con las teorías es que a menudo tratan de explicar todo cuando, en efecto, sencillamente debemos conformarnos con lo que Dios nos ha revelado. Hay preguntas para las cuales no conocemos las respuestas. Pero, sabemos que él es totalmente justo en lo que hace y, al mismo tiempo, su amor no tiene límites. También ha hecho bien claro que la gente tiene libre albedrío y que es posible perderse. Al fin habrá una separación entre los que son salvos y los que afrontarán la muerte eterna. Y sabemos también que el evangelio debe ser predicado tan rápidamente como sea posible a tanta gente como sea posible.

¿Qué nos enseñan los siguientes textos acerca de la importancia de predicar el evangelio al mundo entero?
Juan 14:6 _____
Hechos 4:12 _____
1 Juan 5:11, 12 _____

Uno de los textos más conocidos de la Biblia es Juan 3:16: "Porque de tal manera amó Dios al mundo, que ha dado a su Hijo unigénito, para que todo aquel que en él cree, no se pierda, mas tenga vida eterna". El texto habla acerca del amor de Dios, que se expresó en el *envío* de su Hijo a esta tierra. Promete vida eterna a todos los que creen en él. Pero, también señala claramente la alternativa. Los que no prestan atención al llamado del evangelio y rehúsan aceptar a Cristo perecerán. La decisión acerca de quién perecerá y quién recibirá vida eterna no es nuestra. Podemos encontrarnos con algunas sorpresas grandes al ver cuando se pase lista a los salvados. Sin anular la voluntad de la gente, Dios hará todo lo posible para reducir el número de quienes perecerán. Y –esto es sorprendente–, en su sabiduría nos ha dado un lugar en el proceso.

¿Cuál es tu lugar en la misión de la iglesia? ¿Cuán en serio tomas el llamado de alcanzar a otros con el evangelio? ¿Qué más podrías hacer?

LA GRAN COMISIÓN

El mandato de llevar el evangelio al mundo entero se encuentra en los cuatro evangelios, así como en el libro de los Hechos. Por supuesto, muestran similitudes claras, pero hay algunas diferencias significativas. Basta con leer todos los textos para formar un cuadro completo de todo lo que se implica en la "Gran Comisión".

Lee los pasajes en los que se registra la Gran Comisión, y nota cómo se complementan mutuamente. ¿Cuáles son los detalles específicos en cada uno de los pasajes?

Mat. 28:19, 20 _____

Mar. 16:15, 16 _____

Luc. 24:46, 47 _____

Juan 20:21 _____

Hech. 1:8 _____

El evangelio debe ser predicado "a todas las naciones". De acuerdo con las estadísticas de la Asociación General, la Iglesia Adventista del Séptimo Día está ahora proclamando su mensaje en más de doscientos países. Esto significa que hay solo unos pocos países en los cuales nuestra iglesia no tiene una presencia oficial. Entre ellos, hay varios que son grandes: Corea del Norte, Arabia Saudita, Siria y Yemen; la mayoría de los otros son pequeños, con menos de un millón de habitantes cada uno. De este modo, uno se vería tentado a llegar a la conclusión de que la Iglesia Adventista casi ha "terminado la obra". Sin embargo, eso sería falso. Porque, aun cuando debemos dar gracias a nuestro Dios porque nuestra iglesia está creciendo rápidamente en muchas partes del mundo, y que se está entrando en muchos territorios nuevos, el desafío todavía es enorme. Cuando el Nuevo Testamento habla acerca de "naciones", usa una palabra que sería mejor traducirla como "grupos de personas", o "grupos étnicos". Por lo tanto, nuestro trabajo no está completado hasta que todos los grupos de personas hayan sido alcanzados. Hay considerable debate acerca de cuántos de estos *grupos de personas* existen. El número que citan los especialistas varía entre dos mil y más de veinte mil, dependiendo de la definición que usen. Pero, cualquiera que sea la definición que usen, varios miles de estos grupos de personas todavía no han sido alcanzados.

Piensa en todas las personas que no han sido alcanzadas en tu propia comunidad, cualquiera que sea su trasfondo étnico. ¿Qué diferencia ha producido tu presencia para alcanzarlos? ¿Qué dice tu respuesta acerca de ti mismo y de tu lugar en la misión de la iglesia?

Martes

23 de junio

UNA IGLESIA QUE TESTIFICA

¿Qué mensaje especial ha de ser proclamado por el pueblo de Dios en el tiempo del fin? Apoc. 14:6-12. ¿Cómo entiendes este mensaje? Escribe una paráfrasis del pasaje en tus propias palabras.

_____

_____

_____

_____

El pasaje en el que encontramos los mensajes de los tres ángeles se halla en un contexto que claramente enfoca el fin del tiempo. Es precedido inmediatamente por una visión de las "primicias" (vers. 4) de los redimidos y seguido por una visión de la "siega" (vers. 15) de todos los salvados. Es importante saber qué ocasiona estos mensajes. Pero también necesitamos comprender quiénes son estos "ángeles" que traen el "evangelio eterno" (vers. 6). El hecho de que la palabra *ángel*, en la profecía, sea un símbolo de los mensajeros humanos, los líderes y los miembros de la iglesia, es subrayado por Elena de White: "Los ángeles son representados volando en medio del cielo mientras proclaman al mundo un mensaje de amonestación, un mensaje que tiene relación directa con la gente que vive en los últimos días de la historia de esta tierra. Nadie escucha la voz de estos ángeles, porque son símbolos que representan al pueblo de Dios que está trabajando en armonía con el universo del cielo. Hombres y mujeres, iluminados por el Espíritu de Dios, santificados por la verdad, proclaman los tres mensajes en su orden" (*NB* 470).

Así como en la Gran Comisión, encontramos en la afirmación inicial de los tres mensajes un fuerte énfasis en el desafío de llevar el evangelio a cada persona sobre la tierra. No obstante, afrontamos un gran peligro, especialmente cuanto más tiempo estamos aquí, de cambiar del modo misionero al modo de mantenimiento. Fácilmente podemos perder de vista nuestra misión de testificar al mundo, y concentrarnos más en proteger y sostener nuestras propias instituciones. Cuando esto nos ocurre, u ocurre a las iglesias o a las instituciones que representamos, estamos perdiendo la razón de nuestra existencia.

Piensa en este problema potencial, el de concentrarnos más en la preservación propia que en la misión. ¿Cómo sucede esto? ¿Cómo podemos reconocerlo cuando sucede y qué podemos hacer para impedirnos caer en esa trampa?

TESTIMONIO PERSONAL

No es muy difícil concordar con la declaración de que la iglesia debe tener una mente centrada en la misión. Pero ¿quién es la iglesia? La iglesia no es principalmente una organización; más bien, son individuos que, sin ninguna excepción, son llamados a ser testigos.

¿Por qué deberíamos confiar en que podemos ser testigos de nuestra fe? 1 Cor. 12:28: Efe. 4:11-15.

No todos tenemos el don de predicar o de enseñar. Pero todos hemos recibido algún don, de manera que somos llamados a ser lo que podemos ser: discípulos, siempre preparados para hablar acerca de nuestra esperanza (1 Ped. 3:15).

¿Cuál es la fuente fundamental para los que están dispuestos a testificar de su fe? Juan 14:26; Hech. 1:4, 8; 2:1-4.

El hecho de que Cristo ha prometido a sus seguidores la presencia del Espíritu Santo y que podamos recibir dones espirituales no significa que no sea necesario hacer preparativos o realizar un adiestramiento. Los apóstoles fueron discípulos que por más de tres años participaron del adiestramiento más intensivo posible. Del mismo modo, los discípulos de hoy deben recibir preparación para el testimonio cristiano, y la iglesia debe asumir esta prioridad: la de preparar constantemente materiales de adiestramiento relevantes y oportunidades con el propósito de equipar a los miembros para su tarea. Pero, el adiestramiento solo será insuficiente. El pueblo de Dios, hoy, necesita la presencia y la dotación del Espíritu Santo si quieren tener éxito en alcanzar a otros.

Hay una verdad sencilla, sin embargo, que lo será siempre: No puedes dar lo que no tienes. A menos que nos aseguremos que tenemos una relación viva con Dios, no podemos esperar conducir a otros a tener la misma experiencia.

¿Cuál es una condición básica para todos los que quieren ser testigos de su fe? 2 Ped. 3:18.

Una iglesia que responde a su llamado será una iglesia que crece. Pero, el crecimiento no debería limitarse al crecimiento numérico. En forma individual y corporativa, debemos "crecer en la gracia" si deseamos que nuestro testimonio sea verdaderamente productivo.

¿Cómo entiendes lo que significa crecer en la gracia? ¿Cómo sabes si lo estás viviendo? ¿Qué criterios usas? Comparte tus respuestas en la clase el sábado.

COMPARTIR AL SEÑOR

No hay dudas de que compartir el mensaje del Cristo crucificado y resucitado, quien es ahora nuestro Intercesor ante el Padre, implica también una enseñanza fiel de las verdades doctrinales importantes que Dios ha revelado en su Palabra.

¿Cuán importante es enseñar y adherirse a la sana doctrina? Tito 2:1; 2 Ped. 2:1-3.

Si queremos creer en el Dios de la Biblia y hemos decidido seguir a Cristo, desearemos conocer tanto como podamos acerca de él, de su carácter y de lo que él espera de nosotros. Tratamos de resumir lo que aprendemos en la Biblia en una serie de doctrinas y enseñanzas. Para algunas personas, las declaraciones doctrinales no son más que un bagaje mental irrelevante. Eso es, lamentablemente, entenderlo mal. Sin doctrinas correctas, nuestra fe pronto perderá su rumbo y será superficial; en vez de crecer en nuestra fe, con el tiempo descubriremos que nuestra fe llega a ser cada vez menos significativa. Las doctrinas falsas a menudo nos apartarán de Cristo, hacia nosotros mismos o hacia alguna otra cosa que supuestamente puede contribuir a nuestra salvación. Cuando dejamos de cimentar nuestra fe en enseñanzas bíblicas sólidas, estamos en grave peligro de alejarnos del centro de nuestra fe: Jesucristo, nuestro Señor.

¿Cuál debe ser el centro de toda nuestra predicación y nuestra testificación? 1 Cor. 1:23; 2:2.

El énfasis en la importancia de una doctrina sana debe ser complementado con la decisión incondicional de anclar todo lo que decimos en Jesucristo. Todo lo que creemos y afirmamos, como doctrina, tiene que estar relacionado con aquel en quien se nos asegura nuestra salvación eterna. Si no hay conexión con Jesucristo, una doctrina no será más que un trozo de información técnica, que puede ser interesante e intelectualmente desafiante, pero nada más. Pero, si está arraigada en Jesucristo, la doctrina nos ayudará a comprender mejor el plan de redención y fortalecerá nuestra relación con nuestro Señor.

Piensa en algunas enseñanzas falsas que existen en el mundo cristiano: el tormento eterno en el infierno; la predestinación de algunas personas para ser salvas y otras para perderse; la creencia de que Jesucristo no fue divino sino meramente un gran hombre. ¿Cómo podrían impactar estas y otras falsas doctrinas negativamente en nuestra comprensión de Dios y del plan de salvación?

PARA ESTUDIAR Y MEDITAR: Para considerar diversos aspectos del desafío de la misión para los adventistas del séptimo día, en forma individual y corporativa, ver Jon L. Dybdahl, ed., *Adventist Mission in the 21st Century.* Ver también "El propósito de Dios para su iglesia", *Los hechos de los apóstoles*, pp. 9-14.

"La iglesia es el medio señalado por Dios para la salvación de los hombres. Fue organizada para servir, y su misión es la de anunciar el evangelio al mundo. Desde el principio fue el plan de Dios que su iglesia reflejara al mundo su plenitud y su suficiencia. Los miembros de la iglesia, los que han sido llamados de las tinieblas a su luz admirable, han de revelar su gloria. La iglesia es la depositaria de las riquezas de la gracia de Cristo; y, mediante la iglesia, se manifestará con el tiempo, aun a los 'principados y potestades en los lugares celestiales' (Efe. 3:10), el despliegue final y pleno del amor de Dios" (*HAp* 9).

PREGUNTAS PARA DIALOGAR:

1. Como clase, repasen las respuestas que dieron a la pregunta final de la sección del miércoles. ¿Cuáles son las diferentes maneras en que comprendieron lo que significa crecer en la gracia?

2. Considera tu iglesia local. ¿Cuál es su énfasis principal? ¿Está en la iglesia misma, en ministrar a las necesidades de la congregación misma, o está en la misión y la testificación? ¿De qué modo se logra un equilibrio correcto; es decir, ¿cómo discipulamos a los que se nos han unido, mientras al mismo tiempo no descuidamos el llamado a alcanzar a todas las personas? ¿Cómo se encuentra tu iglesia en este tema, y de qué maneras puedes ayudarla a mejorar en donde hace falta un cambio?

3. ¿De qué modo nosotros, como iglesia, podemos protegernos de muchas de las tendencias teológicas peligrosas que constantemente procuran infiltrarse y contaminar nuestras enseñanzas? Al mismo tiempo, ¿de qué manera permanecemos abiertos al crecimiento y al progreso de nueva luz, que pueda ayudarnos a comprender mejor a nuestro Señor y a nuestra misión?

Resumen: El evangelio de Jesucristo debe ser predicado en todo el mundo. Esto es la responsabilidad de todos los que nos llamamos discípulos. Todos nosotros hemos recibido ciertos dones relevantes, y todos nosotros tenemos la promesa del Espíritu para completar nuestro equipamiento. La predicación del evangelio debe estar basada en doctrina sólida, pero todo lo que proclamamos debe estar arraigado en aquel de quien trata todo el evangelio.

El sábado enseñaré...

Texto clave: 1 Pedro 3:15.
Enseña a tu clase a:
   Saber que las misiones son un aspecto central de la iglesia.
   Sentir la urgencia de difundir el evangelio.
   Hacer un esfuerzo decidido para ser un misionero activo.

Bosquejo de la lección:
I.   **La importancia de las misiones (Mar. 16:15, 16)**
   A. La Gran Comisión es una prioridad para el cristiano. La salva-
      ción de muchos depende de nuestra capacidad para difundir la
      noticia de la gracia de Dios (vers. 16). ¿De qué modo cada uno
      de nosotros es llamado a ser un misionero?
   B. Como iglesia, ¿de qué modo podemos mejorar nuestras misio-
      nes?

II. **La necesidad de misiones (Juan 3:16)**
   A. Aunque muchos en la Iglesia Adventista conocen muy bien la
      ventana 10/40, que es el nombre que damos a esa región del
      mundo en la que la mayoría de la gente no ha escuchado acer-
      ca de Jesús, es imperativo que Jesús sea conocido por todos en
      nuestras propias comunidades. ¿De qué maneras permitimos,
      a veces, que nuestro celo por llevar el evangelio a los confines
      de la tierra afecte adversamente la testificación en nuestra co-
      munidad?
   B. ¿Qué podemos hacer para cambiar esa idea preestablecida?

III. **Tu lugar en las misiones (1 Cor. 12:28)**
   La tendencia, en años recientes, ha sido hacer un inventario de
   los dones espirituales dentro de la familia de la iglesia y usar esos
   dones en formas específicas para poner en práctica una estrategia
   de misión. Jesús hizo lo mismo al dar a sus discípulos tareas que
   complementaban sus habilidades y extendían la comisión evangélica. Identifica maneras específicas en que puedes usar los dones
   que tienes para hacer avanzar las misiones en tu iglesia.

Resumen: Es nuestra responsabilidad participar en la Comisión Evangélica. Comprométete a aceptar el desafío.

Ciclo de aprendizaje

Concepto clave: Dios ha invitado a su pueblo a aceptar las buenas nuevas de salvación y a compartirlas con otros.

La vida necesita tener un propósito para que se sienta que realmente vale la pena vivirla. Ninguno quiere que el siguiente epitafio esté sobre su tumba: USÓ OXÍGENO, OCUPÓ ESPACIO. Cuanto más tiempo vivimos, tanto más sentimos la necesidad de vivir una vida más allá de nosotros mismos. Tal vez Horace Mann, un político brillante y educador conocido, capturó de la mejor manera este anhelo cuando dijo: "Avergüénzate de morir hasta que hayas ganado alguna victoria en favor de la humanidad".

Los seres humanos fueron creados con un deseo divino de realizar una misión mayor que ellos mismos, una vocación que ayude a la gente quebrantada a vivir con las buenas nuevas de la salvación y les dé esperanza para el futuro. Al cumplir esta misión, encontramos una paz interior profunda con Dios y con nosotros mismos.

Considera: Pide a algunos voluntarios que compartan el acto más bondadoso que alguna vez les hicieron a ellos, y quién lo hizo. Pide a un voluntario que cuente brevemente quién compartió el evangelio con él por primera vez.

Comentario de la Biblia

I. La gente se perderá, a menos que...

(*Repasa, con tu clase, Juan 14:6; Hech. 4:12; 1 Juan 5:11, 12.*)

La Biblia establece una ruta sin ambigüedades hacia la salvación. "Nadie viene al Padre, sino por mí" (Juan 14:6); "En ningún otro hay salvación" (Hech. 4:12); y podemos saber si tenemos vida eterna o no porque "esta vida está en su Hijo" y "el que tiene al Hijo, tiene la vida" (1 Juan 5:11, 12).

Nota que, en 1 Juan 5:11 y 12, Dios no nos pide que ganemos la vida eterna. Dios la ha dado a todos los que han puesto su confianza en Jesús como su Salvador personal. Dios tiene un solo Camino a la vida eterna, y él no solo nos ha dado ese camino, sino también ha provisto los medios para llegar allá. Por esto, la elección de aceptar a Jesús como Salvador y Señor es la decisión más importante que hacemos en la vida.

MATERIAL AUXILIAR PARA EL MAESTRO

Considera: Otras religiones pretenden ser la ruta correcta a Dios. ¿Cómo defenderías tu fe como la única ruta verdadera a la salvación?

II. La Gran Comisión

(*Mat. 28:19, 20; Mar. 16:15, 16; Luc. 24:46, 47; Juan 20:21; Hech. 1:8.*)

Los pasajes de la Gran Comisión, en los cuatro evangelios y en Hechos, nos muestran un cuadro de un Dios que, como un comandante general, prepara a sus soldados para la batalla. En Mateo 28:18 al 20, Jesús otorga poder sobre los discípulos (vers. 20); Jesús autoriza el uso de su poder en formas claramente específicas (vers. 19, 20); Jesús promete respaldar a sus discípulos en tiempos de necesidad (vers. 19); Jesús los prepara antes de enviarlos (vers. 20). Teniendo un comandante como Jesús, ¿cómo podríamos fracasar?

Considera: Si Jesús puede hacer todas estas cosas por nosotros, ¿por qué se molesta en incluirnos? ¿Cuál es nuestro lugar en su gran obra?

III. Una iglesia que testifica

(*Repasa, con tu clase, Apoc. 14:6-12.*)

Los mensajes de los tres ángeles de Apocalipsis 14:6 al 12 son algunas de las misivas más esperanzadoras que Dios dio alguna vez a la raza humana. A veces sacrificamos el aspecto esperanzador de los mensajes de Dios en nuestro deseo de compartir estas verdades presentes.

Elena de White nota: "El tiempo de los juicios destructores de Dios es el tiempo de misericordia para quienes no tienen oportunidad de saber qué es la verdad. Dios los considerará tiernamente. [...] Gran número de los que en estos últimos días oyen la verdad por primera vez será admitido".–E. G. de White (*R&H*, 5 de julio de 1906, p. 9).

Considera: Lee Mateo 5. ¿Por qué Jesús fue tan efectivo en compartir la verdad presente con los perdidos de sus días?

IV. Testimonio personal

(*Repasa 1 Ped. 3:15; 1 Cor. 12:11-28; Mat. 10.*)

En el maravilloso plan maestro de Dios para difundir el evangelio, él diseñó una estrategia que es tanto corporativa como personal (1 Cor.

12:11-28). Hay un cuerpo, pero ese cuerpo está construido con muchos miembros que trabajan armoniosamente para lograr el fin de compartir las buenas nuevas de la salvación con un mundo moribundo.

Cuando el cuerpo está trabajando para la salvación de otros, algo maravilloso sucede a sus partes individuales. "Así que ya no seremos niños, zarandeados por las olas y llevados de aquí para allá por todo viento de enseñanza y por la astucia y los artificios de quienes emplean artimañas engañosas. Más bien, al vivir la verdad con amor, creceremos hasta ser en todo como aquel que es la cabeza, es decir, Cristo. Por su acción todo el cuerpo crece y se edifica en amor, sostenido y ajustado por todos los ligamentos según la actividad propia de cada miembro" (Efe. 4:14-16, NVI).

Considera: Lee Mateo 10, y enumera tres directivas específicas que Jesús dio que tenían por objeto consolar a sus discípulos y prepararlos para su misión.

V. Compartir a Dios

(*Mat. 16:18; 15:9; 1 Tim. 1:9, 10.*)

El apóstol Pablo explicó al joven Timoteo que la ley de Dios se dirige a quienes se comportan en forma contraria a la "sana doctrina" (1 Tim. 1:10). La palabra griega para *sana*, como la usa Pablo aquí, significa "ser saludable". Es la palabra de la que deriva el vocablo "higiene" (ver *CBA* 7:298).

Algunas personas bien intencionadas, y otras no tanto, añaden a la predicación del evangelio creencias engañosas. Estas doctrinas impuras, fabricadas por el hombre, son las que Jesús denuncia como "mandamientos de hombres" (Mat. 15:9).

Considera: Pablo decidió anclar su predicación en Jesús (1 Cor. 2:2). ¿De qué modo el mensaje de Pablo a la iglesia de Corinto es similar, aunque diferente, de su mensaje a los pensadores paganos en el Areópago de Atenas (Hech. 17:16-21)?

PASO **3**
¡Practica!

Pregunta para reflexionar:

Pedro nos exhorta a estar siempre listos para dar, a cada persona, una razón por la esperanza que hay dentro de nosotros (1 Ped. 3:15). ¿Cuáles son dos maneras en que podemos compartir con nuestros compañeros de trabajo la esperanza que Cristo nos ha dado?

Pregunta de aplicación:

El llamado a ser testigos, primero en el lugar en el que vivimos actualmente, está establecido en Hechos 1:8. No obstante, Internet y otros medios electrónicos han encogido al mundo, por así decirlo, permitiendo que una sola persona sea un testigo a escala global. ¿De qué maneras podemos usar la tecnología para compartir a Jesús?

Pide a tu clase que lea el capítulo 25 de *El Deseado de todas las gentes*, "El llamamiento a orillas del mar". Pídele a Dios el poder de su Espíritu para aceptar de nuevo el llamado que Jesús te hace para el discipulado y el servicio.

Si te preguntabas qué regalar
a tus familiares y amigos,
ya tienes la respuesta:

Este juego de tres libros
escrito por tres de los autores
adventistas contemporáneos
más reconocidos.

HONRO
A LOS QUE ME
HONRAN
Todo o nada para Dios

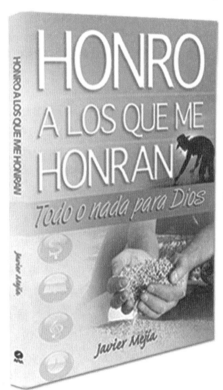

Cada capítulo expresa el sentido profundo de la mayordomía, como la administración de los dones concedidos por Dios a cada uno de nosotros. Una herramienta ideal para fijar en el corazón de todos los creyentes el principio de que la fe sin obras es muerta.

Palabras clave de la fe cristiana

Reinder Bruinsma

APIA

GEMA EDITORES

Título de la obra original en inglés:
Key Words of the Christian Faith
Copyright © 2008 Original Edition by Review and Herald Publishing Association
Spanish language edition published by permission of the copyright owner.

TRES EN UNO
es una coproducción de

APIA
Asociación Publicadora Interamericana
2905 NW 87 Ave. Doral, Florida 33172 EE.UU.
tel. 305 599 0037 – fax 305 599 8999
mail@iadapa.org – www.iadapa.org

Presidente	**Pablo Perla**
Vicepresidente Editorial	**Francesc X. Gelabert**
Vicepresidente de Producción	**Daniel Medina**
Vicepresidenta de Atención al Cliente	**Ana L. Rodríguez**
Vicepresidenta de Finanzas	**Elizabeth Christian**

GEMA EDITORES
Agencia de Publicaciones México Central, A.C.
Uxmal 431, Colonia Narvarte, Del. Benito Juárez, México, D.F. 03020
Tel. (55) 5687 2100 – fax (55) 5543 9446
ventas@gemaeditores.com.mx - www.gemaeditores.com.mx

Presidente	**Erwin A. Gonzeslez**
Vicepresidente de Fianzas	**Irán Molina A.**
Vicepresidente de Producción	**Alejandro Medina V.**

Traducción
Félix Cortés A.

Edición del texto
J. Vladimir Polanco

Diagramación
M. E. Monsalve

Copyright © 2009
Asociación Publicadora Interamericana

En esta obra las citas bíblica han sido tomadas de la versión Reina-Valera, revisión de 1960 (RV60) y de la revisión de 1995 de la Reina-Valera (RV95), ambas de las Sociedades Bíblicas Unidas. Cuando se usa la Nueva Versión Internacional de la Sociedad Bíblica Internacional se indica con las siglas NVI. Otras versiones usuales son: la Biblia de Jerusalén (BJ) de la Editorial Desclée de Brouwer, la Nueva Biblia Española (NBE) de Ediciones Cristiandad, la Nueva Reina-Valera (NRV) de la Sociedad Bíblica Emanuel. En todos los casos se ha unificado la ortografía y el uso de los nombres propios de acuerdo con la RV95.

ISBN 10: 1-57554-722-8
ISBN 13: 978-1-57554-722-0

Impreso y encuadernado por
3 Dimension
Doral, Florida, EE.UU.

Printed in USA

1ª edición: enero 2009

Contenido

Prefacio

S e cuenta que durante una visita al Departamento de Teología de la Universidad de Chicago, Karl Barth, el famoso teólogo alemán, dio una conferencia de prensa. Un periodista le preguntó:

—Si se le pidiera que resumiera la esencia de la fe cristiana, ¿qué diría usted después de su larga carrera de estudio de la Biblia?

Con frecuencia los estudiantes de teología se han sentido grandemente consternados ante la densidad de muchos de los escritos de Barth, pero en esta ocasión no hubo nada complicado en lo que dijo:

—Todo se reduce a esto: Jesús me ama, yo lo sé. Porque la Biblia lo dice.*

Quizá eso debería ser todo lo que yo dijera. Porque todos los intentos de resumir la esencia de la fe cristiana están, en cierto sentido, condenados al fracaso. La fe cristiana es tan profunda y rica, que ningún libro puede hacerle justicia. La mente humana debe admitir de la manera más humilde que Dios y su plan de salvación son verdades de un orden tal que la razón humana y el lenguaje finito no pueden tratar adecuadamente. Y sin embargo, Dios, en su gracia, nos ha revelado lo suficiente para que podamos establecer una relación significativa con él, y nos invita a continuar escudriñando su Palabra en busca de los tesoros que contiene para que de este modo podamos crecer firmemente «en la gracia y el conocimiento de nuestro Señor y Salvador Jesucristo» (2 Ped. 3: 18). Por lo tanto, es posible que el esfuerzo para tratar de resumir algunos de los elementos clave de nuestra fe tenga un propósito útil. Puede sacar a la luz algunos aspectos en los que algunos de nosotros

---

* Leí esta historia por primera vez en Philip Yancey, *What's so Amazing About Grace?* (Grand Rapids: Zondervan Publishing House), p. 97.

no habíamos pensado antes, y puede ayudarnos a ver algunas cosas en una forma más clara.

Cuando me senté a escribir la Guía de Estudio de la Biblia para Adultos acerca de las Palabras clave de la fe cristiana, estaba limitado, por el mismo hecho de que la Guía debía consistir de solo 13 estudios, en el número de palabras que podía elegir. Me habría gustado mucho incluir uno o dos conceptos vitales más. La elección final era, debo admitirla, muy subjetiva. Mientras preparaba este libro complementario tuve que seguir el patrón o modelo de la Guía de Estudio de la Biblia con, lo digo una vez más, las mismas limitaciones.

Habría sido más fácil escribir un pequeño libro acerca de cada uno de los trece temas que limitarme a menos de cuatro mil palabras por cada tema. Cada capítulo solo podía tocar algunos aspectos. Los lectores notarán que tiendo a formular muchas preguntas. Tengo la esperanza de que algunas de ellas servirán de inspiración para que otros se decidan a estudiar más por ellos mismos. Tengo la esperanza, sin embargo, de haber tenido éxito al mostrar que, a pesar de todas las preguntas que con tanta frecuencia nos desconciertan, tenemos algunas respuestas sólidas que nos proporcionan un firme fundamento para nuestra fe.

El esfuerzo por escribir este libro me ha obligado, una vez más, a pensar intensa y estructuradamente sobre mi fe como cristiano adventista del séptimo día. He considerado como un privilegio escribir este trabajo. Pido a Dios que mis lectores, no solo se sientan alentados a hacer muchas preguntas, sino que también encuentren las respuestas y experimenten la gloriosa seguridad de la salvación.

Reinder Bruinsma
Países Bajos (Holanda)

Capítulo uno

Amor

> «*"Dios es amor" está escrito en cada capullo de flor que se abre, en cada tallo de la naciente hierba. Los hermosos pájaros que llenan el aire de melodía con sus preciosos cantos, las flores exquisitamente matizadas, que en su perfección perfuman el ambiente, los elevados árboles del bosque con su rico follaje de viviente verdor, todos atestiguan el tierno y paternal cuidado de nuestro Dios y su deseo de hacer felices a sus hijos*».
>
> Elena G. de White*

«*Todo lo que necesitas es amor*». Han pasado más de cuarenta años desde que los cuatro jóvenes de la ciudad británica de Liverpool cantaron por primera vez este famoso verso. Hasta hoy, la generación postmoderna conoce esas palabras, y siempre que algo trae el recuerdo de los Beattles, surge de nuevo este verso. Ha sido tocado, cantado, tarareado, bajado de internet y escuchado en la radio por millones de jóvenes, pero también por hombres y mujeres no tan jóvenes, alrededor del mundo. Pero, ¿cuántos se han detenido a reflexionar cuidadosamente en esas palabras? ¿Son realmente verdaderas? ¿Puede el amor, de verdad, hacerse cargo de todas nuestras necesidades? ¿Seremos capaces de hacerle frente a cualquier desafío que se nos

---

* *El camino a Cristo*, p. 15.

presente siempre que tengamos amor en nuestras vidas? ¿Es el amor el único elemento esencial para una existencia feliz y satisfactoria?

Si la frecuencia de su uso determinara su lugar en la escalera del significado, la palabra «amor» tendría muy buenas posibilidades de colocarse en la cumbre. O quizá no tanto. Es posible que la palabra «sexo» y otros términos relacionados con este tuvieran una mejor cotización. Esta cotización se elevaría aún más si incluimos los pensamientos que no han sido expresados por nuestras palabras. Los investigadores han sugerido que el hombre occidental promedio piensa en el sexo, en una forma u otra, cada cincuenta y dos segundos. Al parecer las mujeres no están muy obsesionadas con el sexo como los hombres, pero sus mentes también se vuelven con frecuencia al tema del sexo (en promedio, en su período fértil, piensan en esto varias veces al día). Es posible que no podamos fundamentar en realidad esas cifras, pero para muchos las palabras «amor» y «sexo» son casi intercambiables, y cuando repiten las palabras escritas por John Lennon («todo lo que necesitas es amor») en realidad quieren decir, «todo lo que necesitas (y quieres) es sexo».

Una inmensa confusión rodea el tema del amor, y mucho de lo que lleva la etiqueta del amor tan casualmente adjudicada no merece ese nombre. Con frecuencia, lo que muchos llaman amor es, en realidad, tan solo lujuria y un incontenible deseo sexual que se revela en un sin número de formas. Muchas veces no tiene nada que ver, o tiene muy poca relación con el sentimiento genuino y la verdadera atracción, pues su fundamento es la gratificación egoísta de urgencias biológicas constantemente reforzadas por los medios masivos de comunicación y la cultura popular. En muchos casos, el amor no es más que *yo: mi* poder, *mis* posesiones, *mis* impulsos, *mis* objetivos y ambiciones; y nada más.

El amor en el esquema divino de las cosas

Yo no sé cuánto sabían los Beatles sobre la Biblia o en cuanto la religión cuando cantaron «todo lo que necesitas es amor», y si se dieron cuenta de que sus palabras expresaban una verdad religiosa de vital importancia. Porque estas breves palabras parecen ser un eco, aunque usted no lo crea, de lo que uno de los grandes fundadores del cristianismo, el apóstol Pablo, escribió a los creyentes de la ciudad griega de Corinto. Él hizo una pequeña lista de los elementos fundamentales de la verdadera vida cristiana: la fe, la esperanza y el amor. En muchos de sus escritos enfatizó la importancia de tener *fe*. La fe en Cristo Jesús es una condición para ser recibir la salvación (Rom. 1: 17). Y también no quiere que haya incomprensión alguna en cuanto al papel fundamental que juega la *esperanza* en la experiencia del cristiano (2 Tim. 1: 12). Pero, cuando todo queda dicho y hecho, no hay nada más importante que el *amor* (1 Cor. 13: 13). Sí, dice Pablo, «todo lo que necesitas es amor». De hecho, todo lo demás está envuelto en el paquete del verdadero amor cristiano.

Aunque Pablo dedica al tema del amor todo el capítulo trece de su primera Epístola a los Corintios, en palabras que han inspirado a millones de discípulos de Cristo a través de los siglos, la esencia de lo que escribió no era totalmente nueva. Su Señor expresó el mismo principio cuando les dijo a sus seguidores: «Y amarás al Señor tu Dios, con todo tu corazón, y con toda tu alma, y con toda tu mente y con todas tus fuerzas» (Mar. 12: 30). Y tampoco Cristo había sido absolutamente original en lo que dijo. En realidad, él simplemente estaba citando algunas palabras que ya habían estado escritas en el Antiguo Testamento (Deut. 6: 5).

No obstante, muchas personas aún cuando tienen un conocimiento limitado de la Biblia son capaces de citar el famoso texto del amor que se encuentra en el tercer capítulo del Evangelio de Juan. Es probable que este sea el versículo bíblico más conocido y citado: «Porque de tal manera amó Dios al mundo, que ha dado a su Hijo unigénito, para que todo aquel que en él cree, no se pierda, mas tenga vida eterna» (vers. 16). Y muchos recordarán también las palabras finales de otro texto de la Biblia muy conocido: «Dios es amor» (1 Juan 4: 8). Nada tiene más importancia en la escala divina de valores que el amor.

El amor de Dios viene primero

Sin lugar a dudas, el amor es la clave absoluta del vocabulario cristiano. Pero hemos de asegurarnos de tener las cosas en su orden correcto. La Escritura nos dice que, para ser un verdadero seguidor de Cristo, debemos amar a Dios con todo nuestro corazón, con toda nuestra alma, y con todo nuestro intelecto (Mar. 12: 30). En otras palabras, debemos amarlo con todo nuestro ser. ¿Cómo podemos hacer eso? ¿Esto llega de forma *natural* al cristiano? O, ¿podemos *aprender* cómo amar a Dios? ¿Captamos eso de alguna manera mientras asistimos a la iglesia? ¿Viendo programas religiosos en la televisión o escuchándolos en la radio?

¿O escuchando música religiosa al viajar en el automóvil? ¿O pueden los niñitos que cantan el corito «!O cuánto le amo!» enseñarnos una o dos característica de ese amor?

Desde el principio necesitamos tener esto en mente: No es la manera como los seres humanos se aman la que nos enseña cómo ha de ser nuestro amor por Dios. Es, más bien, precisamente lo contrario. La manera como Dios nos ama, nos enseña la forma en que debemos responder a su amor. Le confiere a nuestro amor humano una dimensión que no tendríamos si no conociéramos el amor divino. Cualquier tipo de amor que seamos capaces de generar, finalmente es el resultado de que él «nos amó primero» (1 Juan 4: 19).

El amor de Dios difiere del nuestro en que él ama infinitamente, indiscriminadamente, incondicionalmente y altruistamente. El Señor no comienza a amar bajo la premisa de que habrá una respuesta si es que ha de seguir amando. Él no opera sobre la base de que amará a algunas de sus criaturas más que a otras, sencillamente porque algunas resultan más amables que otras. Y tampoco está su amor sujeto a cambios repentinos de humor. «Jehová se manifestó a mí hace ya mucho tiempo, diciendo: "Con amor eterno te he amado, por tanto, te prolongué mi misericordia"» (Jer. 31: 3). Estas son palabras maravillosas. ¡Y nos proporcionan una gran seguridad!

Dios ama en formas que a nosotros nos resultan difíciles de comprender. Su amor no es negociable. El Señor no dice: «Escuchen, si se portan bien conmigo, yo los amaré» Dios ya nos amaba antes de que viniéramos a este mundo, cuando no estábamos más que en su infinita base de datos como criaturas que él sabía que algún día les daría el aliento de vida. Ahora él nos ama mientras vivimos nuestra corta vida sobre la tierra, sea que lo busquemos o lo rechacemos, y continuará amándonos cuando durmamos el sueño de la muerte y estemos seguros en su memoria. Es el tipo de amor reflejado en el amor de Cristo por sus discípulos. Cristo demostró amor hacia sus discípulos amándolos «hasta el fin» (Juan 13: 2). Este amor incluyó a Judas aún cuando el Señor sabía que pronto lo iba a traicionar. Jesús continuó amando a Judas. ¡Me pregunto si podría decir, en cierta forma, que Dios todavía continúa amando al diablo!

El amor de Dios es un don *puro* de amor. Él dio a su Hijo unigénito. «El amor y la fidelidad se hicieron realidad en Jesús Mesías» (Juan 1: 17

Nueva Biblia Española). Nos amó tanto que dio... y su don continúa derramándose, ilimitado e irrestricto. El Señor ama al universo y a todos aquellos mundos de los cuales nosotros no sabemos nada. Él ama a nuestro mundo, ama a cada integrante de este planeta. Y aunque llegará el tiempo cuando juzgará y tendrá que «destruir» a aquellos que le negaron la oportunidad de morar en ellos, su amor no se detendrá. Incluso su juicio no está desligado de su amor, ni es una inversión o revocación de su amor. Y si a veces necesita ser duro con nosotros, es simplemente porque no quiere darse por vencido con nosotros. Porque el Señor «al que ama disciplina, y azota a todo el que recibe por hijo» (Heb. 12: 6). Todas sus acciones están envueltas en el ropaje del amor eterno.

Amor humano con un ribete de amor divino

Todo amor verdadero que seamos capaces de dar «es de Dios» (1 Juan 4: 7). Gracias a Dios (literalmente) porque podemos amar. Dios es amor, y él nos hizo a su imagen. Él nos ha diseñado y construido con la capacidad de amar como él ama. Eso no significa que nuestro amor puede *igualarse* con el amor de Dios. Pero sí significa que podemos amar en una manera que *semeje* el amor divino. Nuestro amor es, y siempre será, finito, parcial, temporal, imperfecto. No puede ser comparado con el amor de Dios. Ni siquiera hemos de decir que el amor de Dios es más grande que nuestro amor, porque no hay ninguna comparación que sea posible entre los seres humanos finitos y el amor que somos capaces de dar, y el todopoderoso, omnisapiente, omnisciente, omnipresente, santo, y perfecto Dios y su amor. Sin embargo, nuestro amor, por imperfecto que sea, puede adquirir ribetes divinos.

Nosotros amamos en diferentes maneras. El idioma original del Nuevo Testamento (el griego) usa cuatro palabras diferentes para referirse al amor. Una de esas palabras es *agape*. *Agape* es la clase más elevada de amor. La Escritura la emplea para referirse al amor supremo de Dios por nosotros, y también la utiliza para expresar el amor humano altruista (o tan libre de egoísmo como es humanamente imposible) hacia Dios o hacia un elevado ideal. Otras palabras expresan el amor por el cónyuge, incluyendo el amor sexual, y nuestro amor por los padres y los niños, por un amigo, y por las cosas. Eso ya indica por ello mismo que nosotros amamos en diferentes maneras y en diferentes niveles. Pero cualquiera que sea el tipo de amor que seamos capaces de dar, debe ser un amor tocado por el amor de Dios si es que ha de ser un amor que corresponda a los seguidores de Cristo. Consideremos con un poco más de detenimiento las diferentes formas en que ama el ser humano.

Amor por el cónyuge. De todas las relaciones, los lazos que unen a un esposo y a una esposa es la más maravillosa. Ese amor por el cónyuge tiene su origen en el Edén. El Creador lo convirtió en el patrón social fundamental de su creación. Y todavía sigue siendo tan precioso que la Escritura utiliza la relación matrimonial como una metáfora para referirse a la relación entre Cristo y su iglesia. Eso, en sí mismo, ha de advertirnos contra la corriente que existe en nuestra sociedad occidental de desacreditar el matrimonio, o de considerar el matrimonio heterosexual simplemente como una opción entre varias como modelos sociales aceptables.

Hallar un compañero de amor para la vida, enamorarse y permanecer enamorado hasta que «la muerte nos separe», está, al parecer, lejos de ser fácil. Porque el porcentaje de relaciones matrimoniales que fracasan miserablemente o terminan en el divorcio es abismalmente alto. En los Estados Unidos al menos un tercio de todos los matrimonios terminan en el divorcio, y Europa está alcanzándolos rápidamente. Incluso dentro de la iglesia las tazas de divorcio no son muy bajas en el día de hoy.

¿Por qué tantos matrimonios fracasan? Una razón es que muchos entran al matrimonio sin estar preparados. Una cantidad enorme de personas que se atan el nudo matrimonial simplemente no están listas para asumir las responsabilidades que son parte y parcela del matrimonio. Muchas veces no se han preguntado a sí mismos, o a otros, la cuestión fundamental de si son o no suficientemente compatibles para vivir juntos y felices para siempre. Atarse el nudo cuando usted tiene muy poco o nada en común, es avocarse al fracaso desde el mismo principio.

Una de las razones más comunes por la cual muchos matrimonios no permanecen unidos es porque están fundamentados en falsas expectativas. Deseamos que nuestro cónyuge esté cerca de la perfección. Los medios masivos de comunicación nos bombardean con imágenes de cómo debe ser la figura del compañero/a perfecto/a. Y es importante que no solo se conformen con las normas de lo que la sociedad actual considera bello o sexy el día de la boda. También esperamos que nuestro cónyuge permanezca atractivo durante muchos años, con o sin cirugía cosmética y otras intervenciones quirúrgicas. Nuestros cónyuges deberían tener prestigiosos empleos, pero también ser eficientes en todo lo que necesita hacerse en el hogar. Han de ser innovadores e incansables compañeros sexuales. Y, por supuesto, nuestro cónyuge tiene que ser nuestro amigo y compañero, y cuando llegue el momento de tener niños, han de ser perfectos padres.

Todo esto no es malo. ¿A quién le gustaría volver a los viejos tiempos cuando los matrimonios eran más bien transacciones comerciales, y la gente primariamente buscaba y encontraba el romance en una relación extramarital? ¿Y qué persona occidental quisiera cambiar a una cultura donde el patriarca todavía arregla los matrimonios, o donde uno debe expresar el valor de su futura esposa en términos de cierta cantidad de cabras o vacas? Y en las cuales la incapacidad para producir prole reduce la posibilidad de éxito matrimonial a prácticamente nada de nada.

¿Por ahora ve usted un patrón? La gente que nos rodea puede referirse a sus relaciones como una relación de amor; pero, ¿qué tipo de amor es este? En muchos casos no es un «don de amor», sino un «toma amor» u «obtén amor». Para muchos sus propias necesidades vienen primero. Si no se suplen esas necesidades, sobreviene la frustración y la falta de realización. ¿Qué caso tiene continuar con una relación, dirán muchos, cuando usted no se siente realizado y no se cumplen sus expectativas? ¿Para qué continuar, cuando el pensamiento «¿y esto es todo lo que hay?» sigue dándole vueltas en la cabeza? ¡Mejor desertar y luego tratar otra vez antes de que se le pasen las oportunidades!

¿También ve usted que en este tipo de relaciones falta el ribete divino? A menos que el amor por el cónyuge sea primariamente un «don de amor», y a menos que ambos cónyuges intenten lograr la felicidad o la realización del otro y busquen los verdaderos valores que estén mucho más profundos que la piel, y no dependan de lo que ocurra para ser moderno, las posibilidades de que la relación sobreviva serán muy pocas. Sin embargo, las posibilidades se incrementan maravillosamente cuando el amor que Dios nos otorga se refleja en el amor mutuo que hemos descubierto en nuestro compañero y en nosotros. El amor con un ribete divino es el amor que siempre se está profundizando en mí y en la persona a la cual estoy intentando hacer feliz y que hará a su tiempo todo lo posible por hacerme feliz.

Ese tipo de amor no será «eterno» como el de Dios, pero tiene muchas posibilidades de permanecer, especialmente cuando ya no estamos en la primavera de la vida y cuando ya no tenemos mucha energía como la que teníamos el día de nuestra boda. Sea que Pablo haya tenido o no experiencia matrimonial, sus palabras registradas en Efesios 5 todavía nos proporcionan un excelente consejo: «Las casadas estén sujetas a sus propios maridos como al Señor» (Efe. 5: 22). Si leemos este pasaje de una forma superficial, difícilmente encontraremos en estas palabras indicaciones que nos gustarían repetir a principios del siglo XXI. Pero note que no nos estamos refiriendo simplemente a una sumisión ciega, como si estuviéramos hablando de tres o cuatro generaciones anteriores. Observe la forma en que Pablo cualifica esa sumisión. Estamos analizando una relación que está modelada según las relaciones que tenemos con Cristo, una idea que también expresó en el siguiente consejo: «Maridos, amad a vuestras mujeres, así como Cristo amó a la iglesia». Ambas declaraciones dicen básicamente lo mismo: Ponga a Dios dentro de su relación matrimonial (y manténgalo allí). La fidelidad, el perdón, y la paciencia se convierten entonces en factores clave para ser felices y superar los inevitables obstáculos. Usted incrementa inmediata y maravillosamente las posibilidades de que su relación sea feliz y duradera, cuando su amor está adornado con un ribete divino.

Amar a sus hijos y a su familia/padres. El estado de la familia en el mundo occidental ya no es el que solía ser. Eso es cierto, incluso tomando en cuenta la amplia tendencia a creer que en el pasado la mayoría de las cosas, casi por definición, eran mejores de lo que son hoy. Durante el siglo XX la familia media se hizo más pequeña y cambió gradualmente de una familia más extendida a una familia nuclear de dos generaciones: Los padres y sus hijos. Más recientemente nuestra sociedad ha visto drásticos cambios. En muchos países occidentales los hijos tienden ahora a vivir en su hogar durante más tiempo que en el pasado. Pero esa no es la transformación más significativa. Un alto porcentaje de familias, son familias de padres solteros. Muchos niños van constantemente de la casa de su padre a la de su madre. Los estudios estiman que los divorcios afectan de una u otra manera al sesenta por ciento de todos los niños. El tamaño de los servicios sociales continúa aumentándose a medida que los niños y las madres que han sido objetos de abuso demandan niveles muy elevados de atención.

No es exagerado decir que la familia está en problemas. Para muchos hijos respetar a sus padres es una dura y espinosa obligación. Tampoco hemos de olvidar que muchos padres, debido a su conducta, han impedido que sus hijos los honren. De igual manera, muchos padres sienten que hay límites para el amor que pueden darles a sus hijos, especialmente cuando, en la adolescencia, sus retoños hacen lo que Dios y ellos mismos les han prohibido. La triste realidad es que muchísimas familias se separan, con el resultado de que los niños son alejados de sus padres y estos de sus hijos, y los hermanos y hermanas ni siquiera se hablan por teléfono durante años. Con demasiada frecuencia los funerales son las únicas ocasiones cuando los parientes e incluso los miembros de la familia se encuentran por un breve momento.

Por supuesto, con esto no queremos decir que toda la dicha familiar ha dejado de existir. Por fortuna, muchos niños todavía adoran a sus madres y a sus padres, y aseguran firmemente que tienen los mejores padres y las mejores madres del mundo. Un gran grupo de adultos continúan amando a sus padres y cuidan de ellos, más allá de lo que llamaríamos el deber filial «normal». Millones de familias totalmente felices, que hacen muchísimas cosas juntas, irradian esa clase de solidaridad e intimidad que son la envidia de su vecindario. Y una gran cantidad de hermanos y hermanas siguen estando íntimamente relacionados durante toda su vida. De modo que no todo está perdido y aún hay mucho amor en circulación.

¿Qué es lo que hace la diferencia? Una vez más es el ribete divino a este amor. El amor por los padres, por los hijos, por los parientes, debe modelarse según el amor del Gran Padre hacia sus hijos y según el amor del Gran Hermano, quien llegó a ser el amor en persona cuando caminó entre nosotros. Es básicamente este «don de amor» el que hace la diferencia: el amor que da y perdona; el amor que mira primero el interés de los demás; el amor que conoce el verdadero sacrificio. Es en la medida en que estos valores cristianos se incorporan en nuestra vida familiar, que la felicidad se pone a nuestro alcance. Muchos no cristianos voluntaria o involuntariamente operan mediante las reglas «cristianas» y se benefician enormemente por ellas. Y muchos cristianos hacen lo mismo. Una gran cantidad de seguidores de Jesús, por otra parte, serían muchísimo más exitosos en el manejo de sus relaciones familiares si de verdad practicaran los principios del amor cristiano y se aseguraran de que su amor tiene el ribete del amor divino.

¡Respete a sus padres! ¡Ame a sus hijos! Trate a sus parientes como le gustaría que lo trataran a usted. Esto puede llegar a ser algo que resulte casi natural. Por otra parte, circunstancias particulares pueden hacer de esta una orden difícil de cumplir. Pero si permitimos que el amor de Dios sea el modelo de nuestro amor y le pedimos ayuda para amar en una forma similar, libre de egoísmo, obrará maravillas en nuestro favor

Ame a sus amigos. Con regularidad es más fácil amar a los amigos que a la familia. Después de todo, usted puede seleccionar a sus amigos, pero por lo general, tiene muy poquita influencia, si es que tiene alguna, sobre quiénes serán sus padres, sus hermanos y sus hermanas. Pero existe una gran diferencia entre los así llamados amigos y los verdaderos amigos. Cuando alguien se jacta, diciendo: «Tengo muchos amigos», en muchos casos lo que en realidad dice es que tienen algunos conocidos cuyos nombres completos no siempre puede recordar. La amistad genuina requiere de una mayor inversión de uno mismo. Para muchos, la amistad no es más que trabajo en equipo. Uno necesita «amigos», especialmente en los lugares (elevados) correctos. Pero no son del tipo de amigos que uno puede amar más que a un hermano (Prov. 18: 24).

Es importante tener amigos. Vivimos en diferentes clases de relaciones sociales que son mayormente funcionales. Por lo general tenemos superiores, y muchos de nosotros tenemos subordinados. Se espera que estemos en buenas relaciones con ellos, pero ellos no son necesariamente nuestros amigos. Los amigos le proporcionan a nuestra vida una dimensión inmensamente valiosa. Los amigos hablan. Los amigos escuchan. Los amigos dan apoyo. Tienen tiempo para nosotros, y si no tienen tiempo, lo hacen. Ellos ríen con nosotros y lloran con nosotros. Ellos nos animan o nos dicen lo que nos parecen terribles boberías. Los amigos cristianos también oran por nosotros y con nosotros. A veces nos desilusionan. Pero la verdadera amistad puede sobrevivir.

El amor de Dios por nosotros tiene una sublime cualidad de amistad. Cristo dijo a sus seguidores en nombre de su Padre: «Os he llamado amigos» (Juan 15: 15). Tal amistad implica infinitamente más que compartir nuestra dirección electrónica o número telefónico. Implica identificación de intereses y aspiraciones. La verdadera amistad con el ribete divino es «don de amor» en su forma suprema.

Ame a los animales. Todos los animales, grandes y pequeños, «brillantes y hermosos», tienen una cosa en común: «El Señor Dios los hizo a todos» nos dice James Herriot. Los animales son mucho más que artículos de consumo que podemos explotar a nuestro gusto y conveniencia o por placer. Como mayordomos de la creación de Dios tenemos un deber especial con respecto al cuidado de los animales. La gente ha domesticado todo tipo de animales para el trabajo y para el placer. Está bien, siempre que tratemos a los animales humanamente. Muchas personas no solo tienen animales, sino que los *aman*. No hay nada erróneo en esto, dado que no los tratan a la par de los seres humanos. «El amor» por un gato, un perro o alguna otra mascota, puede conducir a una relación emocional malsana. Antes de juzgar duramente, sin embargo, debemos comprender que es un hecho muy triste que muchas personas de nuestra sociedad el único contacto que tienen es con sus mascotas, y se sienten tan solitarios que aman a sus mascotas simplemente porque no tienen a nadie que aprecie su amor.

¿Tiene el amor de Dios por nosotros alguna relación con nuestro respeto y cuidado por los animales? Solo en cierto sentido. El amor es racional, y no puede haber una relación entre un ser humano y una mascota que pueda compararse con la que existe entre Dios y nosotros. Sin embargo, incluso nuestro «amor» por los animales puede tener un ribete divino. Cuando comprendemos que somos custodios y mayordomos de la creación de Dios, tenemos una nueva dimensión en nuestro amor y cuidado por los animales. Esto se extiende más allá de la vida animal, a todas las cosas «hermosas y brillantes» de la naturaleza, así como (usando las palabras de Elena G. de White) «en cada tallo de la naciente hierba» que tiene las palabras «Dios es amor» escritas en ella.

Amor por las cosas. Incluso nuestro amor por las cosas puede ser modelado por el amor de Dios por nosotros. El amor por las cosas, tanto materiales como inmateriales, puede deteriorarse fácilmente y convertirse en codicia y egoísmo. Las cosas (objetos o proyectos) pueden convertirse fácilmente en ídolos. Incluso las grandes ideas pueden ponerse al servicio de nuestro yo inflado. El amor por el dinero sigue siendo la mayor amenaza para nuestro bienestar espiritual. Es de acuerdo con el apóstol Pablo, «la raíz de todos los males» (1 Tim. 6: 10). El amor por nuestro automóvil, nuestra casa, nuestro jardín, nuestro pasatiempo favorito y nuestra feligresía en el Club de Leones de nuestra localidad no es erróneo en sí mismo. De hecho, todas estas cosas pueden fortalecer nuestra felicidad. Pero solo en la medida en que permanezca un ribete divino incluso en este tipo de «amor», y siempre que no nos centremos tan solo en *obtener* (para no mencionar el *tomar*), sino haciendo siempre el dar parte de la ecuación.

El amor por la iglesia. Tocaremos el tema de nuestro «amor» por la iglesia en otro capítulo. Si alguna vez debe haber un ribete del amor divino en nuestro amor, es con respecto a nuestras relaciones con la comunidad de creyentes de Dios. «El «amor dar» y no el «amor obtener» define los privilegios y responsabilidades del miembro de la iglesia.

Amor por todo lo que somos y tenemos. «Todo lo que necesitas es amor». Suena fácil. Y en cierta medida es fácil, por ser tan ricamente bendecido, no hay otra cosa más natural que responder con amor espontáneo. Pero hay mucho más que eso. Amar puede ser una tarea sumamente difícil. Siendo que implica todo lo que somos y tenemos, nuestro corazón (nuestras emociones), nuestra mente (nuestro intelecto) y nuestra alma (nuestro ser), puede ser intenso. Amar requiere nuestra disposición a poner nuestros talentos y nuestras capacidades al servicio de Cristo. Y podemos estar seguros de que en algún momento nos exigirá un sacrificio.

Para profundizar más nuestra experiencia cristiana no es cuestión de aprender a trabajar más duro, o de llegar a ser más listos cuando argüimos con relación a temas bíblicos, sino más bien aprender a amar con más plenitud. Es cuestión de reemplazar «el amor que toma» con «el amor que da», y así exhibir el tipo de amor «que es de Dios» (1 Juan 4: 7). Pablo oró por los cristianos de Tesalónica: «Que el Señor encamine vuestros corazones al amor de Dios» (2 Tes. 3: 5). Es lo mismo por lo cual debemos orar continuamente, orar por una comprensión cada vez más profunda del maravilloso «don de amor» de Dios.

Capítulo dos

Fe

«Ciertamente, la fe es un precioso tesoro de inestimable valor. No es superficial. El justo vivirá por la fe una vida como la de Cristo, verdaderamente espiritual. Es a través de la fe que se suben los escalones, uno a la vez, en la escalera del progreso. La fe debe ser cultivada. Une a la naturaleza humana con la naturaleza divina».

Elena G. de White*

L a fe es una palabra que tiene diferentes matices de significado. Hablamos, por ejemplo, de la fe cristiana, o más específicamente, de la fe católica, la fe bautista o la fe adventista, etc. Cuando se usa en ese sentido, la palabra fe se refiere a un conjunto de doctrinas o a una serie de creencias. Aquellos que se adhieren a la fe cristiana son miembros de una iglesia cristiana o se consideran como miembros, en mayor o menor grado, de la tradición cristiana. Esta expresión también puede usarse en su forma plural. Por ejemplo, existen diferentes tipos de fe; comunidades de fe o sistemas religiosos.

Este capítulo no usará la palabra «fe» como un término que ayuda a clasificar personas de acuerdo a sus convicciones religiosas, sino en su significado más profundo, donde solo podemos emplearla en el singular. Pensaremos en la fe como un don que está dentro de nosotros, como confianza. Desde ahora admito que no es fácil encontrar una definición

---

* Elena G. de White, *Our High Calling*, p. 67.

de fe que sea satisfactoria y que pueda considerarse final y definitiva. La confianza puede tener diferentes gradaciones. Podemos confiar en las cosas o en el clima. Yo tengo fe en el puente que cruzo o en el motor de mi automóvil. Yo veo las noticias en la televisión y puedo decidir confiar en los pronósticos del tiempo (al menos hasta cierto grado). Puedo confiar en mí y en mis propias capacidades (que sea sabio o no hacerlo, es otro tema). Puedo poner mi confianza en mis amigos y en mis colegas, en mis hijos y en mi esposa. No es difícil ver que la confianza en mi hijo o mi hija opera en un nivel diferente que la confianza en el horario del tren. Cuando confío en una persona el aspecto de la relación entra en el cuadro.

La fe en Dios es confianza relacional en su nivel más elevado. No es creer, primariamente, en algunas verdades relacionadas con Dios, sino creer en Dios (quien es absolutamente digno de confianza) y entrar en una relación íntima con él. La palabra «fe» y su forma relativa «fiel» aparecen más de seiscientas veces en la Biblia. El autor de la Epístola a los Hebreos nos proporciona, sin embargo, el único ejemplo en el cual la Escritura intenta dar una definición de esta palabra. Fe, de acuerdo con esta descripción, es «la certeza de lo que se espera, la convicción de lo que no se ve» (Heb. 11: 1).

De modo que la fe, en su pleno significado bíblico, es una certeza interna sobre la cual uno puede basar una relación íntima. Es mucho más que tener confianza en un libro, aunque ese libro se llame la Biblia. Y es mucho más que tener confianza en una iglesia, aun si esa iglesia se llama Iglesia Adventista del Séptimo Día. La fe salvadora, el tipo de fe que en verdad cuenta, es confiar en el Dios viviente del universo y en su fiel cuidado por mí. La fe que identificará a los creyentes en la etapa final de la historia de este mundo como el pueblo remanente no es la fe en una larga lista de doctrinas, por muy importantes que sean, sino la fe en una *Persona*. Ellos expresan su lealtad y confianza en Dios a través de la observancia de sus mandamientos y *la fe de Jesús* (Apoc. 14: 12; 19: 10).

La fe como un don

Tener fe parece bastante natural, porque tenemos fe en todo tipo de cosas y, a menos que seamos extremadamente suspicaces y desconfiados ponemos nuestra fe en otras personas. Pocos de nosotros iríamos a ver al odontólogo si no confiáramos en su capacidad para encontrar lo que anda mal con nuestros dientes y después hacer algo al respecto. Y tampoco pondríamos una carta en el buzón si no tuviéramos un razonable grado de fe en el servicio postal, aunque mucha de esa fe es a veces puesta a prueba.

Pero cuando se trata de la relación más importante que uno pueda imaginar, la fe en Dios, muchos dirán que ellos simplemente no tienen esa fe y además no tienen la menor idea de lo que podrían hacer para «obtener» esa fe. «Obtener» es en realidad la palabra adecuada. Porque la fe no es el resultado de un trabajo arduo, de lecturas hasta altas horas de la noche o de una profunda meditación. La fe es más bien un don gratuito, por el cual no obtenemos ningún crédito personal (Efe. 2: 8). Eso no significa tampoco que la lectura y la meditación (y la oración en particular) no tengan lugar en el proceso de recibir el don de la fe. La fe dice Pablo viene por escuchar el mensaje de las Buenas Nuevas (Rom. 10: 17). De modo que cuando nos colocamos en una posición en la que podemos escuchar la Palabra de Dios, cuando escuchamos a un amigo leer la Biblia, o cuando visitamos una iglesia o abrimos la mente para encontrar a Dios en la naturaleza, todo eso hará más que probable que el don venga en su estela.

Algunos parecen resistir el don de la fe o quieren tenerlo solo en sus propios términos, es decir, sin intervención de nadie.

La fe tiene una cierta cualidad infantil (Sal. 116: 6; Luc.10: 21). Los niños no regatean cuando un regalo gratuito está al alcance de sus manos. Simplemente se lanzan hacia adelante para asirlo con ambas manos. Mantenerse abierto hacia el don es esencial. Pero aferrarse a él es también crucial. Porque usted puede perder su fe, tal y como les ha ocurrido a una gran cantidad de personas de las generaciones de ayer y de hoy en el mundo occidental. El deseo infantil por el don parece haber sido sustituido en gran medida por una flagrante y descarada desconsideración por algo simple, y por un deseo superficial de cosas que están más a la moda. Pero podría haber también buenas nuevas. En particular, entre la generación joven postmoderna la apertura interna por la religión está volviendo, y la fe está una vez más en la lista de deseos.

Fe y evidencia

La definición que se encuentra en el capítulo once de la Epístola a los Hebreos se refiere a la prueba. Fíjese que el texto no declara que tenemos una gran cantidad de excelentes ejemplos de fe de donde podemos sacar apoyo para corroborar la nuestra. Más bien, afirma que la fe misma es la prueba. Indica que las cosas que todavía no se ven, las cosas que están en otro reino, las cosas que son espirituales, se disciernen espiritualmente (1 Cor. 2: 14).

Sin embargo, la pregunta es: ¿Cuánta prueba tenemos para nuestra fe? ¿Tenemos un «firme fundamento» sobre el cual podemos edificar confiadamente? Sí, pero no importa cuán fuerte sea esta «fundamento», no es absoluto. Uno podría preguntar: ¿No es la Biblia una prueba inconmovible de nuestra fe en Dios? ¿No tenemos la palabra profética que es mucho más segura (2 Ped. 1: 9)? ¿No confirma «la arqueología» al «libro»? ¿No son los resultados de la arqueología bíblica suficientes para convencer a la más escéptica de las personas? ¿Y no continúan los grandes argumentos clásicos de la existencia de Dios proporcionando un formidable fundamento lógico que sigue siendo tan válido como siempre? ¿O se han convertido todas las verdades en algo totalmente relativo en el clima postmoderno de la actualidad?

Todas estas líneas de razonamiento siguen teniendo valor. Pero, en última instancia, no ofrecen una prueba absoluta e inconmovible. Nuestros estudios proféticos nos proporcionan grandes percepciones, pero ellos también nos dejan frecuentemente con preguntas sin respuestas. No todos los hallazgos de la arqueología bíblica se adaptan nítidamente a la cronología que hemos establecido, y a veces tenemos que decidir suspender nuestro juicio y permitir que los misterios permanezcan. Además, las grandes pruebas de la existencia de Dios pueden convencer a la gente en el sentido en que la lógica exige que haya un Dios; pero no los conducen automáticamente al Dios personal de Abraham, de Isaac, y de Jacob; el Dios al que conocemos como el Padre de nuestro Señor Jesucristo.

Enfrentemos el hecho: ¿Qué evidencia convincente puede haber del verdadero valor de una íntima relación humana? Del mismo modo, cuando tratamos de comprender las cosas que pertenecen al reino de lo divino, todas las comparaciones, en el mejor de los casos, se aplicarán parcialmente. Consideremos por un momento las relaciones entre una esposa y su esposo. Supongamos que estamos hablando de un matrimonio sólido y satisfactorio. Pero, ¿qué indiscutible prueba tienen estas dos personas de que su relación es real, y que es verdaderamente una relación de amor?

Escribo estas líneas en el cuarto de visitas de un colegio donde dicté algunas clases durante algunas semanas. Mi esposa se había quedado en casa. Nosotros nos comunicamos diariamente por correo electrónico y por teléfono. Si bien no albergo duda alguna de que mi esposa me ama y que no me engaña, ¿cómo puedo estar tan seguro de eso? Ella podría estar viendo a un amante en secreto en este mismo momento, sin ningún riesgo de que yo la descubra. Cuando vuelvo a casa y ella me dice que me ha echado de menos, bien podría estar fingiendo de manera muy convincente. O bien podría besarme, mientras sus pensamientos se imaginan a alguien a quien encuentra más atractivo y con quien le parece más agradable estar. Sin embargo, yo descarto todas estas posibilidades. Creo que tengo suficiente razones para pensar que ella continúa amándome. Tenemos una relación que no requiere ninguna verificación adicional. De hecho, si yo buscara otro tipo de evidencia absoluta, dañaría seriamente nuestra relación. Por ejemplo, yo podría emplear a un detective secreto para que vigilara a mi esposa mientras yo estoy ausente. El informe del detective puede ser totalmente convincente, pero no me gustaría compartirlo con ella. La misma existencia de ese documento de prueba dañaría gravemente las relaciones de confianza que existen entre nosotros.

Entiendo que la comparación es imperfecta, pero tiene una importante utilidad. Mi relación con mi esposa no necesita la prueba provista por un ojo privado. Más bien, yo conozco la realidad de la relación por experiencia, y no necesito más pruebas para convencerme de que el amor entre los seres humanos es un sentimiento real y maravilloso. La fe en Dios no necesita una prueba absoluta tampoco. La relación de fe entre nosotros y Dios es una prueba del amor divino que siempre continuará buscándonos.

Fe y razón

Muchos libros tienen títulos que combinan las palabras «fe» y «razón», e incontables conferencias y seminarios exploran la relación entre estos dos conceptos. Son parte de la antiquísima, y todavía no concluida, discusión relacionada con hasta qué grado podemos armonizar el contenido de la fe cristiana tradicional con los hallazgos de la «ciencia» moderna. Algunos argüirán que esta es una empresa inútil. La fe, dicen ellos, no funciona en el mismo plano que la ciencia, y que ambos campos se relacionan con su propio tipo de verdad. Muchos cristianos, incluso, se han vuelto suspicaces ante todos los esfuerzos intelectuales, y ante los resultados de la ciencia moderna. Tienden a separar la fe de la ciencia, diciendo: ¡Si lo que usted cree entra en conflicto con lo que usted aprende de la ciencia, elija la fe y abandone la ciencia!

Otros manifestarán vehementemente su desacuerdo. Sostendrán que la fe (teología podría ser en este contexto un mejor término) y los estudios de la ciencia son una y la misma realidad. Si bien pueden tener diferentes métodos y pueden trabajar con diferentes premisas, finalmente ambos tratan de descubrir más acerca de la misma verdad. Esta es una posición que sostienen la mayoría de los eruditos adventistas, aunque poco a poco muchos han llegado a percibir que nuestro conocimiento humano es tan fragmentario que debemos esperar que nos deje con muchas preguntas sin respuesta y, por lo tanto, no hemos de alarmarnos de inmediato si los hallazgos científicos del momento no parecen concordar perfectamente con nuestras posiciones teológicas. Pero cualesquiera que sean las dificultades que permanecen o cualquiera que sea el cambio de paradigma que se necesite, el estudio de nuestro mundo y de nuestro universo no está en lucha contra la fe. Los cielos (y las partículas subatómicas y todo lo que queda en medio) cuentan maravillosamente «la gloria de Dios» y «el firmamento anuncia la obra de sus manos» (Sal. 19: 1).

La cuestión de la relación entre la fe y la razón tiene un aspecto que puede ser más importante. ¿Cuán racional es nuestra fe? ¿En qué grado nuestras relaciones con Dios dependen de nuestra capacidad para *comprender* quién y qué es Dios? Es tener fe compatible con la razón, o es la fe irracional y un asunto principalmente de emoción, de sentimientos, de un sexto sentido, o de algo en esa esfera?

Por definición, los cristianos deben ser personas pensantes. Las Escrituras dicen que deben amar a Dios con sus *mentes* (Mat. 22: 37). No todos los cristianos viven a la altura de esto. Se le atribuye al famoso filósofo Bertrand Russell decir que: «Muchos cristianos preferirían morir que pensar. De hecho, lo prefieren».*

---

* Esta cita se atribuye a Bertrand Rusell, pero su origen es desconocido.

Esto ha sido especialmente cierto en los círculos evangélicos. Quizás el título de un libro que causó mucho revuelo resumió muy bien este asunto: *El escándalo de la mentalidad evangélica*, escrito por Mark Knoll.* Muchos cristianos evangélicos han argüido que el mucho conocimiento es peligroso. ¿No dijo Pablo que el conocimiento «envanece» (1 Cor. 8: 1, 2), que tiende a la arrogancia y a la pérdida de la fe? Sin embargo, el apóstol no dijo que todo pensamiento es negativo y que no es aconsejable. No se opuso al *buen* pensar, sino al pensamiento *inexacto.* Pablo quería que seamos intencionales en nuestro pensar. «Finalmente, hermanos, piensen en todo lo que es verdadero, honorable y recto» (Fil. 4: 8, Biblia en lenguaje sencillo). Y cualquier cosa que hagan, háganlo para la gloria de Dios. Por tanto, usen sus mentes para su gloria.

Con esto no queremos decir que el pensamiento humano es la respuesta para todo. Y aquí volvemos a la cuestión de «nuestro firme fundamento». Es un tema que no podemos tratar adecuadamente en un capítulo tan corto como este. Pero permítanme expresar lo que es mi convicción, y luego sugiero que usted tome algún tiempo para pensar al respecto. Los seres humanos son seres racionales. Cuando el famoso filósofo R. Descartes (1556-1650) lanzó su dicho: «Pienso, luego existo», la era de la Ilustración que elevó la razón humana hasta ocupar una posición suprema, había comenzado. Antes de Descartes, la razón ya tenía una posición importante. Anselmo, el gran teólogo medieval, había dicho: «Creo para poder comprender». Pero ahora la ecuación cambió y la filosofía cartesiana propuso, de hecho, que debemos organizar la frase de la siguiente forma: «Solo creo lo que puedo comprender».

La religión cristiana en sus diversas formas llegó a ser una religión sumamente racionalista. Esto fue cierto del protestantismo en particular, y el adventismo está definidamente incluido. Los adventistas *estudiaron* (no *leyeron*) la Biblia para hacer la diferencia entre la verdad bíblica y el error de la tradición eclesiástica. Ellos construyeron un sistema doctrinal que era coherente y lógico. Como resultado, defendieron sus posiciones con fervor y se deleitaban porque en los debates religiosos sus argumentos, por lo general, se alzaban con la victoria. Estaban convencidos

---

* Mark Knoll (Grand Rapids: Eerdmans Publishing Co, 1994).

de que Dios les había dado un cerebro para estudiar y avanzar continuamente en una mejor comprensión de la verdad.

Sin embargo, durante las últimas décadas hemos visto un importante cambio en el enfoque del pueblo a la religión. Muchos cristianos, y de nuevo incluidos los adventistas, han caído bajo la pesada influencia del así llamado pensamiento postmoderno. Una de las convicciones más importantes de los postmodernistas es que el conocimiento no solo emerge de nuestra capacidad para razonar, sino también de nuestras otras fuentes no racionales. ¿Por qué hemos de confiar más en nuestros cerebros que en nuestros sentidos? ¿Por qué tenemos que desconfiar de nuestras intuiciones y sentimientos? La gente postmoderna no solo no coloca todos sus huevos en la canasta de la razón, sino que además enfatiza el valor de la experiencia. Esta nueva manera de pensar ha tenido una enorme influencia en el enfoque de la verdad religiosa de la generación de la actualidad.

En muchas formas es un desarrollo positivo. Muchos cristianos, incluidos de nuevo los cristianos adventistas, han colocado tradicionalmente tanto énfasis en el pensamiento y en la construcción de estructuras doctrinales, y han argüido sobre los aspectos no racionales de sus religiones, como el asombro y el milagro, que han permanecido sin desarrollarse. El desafío que afrontamos es el de mantener el equilibrio. Aunque nuestra fe es más que ratio (razón), no es irracional. Cuando le damos la bienvenida a un mayor papel a lo no racional, la razón no se aparta de la ventana. El mensaje cristiano es una historia coherente que es, al menos tan intelectualmente defendible como cualquier cosmovisión no teística. Pero la fe en Dios es infinitamente mucho más que adquirir, y después desarrollar, una serie de puntos de vista religiosos que puedan soportar el rigor del examen académico. La fe no está separada del contenido doctrinal, y tampoco debe ser expulsada del reino del pensamiento. La fe es en primer lugar una relación de confianza que produce una paz interior «que sobrepuja todo entendimiento» (Fil. 4: 7).

Fe y comunidad

Uno de los temas teológicos más candentes de nuestro tiempo es la relación que existe entre la fe y la comunidad. Muchos teólogos influenciados por la postmodernidad creen que el contenido de nuestra fe (aquí en el sentido de las creencias doctrinales de uno) está en gran medida determinado por la comunidad a la cual pertenecemos. Cada comunidad tiene sus propias tradiciones y habla su propio lenguaje teológico. Por supuesto, podemos aprender del diálogo con otros. Hasta este punto no debemos tener conflictos con este enfoque. Pero es imposible concordar con la noción postmoderna que dice que el contenido de nuestra fe está determinado por la comunidad a la que pertenecemos, y que nosotros meramente participamos en un «juego de lenguaje» cuando hablamos de nuestros puntos de vista religiosos, en nuestra propia jerga, dentro del contexto de nuestra propia subcultura particular. La comunidad no *crea* una versión particular de la verdad. Más bien, es lo contrario, la fe crea un tipo particular de comunidad. Naturalmente, la comunidad de la cual formamos parte influye en la forma en que continuamos expresando la verdad. Pero al ser parte de la comunidad, nuestra fe pierde la mayor parte de su significado si la fe que suscribimos no es más que la opinión subjetiva de un grupo de personas que está totalmente, o incluso mayoritariamente, condicionada por las tradiciones y costumbres del grupo.

La comunidad tiene una importante función en la nutrición de la fe, tanto en el sentido en que puede ayudar a sus miembros a madurar en su comprensión de las enseñanzas que han abrazado, como en el sentido de crecer en la intimidad de las relaciones de fe con Dios. Esto ocurre a través de la adoración, sus oraciones y su deseo de obtener una comprensión mayor y más profunda de la Biblia. La iglesia de Berea, donde Pablo descubrió una mentalidad extraordinariamente abierta y donde los miembros escudriñaban las Escrituras día tras día, es un brillante ejemplo de una comunidad en la cual la fe de los creyentes podía crecer (Hech. 17: 10-12).

La fe y las obras

Los cristianos han luchado a través de los siglos para obtener el equilibrio correcto entre *fe* y obras. Por un lado, muchos han hecho de las obras el fundamento de su experiencia espiritual y han confiado, básicamente, en sus propios esfuerzos y sacrificios para obtener suficientes puntos para finalmente ganar el cielo. Otros han ido tan lejos como para decir que las prácticas externas no tienen influencia en nuestra salvación. Recibimos la salvación solamente por la fe, mientras se refieren a la declaración de Pablo en su Epístola a los Romanos (Rom. 1: 17).

Poner la fe *por encima y contra* las obras crea un falso dilema. La fe no reemplaza las obras. La ley no es puesta a un lado porque tenemos fe. «Luego, ¿por la fe invalidamos la ley? En ninguna manera, sino que confirmamos la ley» (Rom. 3: 31). Solo entonces se convertirá en una experiencia natural vivir guiados por las pautas que Dios nos ha proporcionado en las leyes que dio a la humanidad como provisiones para incrementar la felicidad. La ley de Dios, si se la comprende correctamente, no encadena ni restringe nuestros movimientos. Todo lo contrario, la ley de Dios es la «ley de la libertad» (Sant. 1: 25).

La salvación solo se obtiene por medio de la fe en Cristo. Es resultado de lo que Cristo hizo, y no de lo que nosotros hacemos. El esfuerzo humano siempre será totalmente insuficiente e inadecuado. Nuestra relación con el Señor descansa sobre la base de nuestra fe en él, no sobre una confianza fundamentada en nosotros mismos.

La fe y las dudas

La fe y la duda van juntas. Me vuelvo muy sospechoso cuando la gente me dice que sus relaciones con Dios siempre han sido constantes, y que ellos nunca han dudado. O no están diciendo toda la verdad, o nunca han pensado en serio. La mayoría de nosotros se parece al hombre que vino a Jesús con la solicitud de que sanara a su hijo que estaba poseído por un demonio. La declaración que le hizo a Jesús halla eco en el desesperado clamor de millones de personas: «Creo, ayuda mi incredulidad» (Mar. 9: 24). La historia de cómo el apóstol Tomás dudó de que Jesús en realidad había resucitado (Juan 20: 24-29) siempre ha sido un aliento para mí. Imaginemos la escena: Un discípulo que había estado durante más de tres años con Jesús todavía podía dudar sin ser repudiado por el Maestro.

La fe viene en diferentes gradaciones. Jesús habló una y otra vez de aquellos que tenían muy poca fe (Mat. 6: 30, 8: 10). Por otra parte, la Biblia se refiere a aquellos que tenían una fe «grande» o «madura» (Mat. 15: 28; 1 Juan 2: 13). La Biblia también menciona la posibilidad de que la fe sea «fortalecida» (Hech. 15: 32; 16: 5), y que los creyentes «crecen» en su fe (Fil. 1: 25). Algunas investigaciones muy interesantes indican que el crecimiento de la fe tiende a seguir un patrón particular y existen etapas claramente reconocibles en la maduración de la fe durante la vida de un individuo. Pero por fascinantes que sean esas investigaciones, no es importante para nuestro actual «caminar por fe» que podamos analizar la forma como el don de la fe de Dios interactúa con nuestra mente y nuestra alma. Lo que cuenta es que nuestra confianza se profundiza mientras continuamos nuestra peregrinación con nuestro Señor y que nuestra relación de fe alcanza una intimidad cada vez más profunda con él.

Capítulo tres

Esperanza

«Yo no sé cuándo mi Señor vendrá
Si en la noche o al mediodía,
Ni sé si he de caminar con él en el valle
O encontrarme con él en el aire.
Pero yo sé en quién he creído,
Y estoy persuadido que es capaz
De guardar lo que le he encomendado
Para aquel gran día». *

Hace poco dicté una clase como parte de un programa de maestría para pastores. El título del curso era «cómo dirigirse a la mente contemporánea». Los estudiantes venían de culturas totalmente diferentes. Después de enseñar la clase en múltiples ocasiones, comprendo mucho mejor cuán difícil es dialogar sobre la «mente contemporánea» con un grupo tan diverso de estudiantes, algunos procedentes de Estados Unidos y de Europa Occidental, otros procedentes de lo que una vez se llamó Europa Oriental (región a la cual ahora se la llama «Europa Central»), algunos del África Subsahariana y otros de países como Pakistán y Egipto. En uno de los períodos de clases tratamos la perspectiva que la gente tiene del futuro. Uno de los estudiantes de mayor edad procedente de Pakistán hizo una interesante observación.

---

* Cristo, Señor, *Himnario Adventista*, (Asociación Publicadora Interamericana, 1962), himno 21.

Nos dijo que cuando él vivía en Pakistán, sus hijos estaban muy seguros de que querían ser médicos o maestros. Pero ahora que ya tenía cinco años viviendo en Gran Bretaña, son mucho menos ambiciosos y lo más que esperan es terminar la escuela de nivel medio y encontrar un empleo.

Su comentario ilustra el cambio fundamental que se ha producido en el mundo occidental en las últimas décadas. Yo pertenezco a una generación que todavía era muy optimista y ambiciosa en cuanto al futuro. Nuestros padres estaban convencidos de que sus hijos harían mucho mejor que ellos en la vida. Nosotros obtendríamos una educación muy superior a que la ellos pudieron alcanzar. Y también encontraríamos mejores empleos y lograríamos un mejor nivel de vida. En muchos casos, nuestros padres vivieron para ver cumplidas sus expectativas. Pero mi generación ahora tiene hijos que ya andan los cuarenta, y algunos tienen nietos que están listos para iniciar su educación secundaria. ¿Qué vemos? La presente generación joven en el occidente ya no cree que logrará alcanzar un nivel de vida más alto que el de sus padres. Incluso hay algunos que no están seguros si *quieren* hacer «mejor» que sus padres, si ese «mejor» implica, como ellos temen, una vida más competitiva y llena de estrés. La generación post-Segunda Guerra Mundial iba a construir una nueva sociedad, pensaban que lo único que podrían hacer sería mejorar las cosas. Pero aquellos que están creciendo y comenzando a estudiar una carrera a principios de este siglo XXI dudan mucho de que hayan heredado el tipo de mundo que puede producir felicidad futura. Observan el desbarajuste político y las amenazas ecológicas alrededor del mundo; notan el consumismo superficial y la imparable amenaza contra los valores tradicionales, y reconocen que un gran porcentaje de la población de la tierra, que continúa creciendo a un ritmo alarmante, no comparte la abundancia que tantos otros disfrutan. Y ellos saben que la temeraria y peligrosa explotación de los recursos de la tierra no es sostenible.

Es posible que no veamos el tipo de desesperación generalizada que los filósofos existencialistas como Jean Paul Sartre predijeron, pero ciertamente una preocupación y un pesimismo generalizados ensombrecen el futuro. Y aunque muchos todavía no dirían que la vida es demasiado mala, un número asombroso de personas encuentran que su experiencia interna se caracteriza por estar vacías y sin sentido. Algunos de los países que fueron parte de la ex Unión Soviética ahora tienen el nivel más elevado de suicidios en el mundo. La alocada esperanza que dominó a aquellos países cuando «el muro» se derrumbó, se disipó más rápido de lo imaginable y ha dejado a gran parte de la población frustrada y, en muchos casos, peor de lo que estaban antes.

¿Qué es esperanza?

La gente utiliza con mucha frecuencia la palabra «esperanza» en forma superficial. Un gran abismo se extiende entre la profunda esperanza que se nos presenta en la Biblia y la así llamada esperanza, superficial y vacía, que alberga gran número de personas en el mundo que nos rodea. Aquellos que compran su boleto de lotería mensual o semanal, *esperan* que esta vez se sacarán el premio mayor. Sin embargo, su esperanza no es más que un juego de azar, y la posibilidad de que realmente ganen el premio mayor es más o menos lo mismo que encontrarse diez billetes de cien dólares en el cesto de la basura en la oficina.

Bíblicamente la esperanza no es lo mismo que ser optimistas, como esperar que un proyecto en el cual hemos estado trabajando alcance el éxito. La planificación que se hizo y las habilidades de los que lo ejecutaron determinarán en gran medida si el proyecto saldrá bien o no. Incluso si el proyecto es de naturaleza religiosa y la gente ha invertido mucha oración, además de sudor, la esperanza de que dicho proyecto termine bien no es lo mismo que el tipo de esperanza que tenemos con respecto a la segunda venida de Cristo. No debemos confundir vivir en esperanza, en el pleno sentido cristiano del término, con el pensamiento de la fácil posibilidad de la psicología o de los predicadores del evangelio de la riqueza y la salud que envían su hábil e ingenioso mensaje alrededor del globo. La esperanza de que la quimioterapia detendrá la violenta arremetida del cáncer, por alentadoras que sean las estadísticas, no es lo mismo que la esperanza cristiana de vida eterna.

La esperanza está íntimamente ligada con la fe. El teólogo alemán Jürgen Moltmann define la esperanza bíblica como una esperanza que *cree*. «La esperanza no es nada más», escribe Moltmann, citando a Juan Calvino, «que la expectación de aquellas cosas que la fe ha creído que fueron verdaderamente prometidas por Dios. Así, la fe cree que Dios es verdadero, la esperanza espera el tiempo cuando esta verdad se manifestará». Luego añade sus propias palabras: «Sin el conocimiento de

Cristo que da la fe, la esperanza se convierte en una utopía y se queda volando en el aire. Pero sin esperanza la fe se hace pedazos. Es a través de la fe que el hombre encuentra el sendero de la verdadera vida, pero solo la esperanza puede conservarlo en ese sendero. Es así como la fe en Cristo da su seguridad a la esperanza. Es así, también, como la esperanza da a la fe en Cristo su aliento y así conduce a la vida».*

La esperanza y el segundo advenimiento

La esperanza del cristiano adventista culmina en la expectación del retorno de Cristo a esta tierra, en ese momento el creyente obtendrá su descanso eterno en la vida real, Dios purificará la tierra del pecado y el proceso de mil años de restauración total de la perfección divina se pondrá en marcha. «Aguardando la esperanza bienaventurada y la manifestación gloriosa de nuestro gran Dios y Salvador Jesucristo» (Tito 2: 13). Nada puede dar esa seguridad suprema de que los problemas de la humanidad finalmente serán resueltos. ¿Quién puede creer verdaderamente que los políticos van a ordenar todas las cosas en forma definitiva? E incluso si fueran capaces de conseguir la paz mundial, ¿cómo harían para deshacer el daño ecológico que le hemos hecho a nuestro planeta? ¿Existe alguna razón para pensar que la ciencia resolverá todos nuestros problemas? Sí, la ciencia puede extender nuestro promedio de vida en diez o doce años, pero todavía continuaremos mirándole la pálida cara a la muerte.

Es cierto que veinte siglos han pasado desde que Cristo hizo su solemne promesa: «Y si me fuere y os preparare lugar, vendré otra vez, y os tomaré a mí mismo, para que donde yo estoy, vosotros también estéis» (Juan 14: 3). Al parecer los apóstoles esperaban que esto tuviera lugar dentro de pocos años. Pablo habla de «nosotros, los que vivimos» (1 Tes. 4: 17) en el momento del retorno de Cristo, indicando claramente de que había al menos una posibilidad de que Jesús regresaría a la tierra en los días del apóstol. Desde entonces los cristianos han tomado la promesa de Jesús, «ciertamente vengo en breve, amén» (Apoc. 22: 20) al pie de la letra y han interpretado «pronto» en una forma muy humana. Con frecuencia no han sido capaces de resistir la tentación de

---

* Jürgen Moltmann, *Theology of Hope* (Londres: SCM Press Ltd, 1967), p. 20.

calcular fechas específicas. Y con la misma frecuencia han quedado amargamente chasqueados, y han comprendido, a veces demasiado tarde, que tales cálculos son fútiles, puesto que nadie sabrá jamás con anticipación cuando sonará la hora final. Cristo mismo lo hizo bien claro: «Pero del día y la hora nadie sabe, ni aun los ángeles de los cielos, sino solo mi Padre» (Mat. 24: 36).

Los adventistas del séptimo día han predicado el mensaje del pronto retorno de Jesús durante más de ciento sesenta años. Poco a poco, más y más líderes y miembros comunes de la iglesia están comenzando a preguntarse, y a expresar sus preocupaciones, de cómo podemos mantener la urgencia de nuestro mensaje después de un período tan largo de tiempo. Los escritores adventistas han publicado muchos libros que tienen que ver con la «aparente» demora. Aunque Cristo nos advirtió de que no fuéramos como el siervo malo que descuidó sus deberes porque pensaba: «Mi Señor tarda en venir» (Mat. 24: 48), todavía luchamos con la tentación de unirnos con los «burladores» en sus argumentos «¿Dónde está la promesa de su advenimiento? Porque desde el día en que los padres durmieron, todas las cosas permanecen así, como desde el principio de la creación» (2 Ped. 3: 4).

Ciertamente, nuestra paciencia ha sido probada. Y por una buena razón. Dios «es paciente para con nosotros», dijo Pedro a los cristianos del primer siglo, así como a nosotros. El amor de Dios es la clave para comprender la aparente demora. «No queriendo que ninguno perezca, sino que todos procedan al arrepentimiento» (2 Ped. 3: 9). El discípulo nos recuerda nuestro frecuente error de pensar demasiado en términos humanos cuando pensamos acerca de las relaciones de Dios con nosotros. El hecho de que nosotros vivimos vidas tan cortas condiciona nuestro concepto del tiempo. Para nosotros «pronto» debe significar dentro de muy pocos años. Sin embargo, para nuestro Dios eterno el tiempo es un elemento completamente diferente. «Mas oh amados, no ignoréis esto: que para con el Señor un día es como mil años, y mil años como un día» (2 Ped. 3: 8).

Los cristianos adventistas no deben perder su esperanza. No obstante, muchos de nosotros tenemos que aprender a ser más pacientes. Es decir, después de todo, ¿no estamos viviendo en los últimos días, en el tiempo del fin? ¿Y no nos dicen las señales de los tiempos que la venida de Cristo está «muy está cerca, a las puertas» (Mat. 24: 33)? Sí, ciertamente,

pero al mismo tiempo hay un cuadro más amplio. El teólogo adventista
Jon Paulien nos ha hecho un tremendo servicio poniendo el pensamiento del tiempo del fin en una perspectiva bíblica más de lo que muchos de
nosotros jamás habíamos visto.*

Él explica que, en un sentido, el pueblo de Dios siempre ha estado
viviendo con «el fin» del tiempo en mente. Ellos siempre han enfrenta-
do la constante tensión entre el *que es* y el *que va a venir.* Esto no quiere
decir que la historia no tiene movimiento. Inevitablemente nos estamos acercando más y más al gran final. Pero todavía no sabemos «cuál
es el día o la hora» de su venida (Mat. 25: 13).

¿Cómo reaccionamos?

La Biblia nos proporciona numerosas «señales» del «pronto» regreso de Cristo. ¿Cuáles son esas señales? ¿Son puntos específicos que ocurren en un tiempo determinado que nos dirigen hacia el establecimiento del reino? La palabra que usa el Nuevo Testamento para ese tipo de
«señales» es *semeion.* Puede referirse a un evento milagroso, pero no es
necesariamente así. Su significado básico es una marca o señal, o un
augurio o presagio que anuncia eventos venideros.**

La palabra «señal» puede ser la mejor traducción. Desde que Cristo
anunció su retorno, las señales nos han indicado siempre el gran acontecimiento que vendrá sobre nuestro mundo. Las señales alertaron a la
iglesia del primer siglo con la seguridad de que las promesas de Cristo
eran ciertas. Los cristianos medievales también fueron capaces de discernir las claras señales de que la historia se estaba moviendo hacia su
culminación. Los pioneros adventistas estaban convencidos de que señales como el famoso terremoto de Lisboa de 1755 y el «día oscuro»
del 19 de mayo de 1780 eran asombrosas indicaciones de que el tiempo
se estaba acabando. Los desastres naturales de todo tipo, la intranquili-
dad política, las amenazas ecológicas, el terrorismo internacional y la
extendida degradación moral de nuestros días no son más que podero-

---

* Ver Jon Paulien, *What the Bible Says About the End-time* (Hagerstown, Md.: Review
  and Herald Publishing Association, 1994).
** Colin Brown, ed., *Dictionary of New Testament Theology* (Exeter: Pater Noster Press,
  1976), tomo 2, pp. 626 ff.

sas señales que indican que el retorno de Cristo es todavía parte de la agenda divina.

Tales señales deberían darnos muchas razones para una gozosa anticipación. Recordemos las palabras del Señor: «Y cuando estas cosas comiencen a suceder, erguíos y levantad vuestra cabeza, porque vuestra redención está cerca» (Luc. 21: 28). Por desgracia, no es así como los adventistas experimentan la esperanza cristiana. El temor mancilla la esperanza de muchos y profundiza la ansiedad que destruye el gozo. Como adventistas leemos, hablamos y predicamos de los acontecimientos que precederán el retorno de Cristo, y muchas veces eso crea una gran preocupación en nuestros corazones. Por ejemplo, Apocalipsis 16, con su predicción de las siete últimas plagas, no nos anima de la mejor manera. Aunque se nos dice que las siete últimas plagas están dirigidas a los incrédulos, el capítulo no nos deja con la impresión de que el período que inmediatamente precede al segundo advenimiento de Cristo sería un momento de gozo. «Porque el gran día de su ira ha llegado; ¿y quién podrá sostenerse en pie?» (Apoc. 6: 17), nos preguntamos. Hemos desarrollado nuestro peculiar dialecto o jerga adventista cuando hablamos del futuro que espera a la humanidad: Un tiempo de angustia, la promulgación de leyes dominicales, el período de persecución, el decreto de muerte para todos aquellos que no tengan «la marca de la bestia», el fin del tiempo de gracia, etc.

Para muchos creyentes adventistas el temor es la emoción abrumadora que los asalta cuando piensan en el tiempo del fin. ¿Podrán hacerle frente de veras cuando llegue el momento difícil? ¿Cómo será cuando la puerta de la gracia se haya cerrado y tengan que sobrevivir sin un mediador? ¿Cuán perfectos deben ser? ¿Y alcanzarán alguna vez ese nivel de perfección absoluta? Muchos se preocupan porque creen que nunca podrán alcanzar ese nivel. Algunos, por otra parte, creen que ya lo han alcanzado, o están muy cerca de alcanzarlo. Con frecuencia tales personas no son las más fáciles de tratar y, por lo general, no se necesita el don espiritual del discernimiento para percibir que no lo han alcanzado y, en todo caso, son maestros del orgullo y la hipocresía. Uno bien podría preguntarse: ¿Cómo puede una religión basada en la fe, la esperanza y el amor dar como resultado tanto temor? ¿Cómo concuerda eso con las palabras del apóstol Juan: «El perfecto amor echa fuera el temor» (1 Juan 4: 18)?

Vivir la esperanza

¿Cómo podemos manejar este espinoso asunto? El perfil de nuestra iglesia se está convirtiendo poco a poco en una comunidad de esperanza. Nos referimos a lo que predicamos como un mensaje de esperanza. Y hemos lanzado a todo el mundo un canal de televisión al que le hemos llamado «El canal de la esperanza». Me siento feliz con ese énfasis positivo. Después de todo, es lenguaje bíblico. Todos deberíamos mirar hacia adelante esperando «la esperanza bienaventurada» (Tito 2: 13). Siempre debería agradarnos hablar de ella y explicar lo que implica (1 Ped. 3: 15). Deberíamos ser un pueblo feliz cuando compartimos el mensaje adventista. ¿Por qué, entonces, nuestro mensaje hace que muchos vivan temerosos e inseguros?

La solución a este dilema no puede ser simplemente trivializar, simplificar o ignorar el escenario del tiempo del fin. Nos equivocaríamos de medio a medio si descartáramos la total seriedad del hecho de vivir «en los últimos días». La parábola de las diez vírgenes que fueron a encontrar al esposo (Mat. 25: 1-13) hace bien claro que la expectación del pronto regreso de Cristo presupone una alerta constante y una preparación completa. La historia termina con la urgente advertencia de Cristo: «Velad, pues, porque no sabéis el día ni la hora en que el Hijo del Hombre ha de venir» (Mat. 25: 13). Sin embargo, el mantenernos despiertos y hacer una preparación cabal no debiera tomar la forma de una ciega obsesión. El tomar nota de las señales a lo largo del camino que nos conduce hacia el futuro de Dios, no debiera inducirnos a desarrollar alocadas especulaciones y desarrollar raras teorías de conspiraciones, para no decir nada de comunicarlas a los demás como verdades especiales. La Biblia siempre nos invita al equilibrio. «Velad y orar» (Mat. 26: 41). Y «Negociad entretanto que vengo» (Luc. 19: 13).

Encontramos ese equilibrio expresado inequívocamente en Lucas 21, el capítulo de las señales de la venida del reino que es paralelo a la versión más conocida que se encuentra en Mateo 24. Sí, nos advierte Jesús, no será fácil, porque «os echarán mano, y os perseguirán» (vers. 12). Pero no hemos de olvidar que Dios está con nosotros y, por lo tanto, no penséis antes «cómo habéis de responder en vuestra defensa» (vers. 14). Incluso aquellos que están cerca de usted pueden traicionarlo (vers. 16, 17). Pero fíjese que «ni un cabello de vuestra cabeza perecerá. Con vuestra paciencia ganaréis vuestras almas» (vers. 18, 19). De nuevo, «habrá señales en el sol, la luna y las estrellas», y desfallecerán «los hombres por el temor y la expectación de las cosas que sobrevendrán en la tierra» (vers. 26, 27). Pero debemos tener buen ánimo, porque nuestra «salvación está cerca» (vers. 28).

Subyacente a la sensación de inequívoca seriedad de que las cosas se irán agravando más y más hasta alcanzar un nivel que no podemos siquiera imaginar, existe una fundamental actitud de esperanza. Por debajo de todas las preguntas y dudas que podrían asomar su horrible cabeza, está la indestructible certeza de que todo saldrá bien. «Tal fe tenemos, la que Cristo da en sus promesas de amor».*

Un mensaje de esperanza

Lo que este mundo (incluyendo a la iglesia y a cada uno de nosotros individualmente) necesita es un mensaje de esperanza. La misión de la iglesia es comunicar esperanza: verdadera, pura e ilimitada esperanza. El mensaje de los secularistas que predican un mensaje de esperanza política y socioeconómica no tendrá éxito. Ni tampoco el punto de vista evolucionista que predican otros. Incluso si esta teoría fuera verdadera (que sabemos con toda claridad que no lo es), ¿quién querría esperar otros cien millones de años, o algo así, antes que nuestro planeta supere su actual desastre? ¿Qué clase de esperanza sería esa? Tampoco el mensaje del cristianismo liberal con su (infundado) optimismo moral prosperará. El teólogo norteamericano H. Richard Niebuhr describió una vez su mensaje como un testimonio de «un Dios sin ira, (quien) llevará a los hombres sin pecado a un reino donde no habrá juicio, a través del ministerio de Cristo sin una cruz».** Tal mensaje está en verdad, totalmente vacío de genuina esperanza y no prosperará. Pero seamos también severos críticos del mensaje de esperanza que con frecuencia emerge de los rincones más conservadores, con su unilateral énfasis en el infierno y la condenación que con tanta frecuencia tiende a eclipsar la promesa de restauración. Y con su antibíblico punto de vista de un rapto y otras expectativas que confunden en lugar de inspirar. Además,

---

* Himno, La Esperanza , autor Wayne Hooper.
** H. Richard Niebuhr, *The Kingdom of God in America* (Middletown, Conn.: Wesleyan University Press, 1988), p. 193.

neguémonos a escuchar las extrañas teorías de los adeptos a las conspiraciones que ven un proyecto jesuita detrás de cada árbol y una vasta red de sociedades secretas que extienden sus tentáculos a cada iglesia y organización política.

El mensaje de esperanza que debemos predicar y que da estructura a nuestra fe es un mensaje de impávida certeza. El futuro tanto del mundo como de la iglesia es seguro. Mi propio destino personal es seguro. El problema de la humanidad encontrará su solución final y definitiva. La iglesia sorteará todos los problemas, todas las tormentas del presente y del futuro. Mi existencia actual es una mera introducción al futuro sin fin que Dios ha preparado para mí en el cielo y que está más allá de la muerte. Somos privilegiados porque tenemos esta certeza profundamente arraigada que no depende, en principio, de las convicciones intelectuales. Nuestra esperanza de que la venida de Cristo se aproxima no descansa en el conteo incansable de hambres, guerras y terremotos, por importantes que sean esas señales. Y tampoco deriva de los intricados diagramas de los eventos finales que nos pueden decir con exactitud dónde estamos en el calendario profético, aunque una profunda lectura de las porciones proféticas de la Biblia es todavía muy importante.

Finalmente, nuestra esperanza está basada en una Persona y en sus promesas. Cristo es nuestra esperanza. Él es la verdad. Sus palabras no fallarán. A causa de nuestra relación de fe con él, podemos confiar en lo que ha dicho. Nosotros no confiamos simplemente sobre la base de los acontecimientos que ocurrirán en el tiempo y lugar que esperamos que ocurran. Nosotros confiamos en una persona que nunca nos ha abandonado. Él dice: Vendré otra vez. *Mi* resurrección es la garantía de *vuestra* resurrección. Y con la fe en mí saldrás adelante, no importa los desafíos que estén frente a ti. Mi reino ya está entre ustedes (Luc. 17: 21), pero pronto se convertirá en una gloriosa realidad en su gloria final.

Esta certeza quita completamente todo temor. Con Pablo podemos decir: «Yo sé a quién he creído, y estoy seguro que es poderoso para guardar mi depósito para aquel día» (2 Tim. 1: 12).

Capítulo cuatro

Vida

«No es una evidencia concluyente de que un hombre sea cristiano el que se manifieste éxtasis espiritual en circunstancias extraordinarias. La santidad no es arrobamiento: es una entrega completa de la voluntad a Dios; es vivir de toda palabra que sale de la boca de Dios; es hacer la voluntad de nuestro Padre celestial; es confiar en Dios, en las pruebas y en la oscuridad tanto como en la luz; es caminar por fe y no por vista; confiar en Dios sin vacilación y descansar en su amor». *

L os seres humanos tienen un interés universal en tener una *buena* vida. Pero la opinión varía ampliamente cuando se considera cómo debe ser esa vida. De acuerdo con el diccionario que consulté, una «buena vida» está caracterizada por un elevado estándar de vida. En un sitio particular de Internet, alguien respondió la pregunta de qué se consideraba una buena vida con las siguientes palabras: «La buena vida es, en mi opinión, cuando despierto cada mañana sin nada que pagar, sin problemas de salud, sin drama y sin problemas por los que deba preocuparme. Cuando uno se va a dormir en la noche tiene la mente clara y no siente preocupación en cuanto al futuro». Cuando hace algún tiempo un editor lanzó una nueva y resplandeciente revista para

---

* Elena G. de White, *Los hechos de los apóstoles*, p. 42.

el mercado holandés, le dio a la publicación el título de **Living**. La revista describió su misión como un periódico dedicado a las cosas buenas de la vida, con muchas entrevistas y artículos sobre viajes, casas atractivas, belleza y moda, entretenimiento, comida, bebida y fiestas.

La idea de la buena vida, también referida como vida «plena», también está presente en la Biblia. Pero allí el énfasis es completamente distinto. Cristo les dijo a sus seguidores que él había venido «para que tengan vida, y para que la tengan en abundancia» (Juan 10: 10), o como lo rinde otra versión: «Para que vivan y estén llenos de vida» (Nueva Biblia Española). Esa vida abundante no es, como veremos, adversa a muchos goces materiales y concretos de la vida actual, pero al mismo tiempo va mucho más allá y ofrece dimensiones totalmente desconocidas para las grandes masas que buscan una vida plena como la que nuestra rica sociedad actual tiene para ofrecer.

Vida física

No importa en qué términos definamos la vida plena y abundante, encontraremos siempre, y antes que todo, un aspecto físico. Los seres vivientes (Dios, los ángeles, los seres humanos, los animales) o las cosas vivientes (plantas) están vivos. Ellos difieren en una forma fundamental de las cosas inanimadas, no importa cuán compleja sea su estructura. ¿Qué hace la diferencia? ¿Qué es exactamente ese don misterioso que llamamos vida? ¿Cuál es la diferencia crucial entre un cadáver y un cuerpo vivo, entre un animal y un objeto inanimado, entre un robot sofisticado y un ser humano?

Nosotros hablamos constantemente del *misterio* de la vida. Muchos sienten que este enigma permanecerá sin solución para siempre. Por supuesto, muchos otros creen que la ciencia lo desentrañará tarde o temprano en el laboratorio. En muchos laboratorios alrededor del mundo los científicos están tratando de crear vida. La búsqueda ha estado en marcha durante largo tiempo y es infinitamente más sofisticada que la idea medieval de que las simples intervenciones humanas podían crear vida. En la actualidad ya nadie supone que colocando estratégicamente algunos pedacitos de queso en un lugar aislado uno puede crear vida en la forma de ratones. De vez en cuando escuchamos que los científicos están muy cerca de crear un «simple» virus, y mientras escribo este capítulo circula la noticia de que los investigadores han creado, o primera vez, un «virus sintético». A partir de lo que entiendo de los informes, los científicos norteamericanos que fueron responsables de ese alegado paso gigante hacia adelante, en realidad no crearon nada; lo que hicieron fue trasplantar genoma de una célula bacteriana a otra.

No tengo la menor idea de lo que el cerebro humano será todavía capaz de descubrir o inventar. Pero pretender que la ciencia humana está al borde de crear vida real de un «muerto» o de una cosa material inanimada parece excesivamente optimista, para decir lo menos. La idea de que la vida podría, con o sin la asistencia humana, evolucionar a partir de lo que no tiene vida es, como sabemos, la presuposición básica de la hipótesis evolucionista. Pero en realidad nada sostiene a esa creencia. Robert Shapiro, profesor emérito de química e investigador científico titular de la Universidad de Nueva York, y autor o coautor de más de ciento veinticinco libros y artículos en el área de la química del DNA, escribió: «La improbabilidad involucrada en la generación de siquiera una bacteria es tan grande, que reduce todas las consideraciones de tiempo y espacio a la nada. Con todo eso en contra, el tiempo hasta que los agujeros negros y el espacio se evaporen hasta los confines del universo no hará diferencia en lo absoluto. Si fuéramos a esperar, estaríamos en realidad esperando un milagro».* Sir Fred Hoyle, famoso astrónomo británico que rechazó la teoría evolucionista de los orígenes del universo, comparó la probabilidad de que la vida surgiera por casualidad alineando a 10^{50} (10 seguido por 50 ceros) personas ciegas, dándole a cada una un cubo de Rubik y esperando que todas resolvieran el problema del cubo en el mismo momento.**

Invariablemente, las discusiones de «hacer» vida indican que estamos buscando formas *simples* de vida. Sin embargo, la idea de que existe una forma «simple» de vida es seriamente engañosa. Los expertos nos dicen que una simple bacteria de levadura tiene tantos componentes diferentes como un Jet Boeing 777.

Hasta este momento, crear vida en un laboratorio, sea sintética o de otra manera, parece estar tan lejos de la realidad como lo estaban muchos antiguos mitos medievales de la fuente de la eterna juventud. Ni

---

* En: *Origins—A Skeptic's Guide to the Creation of Life on Earth*. Citado en
  www.allaboutthejourney.org/miracle-of-life.htm
** También citado en www.allaboutthejourney.org/miracle-of-life.htm

siquiera la investigación de una extensión de nuestra vida actual ha alcanzado la clase de éxito que muchos esperaban y creían que alcanzaría. La mortalidad de la humanidad continúa lanzándonos una mirada desafiante a la cara. De acuerdo con la Biblia, las primeras generaciones de la humanidad vivieron durante siglos. Adán murió a los 930 años y Matusalén mantiene el récord con 969 años. A medida que continuó la historia de la tierra y la raza humana se degeneraba rápidamente, los números decayeron asombrosamente. En la actualidad la esperanza de vida en los países del «primer mundo» varía de 77 a 83 años, mientras que en algunos países del tercer mundo escasamente alcanza la marca de los 40 años. Algunos individuos, por supuesto, pueden sobrepasar el límite del promedio. El número de personas que alcanza a celebrar su cumpleaños número cien está aumentando. Pero tales casos de longevidad siguen siendo la excepción más que la regla. Datos razonablemente confiables solo indican que unas veinte personas han alcanzado la edad de 115 años. La que tiene el récord en los tiempos modernos es Jeanne Calment, una mujer francesa que murió el 4 de agosto de 1997 a la edad de 122 años y 164 días. Ella es la única persona en la época moderna que indisputablemente vivió más de 120 años.

Individualmente muchas personas hacen todo lo posible por posponer el proceso de envejecimiento. Los alimentos, medicinas y suplementos dietéticos antienvejecedores, se han convertido en un gran negocio. La gente rutinariamente utiliza suplementos dietéticos y maquillaje contra el envejecimiento, con o sin cirugía, en la frenética lucha contra las arremetidas de la vejez. Es posible que algunos de todos esos métodos den algún resultado; un mejor cuidado de la salud y un énfasis en un estilo de vida más responsable son ciertamente útiles. Por lo tanto, con toda probabilidad la esperanza de vida en el mundo occidental continuará incrementándose. ¡Pero lo expertos están hablando en términos de un limitado número de años y no sugieren que está cerca el día cuando las personas vivirán 150 o 200 años más! La vida, tanto en sus inicios como en su extensión, retiene su misterioso carácter. Lo que se aplica a la vida humana es también cierto de otras formas de vida. Se informa que un árbol *bristlecone* de las Montañas Blancas de California es el árbol viviente más viejo que se conoce sobre la tierra. Ha estado allí durante unos 4,700 años. Una tortuga gigante que murió en 2006 en un zoológico hindú, al parecer había nacido el año 1750. Estas formas de vida ciertamente exceden incluso la edad de Jeanne Calment, pero no nos proporcionan de ninguna manera el camino para conocer el origen de la vida.

El Dios viviente, la fuente de la vida

Los cristianos declaran confiadamente que la vida no es un artículo de consumo que las criaturas pueden manipular a voluntad, y toda reflexión cuidadosa con respecto a sus orígenes nos conducirá al dominio del Creador. Dios es la única fuente de vida. La Escritura define al Dios omnipotente de la Biblia como el Dios *viviente* y lo contrasta con las deidades imaginarias de las culturas circundantes (Sal. 42: 2; 84: 2). Simón Pedro testificó que Cristo no era otro más que el Hijo «del Dios viviente». Cristo usó varias metáforas impactantes para subrayar el hecho que él, como el Hijo del Dios viviente, podía justificadamente pretender que la vida había tenido su origen en él. En él, declaró Elena G. de White, la vida es original, inherente y no derivada.* Dios es la fuente suprema de toda vida física, sea humana o no humana. En la Palabra había vida. La Palabra «dio vida a todo lo que fue creado» (Juan 1: 4). Esto se extiende más allá de la dimensión física de la vida. Cristo, el Verbo, es el agua de la vida (Juan 14: 4), así como el pan de vida que sostiene toda la vida humana digna de ser vivida. Sí, él dijo: «Yo soy el pan de vida… el que me come vivirá para siempre» (Juan 6: 48-51). Él proporciona el único tipo de nutrición que sostiene la vida para poder disfrutarla en su verdadero sentido, ahora y para siempre.

Durante muchos siglos la iglesia cristiana ha sido influenciada por el pensamiento pagano, y ha descrito la vida que viene de Dios como algo muy distinto del cuerpo. Igualó a la vida con alguna esencia no material a la cual se refirió como el *alma.* Los teólogos consideraron que el alma era inmortal y que de alguna manera podía separarse del cuerpo. En el momento de la muerte, el alma inmortal sale para ir o al cielo o al infierno. Sin embargo, el concepto pagano de una división de la vida entre cuerpo y alma es completamente ajeno a las enseñanzas de la Biblia. Más y más cristianos de la actualidad están aceptando poco a poco lo que el adventismo ha sostenido desde el principio de su

---

* Elena G. de White. *El Deseado de todas las gentes,* p. 489.

existencia corporativa, es decir, que el punto de vista bíblico de que el ser humano es un ente holístico. El cuerpo y el alma son inseparables. Cuando Dios da la vida, los seres humanos se convierten en seres vivientes. Cuando llega la muerte, la vida se entrega, pero esto no ocurre como un ser inmortal que vive una existencia semejante a un espíritu. Cuando la persona muere, cesa de ser hasta el momento en que el Señor lo llame de nuevo a la vida.

Aunque Dios es la fuente de la vida y todo, incluyendo microbios, plantas, animales y humanos, le deben la existencia a él, la vida humana es distinta a otras formas de vida sobre la tierra. Dios ha dotado a los seres humanos con el don de la paternidad. Los hombres y las mujeres pueden responder ante su Creador y pueden tomar decisiones morales. Pero no nos equivoquemos, eso no significa que la vida humana es, en esencia, parte de Dios y por lo tanto, en sentido real y fáctico, divina. Aunque la vida física, emocional e intelectual surge de Dios, los seres humanos todavía siguen siendo criaturas y su vida sigue siendo en todo tiempo un regalo. Si bien la vida eterna es un don que no puede ganarse, nuestra existencia actual es en todo sentido un don de Dios.

El hecho de que la vida es un don divino implica que nosotros, como seres humanos, debemos comprender tanto la profundidad de esta verdad como sus implicaciones de largo alcance. Este hecho fundamental va en contra del egoísta pensamiento humano que sostiene que podemos manipular la vida tanto en sus inicios como en su final. Sí, hemos descubierto mucho sobre la mecánica de la fertilidad, de la hibridación, el DNA, el desarrollo fetal, el proceso del nacimiento, etc. Hemos descubierto técnicas para acelerar o posponer la muerte. Como resultado discutimos las implicaciones morales de temas tan espinosos como el aborto, los tratamientos de fertilidad, la clonación, la eutanasia y la pena de muerte. De este modo pesamos el interés de los niños nonatos contra los de la madre en perspectiva. ¿Deberíamos instar a una madre que espera un niño que será severamente impedido llevar su embarazo hasta su culminación? Además, luchamos con preguntas relacionadas con la guerra, la paz y la justicia. Y nos encontramos confrontados con muchas decisiones que las generaciones anteriores no tuvieron que afrontar. Muchas de las situaciones actuales eran desconocidas en los tiempos bíblicos. Cuando los cristianos buscan pautas en la Biblia muchas veces se desalientan al no encontrar respuestas claras y definidas. En lugar de eso, deben analizar los principios fundamentales y entonces aplicarlos con oración y conciencia a la situación específica que están enfrentando. Por esa razón nadie, ni el cristiano ni ninguna organización eclesiástica, puede determinar qué es correcto o erróneo en cada caso en particular. No obstante, siempre habrá al menos un cierto grado de subjetividad en la elección personal que permanece como nuestra responsabilidad particular. Y a causa de eso, hemos de respetar a otros si llegan a una conclusión a la que nosotros no hubiéramos arribado.

La vida no es responsabilidad exclusiva de una mayordomía humana. Toda criatura debe su vida al Creador, y la vida no humana puede ser un simple artículo de consumo que podemos usar o disponer de ella sin ninguna implicación moral.

El valor de la vida

Esto nos lleva a la siguiente cuestión. Aunque reconocemos plenamente que la vida es un don, no podemos escapar al asunto del valor de dicho regalo. Todo en este mundo tiene un precio, ya sea una casa, un automóvil, un libro o una boda. Y sea que nos guste o no, en nuestros días y en nuestro tiempo, tendemos a expresar el valor de las cosas, sean materiales o inmateriales, en términos económicos. De modo que la gente pregunta constantemente: ¿Cuál es el valor de la vida humana? Si alguien comienza a construir un gran edificio, las regulaciones de seguridad desempeñan un papel cada día más importante, pero la sociedad por lo general da por sentado que alguien morirá como resultado de un accidente de construcción. ¿Cuántas de esas muertes son aceptables? Cuando las autoridades consideran los límites de velocidad y otras regulaciones del tráfico, el gobierno debate: ¿Cuánto costará? ¿Es el número de vidas extra que se salvarán digno de ese costo? ¿Cómo se relacionan las inversiones en investigación y desarrollo de medicinas con el número de casos que pueden ser tratados, y producirá eso suficiente ganancia que garantice las inversiones? En una forma u otra, la mayoría de nosotros hace un juicio personal concerniente a nuestro propio valor económico cuando determinamos cuánto costará el seguro de vida que queremos tomar.

E inevitablemente surge la pregunta de si una vida humana es más digna que otra. ¿Será que nuestro estatus en la vida o una habilidad específica que poseemos incrementan visiblemente nuestro valor económico? ¿Por qué un jugador de futbol vale millones de dólares? ¿Debería un administrador de alto nivel obtener millones de dólares en efectivo y otros en acciones y opciones de acciones cuando deja la compañía en la que dirigió por pocos años, mientras que alguien que trabajó fielmente para la compañía durante cuarenta años, no puede obtener más que unos $1000.00 extras cuando alcanza la edad de jubilación? Hace algunos años un grupo de expertos en desarrollo se reunió en Copenhague para discutir el valor económico de los seres humanos. Un profesor de la Universidad de Nottingham, Inglaterra, sugirió que el valor de la vida de un estadounidense era de aproximadamente unos seis millones de dólares. La gente en Estados Unidos que tiene empleo muy riesgoso exige un pago extra sesenta mil dólares por cada porcentaje en el incremento de riesgo de tener un accidente fatal. Por tanto, dijo el profesor Appleton, si el uno por ciento es igual a sesenta mil, el cien por ciento alcanzaría la suma de seis millones ¡Por otra parte, la cantidad total que gana un obrero del tercer mundo en toda su vida, sería un promedio de veinte dos mil dólares, y el valor económico de tal persona estaría limitado por esa cantidad!

Un razonamiento tal sería débil en algunos aspectos, pero sirve para ilustrar el punto. Ponemos diferente valor a la vida humana, y esta impresión se confirma de diversas maneras. Cuando vemos los informes de las bajas de guerra en Iraq o Afganistán, de alguna manera estamos más preocupados por una docena de soldados muertos si son de la coalición occidental que cien víctimas de Iraq o Afganistán. Y, por supuesto, ciertos regímenes parecen poner un valor extremadamente bajo a la vida de algunos de sus ciudadanos y no se preocupan si el pueblo sufre y muere, mientras no ponga en peligro los intereses del gobernante.

A veces medimos el valor de la vida en términos de su duración. ¿Puede una vida más corta tener el mismo valor que una vida más larga? ¿Y son ciertas fases de la vida de más valor que otros períodos? La sociedad puede considerar la vida de los jóvenes con un valor extra, porque tienen toda la vida ante ellos, con un enorme potencial que todavía no se ha realizado. ¿O es la persona madura, de considerable experiencia, la más valiosa? Algunas culturas tienden a ver a los ancianos con un significado extra, a causa de su sabiduría, mientras que en otras sociedades escuchamos constantemente de los grandes problemas relacionados con los ancianos y el costo extra que causan en términos de cuidado de la salud, provisión de vivienda e incluso mayores beneficios en pagos por pensiones.

Una perspectiva diferente

Tales cuestiones seguirán aflorando en la superficie, y cada individuo las contestará en forma diferente. Sin embargo, hay otra perspectiva y esa es, gracias a Dios, la decisiva. Es muy sencillo: A los ojos de Dios todo ser humano es una criatura única, pero cada ser humano tiene el mismo valor. Muchos pasajes del Nuevo Testamento destacan estas magníficas verdades. Una de las ilustraciones más iluminadoras es la del buen pastor quien, si bien lleva la responsabilidad por todo el rebaño, hará todo lo que pueda para encontrar y salvar a la oveja que se ha perdido. Cada individuo puede contar con el total interés de Dios en su situación. Dios no va por números y porcentajes o simplemente por considerar el cuadro mayor. Dios sabe lo que le ocurre a cada uno de nosotros. Incluso los cabellos de nuestra cabeza (metáfora que es tanto conmovedora como alentadora) están todos contados (Mat. 10: 30). Nuestro Creador no mide el valor de la vida en términos económicos bajo el criterio de los logros intelectuales o artísticos. Sin considerar la etapa del ciclo de la vida en que estemos, tiene tanto interés en los niños como en los ancianos, tanto por los hombres como por las mujeres. Y tampoco mide el valor por la longitud de la vida. (¡Recuerde que Cristo mismo vivió solo treinta y tres años, y que su vida fue la más «plena» que jamás se vivió en este mundo!)

La vida de todo ser humano, de manera individual, es tan preciosa a la vista de Dios que fue digna del sacrificio supremo: la vida del Hijo de Dios.

Vida verdadera

Muchas veces se nos dice que si no hemos visto esto o estado en tal o cual lugar, o no hemos hecho tal o cual cosa, no hemos vivido en realidad. Lo que la gente quiere decir es que la vida verdadera está llena de excitación, es decir, no está dominada por la gris rutina ni limitada por patrones de tiempo fijo. O sugieren que la vida verdadera es vivida fuera del círculo protector del hogar y la familia. La gente debe obtener una oportunidad de experimentar el mundo real, con todos sus riesgos, sus desafíos y competencias. Se afirma que solo mediante la exposición a las durezas de la vida real en el mundo, grande y malo, uno llega a ser una persona real. Pero tan defectuosos como estos puntos de vida son y pueden ser, son mucho menos peligrosos que la nueva tendencia que invita a las personas a escapar de cualquier tipo de vida verdadera en el mundo virtual de una «segunda vida». Este *cybermundo*, fundado en el año 2003, ha crecido explosivamente y ahora tiene millones de «habitantes» de muchos diferentes países. Aquellos que entran en sus computadoras pueden llegar a ser «avatares» y entrar a una vida virtual en la cual pueden comprar y vender con «dinero verde». Pueden conocer personas, disfrutar de todo tipo de entretenimientos, encontrar información, viajar, comprar y amueblar una casa e, inclusive, asistir a la iglesia. Sí, no es más que un «juego». Pero es una forma muy esclavizadora para salirse de la vida real, y plantea la amenaza muy real de que muchos encontrarán cada vez más difícil separar los hechos de la ficción.

Volviendo la cuestión de lo que es «la vida verdadera», la respuesta cristiana es la más satisfactoria. La definición puede ser bastante corta. *La vida verdadera es la vida en Cristo*. Esta vida verdadera comienza después que uno experimenta un nuevo nacimiento. Difiere radicalmente de la vida que es naturalmente nuestra. «Lo que es nacido de la carne, carne es, y lo que es nacido del Espíritu, espíritu es» (Juan 3: 6). El apóstol Pablo había experimentado este asombroso cambio y podía testificar: «Con Cristo estoy juntamente crucificado, y ya no vivo yo, mas vive Cristo en mí; y lo que ahora vivo en la carne, lo vivo en la fe del Hijo de Dios, el cual me amó y se entregó a sí mismo por mí» (Gál. 2: 20). Él anima a todos aquellos que lo escuchan a seguir su ejemplo: «Desechemos pues, las obras de las tinieblas, y vistámonos las armas de luz» (Rom. 13: 12). En otras palabras, permita que Cristo controle su vida (vers. 14).

La nueva vida es, en esencia, eterna. Puede tener una interrupción temporal cuando muere, pero este tipo de muerte no es el fin. Pertenecemos a Cristo y tenemos la certeza de la eternidad. «Si en esta vida solamente esperamos en Cristo, somos los más dignos de conmiseración de todos los hombres» (1 Cor. 15: 19). «El don gratuito de Dios» no es simplemente una vida satisfactoria en el presente (aunque lo es también), sino que es «vida eterna en Cristo Jesús, Señor nuestro» (Rom. 6:

23). Es verdadera, porque Cristo, quien la ofrece, también es verdadero. Y está disponible para todo aquel que decida aceptarla. «Y esta es la vida eterna: que te conozca a ti, el único Dios verdadero, y a Jesucristo, a quien has enviado» (Juan 17: 3).

La vida cristiana no siempre es una vida fácil. Podemos describir el vivir cristiano como un proceso de «pelear la buena batalla», que requiere de nosotros que echemos mano «de la vida eterna» (1 Tim. 6: 12). Es una vida disciplinada,* una vida verdaderamente impulsada por un propósito,** y más definidamente, una vida que puede disfrutarse también. El Sabio Salomón aconseja: «Anda, y come tu pan con gozo, y bebe tu vino con alegre corazón; porque tus obras ya son agradables a Dios» (Ecl. 9: 7). «Porque no se acordará mucho de los días de su vida; pues Dios le llenará de alegría el corazón» (Ecl. 5: 20). «Que coma, y beba y se alegre; y que esto le quede de su trabajo los días de su vida que Dios le concede debajo del sol» (Ecl. 8: 15). ¿Puede decirse con más claridad? Sin embargo, el mismo Salomón también insta la búsqueda del equilibrio y afirma que «para todo hay tiempo» (Ecl. 3: 1).

El arte de la vida cristiana, es verdaderamente un acto de equilibrio. Requiere percepción y crecimiento espiritual.*** ¿Cómo puede usted aprender a ser asertivo sin ser agresivo? ¿Cómo puede usted vencer el temor sin ser temerario? ¿Cómo puede usted dominar el arte de mostrar misericordia sin condonar el error, y dar libremente sin darse usted también? ¿Cómo puede usted llegar a ser fuerte sin ser rígido u optimista sin ser irrealista?

La vida verdadera tiene una dimensión doble. Primero, se centra en este mundo, en los goces de esta tierra, o en las relaciones que nadie puede desarrollar y los servicios que nadie puede rendir. Está lejos del escapista y del espiritual extraterrestre. Sin embargo, al mismo tiempo,

---

* Richard J. Foster, *The Challenge of the Disciplined Life: Christian Reflections on Money, Sex and Power* (San Francisco: Harper and Row, 1985) queda como un excelente libro acerca de este tema de la vida de un cristiano.

** No sé si estoy de acuerdo con todo el contenido del bestseller de Rick Warren, el libro *The Purpose Driven Life* seguramente presenta lo que una vida cristiana debiera ser.

*** Este párrafo es un resumen muy breve de un libro muy útil, escrito por Ray S. Anderson, *Living the Spiritually Balanced Life* (Grand Rapids, Mich.: Baker Books, 1998).

está totalmente centrada en la vida futura y en la preparación para la eternidad. Para muchos es difícil comprender como pueden integrarse con éxito a una vida con propósito. La única manera en la cual es posible esto es que las dos perspectivas tengan un solo punto central: Jesucristo, la Fuente de la vida. Pero no nos sorprendamos demasiado, si mucha gente que nos rodea no logra imaginar lo que esto significa. Después de todo, es un asunto espiritual y, por desgracia, «el hombre natural no percibe las cosas que son del Espíritu de Dios, porque para él son locura, y no las puede entender, porque se han de discernir espiritualmente» (1 Cor. 2: 14).

Capítulo cinco

Revelación

La revelación es… una manifestación de la gracia de Dios. Implica una enorme condescendencia de parte de Dios quien se rebaja al nivel donde los seres humanos, finitos y rebeldes, puedan escuchar su mensaje. Podríamos decir que Dios cecea cuando nos habla, del mismo modo que un padre afectuoso usa un lenguaje infantil para comunicarse con su bebé».

Richard Rice*

Al entrar al atrio del templo de Apolo, el dios griego, en Delfos, el antiguo adorador leía estas famosas palabras: «Conócete a ti mismo». Atribuidas al menos a cinco sabios griegos, esas palabras han inspirado a las personas a través de los siglos a entrar en serias introspecciones. Los cristianos concordarán completamente con la afirmación de que el conocimiento de nuestros propios motivos, posibilidades y limitaciones constituyen aspectos importantes de un ser humano responsable. Sin embargo, para los cristianos no es allí donde inicia o termina. Más allá del simple conocimiento propio, y como una precondición para el verdadero conocimiento de sí mismo, procurarán conocer a Dios, el único en quien «vivimos, nos movemos y somos»

---

* Richard Rice, *Reign of God* (Berrien Springs, Mich.: Andrews University Press, 1977) p. 25.

(Hech. 17: 28). Y esto, el conocimiento de Dios, constituye la primera y más fundamental preocupación del creyente.

Esto suscita inmediatamente todo tipo de preguntas. ¿Es, en efecto, posible conocer a Dios? Incluso si estamos convencidos de su existencia, ¿tenemos medios a nuestra disposición para acercarnos a él de modo que podamos proceder, más allá de toda mera especulación, al verdadero conocimiento de quién y qué es él? Si es así, ¿cuánto de él podemos conocer? Porque, ciertamente, si estamos tratando con un Dios que es infinito, nuestra mente finita debe confrontar de inmediato barreras más allá de las cuales no puede penetrar. Y, si en verdad podemos conocer algo de, y acerca de, Dios, ¿qué tipo de conocimiento sería ese? ¿Estamos hablando del tipo del conocimiento racional que se expresa en fórmulas filosóficas y teológicas, o más bien en una conciencia mística e intuitiva que halla su expresión primaria en sentimientos y emociones?

¿De arriba o de abajo?

Hace algunos años un teólogo holandés escribió un libro con un título más bien sorprendente: *God Is so Great That He Does No Need to Exist* [Dios es tan grande que no necesita existir]. El autor, el profesor Gerrit Manenschijn, afirma que muchos otros teólogos han llegado a esta conclusión: Cuando hablamos de Dios expresamos nuestros propios pensamientos. Es el pensamiento humano, y no más, por profundo, innovador y perspicaz que sea. Todas las cosas que decimos de las cosas celestiales vienen realmente de abajo. Todo hablar de Dios es pensamiento humano. De hecho, esto debiera hacernos más que felices, pues nos proporciona suficiente dirección espiritual para nuestra vida en este mundo. Es todo lo que necesitamos y todo lo que podemos esperar. Todo lo que está más allá de nuestro mundo actual y de nuestra existencia humana no es susceptible de ser conocido. Cualquier teología (el conocimiento de Dios) que sea útil para nosotros y que vaya más allá de la mera especulación es, en la realidad de los hechos, una forma de la antropología (conocimiento de la humanidad). Y así, esos teólogos nos han llevado otra vez al templo de Delfos, donde el conocimiento de uno mismo es la más elevada ambición espiritual y académica que podamos albergar.

Por supuesto, lo que muchos teólogos contemporáneos que niegan la realidad de la revelación divina (porque en eso consiste todo lo que su razonamiento, por erudito y hábil que parezca, puede lograr) arguyen no es más que un eco de las teorías de Sigmund Freud, el fundador de la escuela psicoanalítica y del «infame» Friedrich Nietzche, dos de las figuras clave del modo de pensar al que nos referimos con la palabra modernismo. ¡Freud pretendía que toda referencia a Dios como nuestro Padre celestial no era, en la realidad, más que una reacción a nuestros sentimientos, mayormente inconscientes, con respecto a nuestro padre humano! Por lo tanto, nuestras convicciones acerca de Dios no son más que simples creaciones de nuestra mente.

Los filósofos postmodernistas están obsesionados con el lenguaje y su función en nuestras vidas. Muchos de ellos arguyen que nuestras palabras pueden, ciertamente, ser símbolos útiles para la comunicación. Cada comunidad asigna un significado particular a su jerga, y así los miembros de una comunidad dada pueden comprenderse mutuamente. Pero eso no significa que tales palabras se refieren de hecho a algo que tenga una existencia real aparte de las palabras mismas. Para decirlo en los términos técnicos que, por lo general, utilizan. Las palabras no necesariamente tienen un referente que sea real, objetivo e independiente a lo cual pueden referirse. Cada comunidad tiene su propio «juego de lenguaje» e inventa sus propias palabras. El lenguaje teológico, dicen ellos, es uno de esos juegos de lenguaje. Es útil para la gente que pertenece a un tipo particular de comunidad religiosa. Cuando hablan en cuanto a Dios, existe un uso compartido del lenguaje. Pero las mentes que funcionan en una cierta manera, dentro de un cierto contexto, han inventado las palabras. Esto no señala por sí mismo, sin embargo, a ninguna realidad que está más allá de las palabras mismas.

Comunicación de «arriba» hacia «abajo»

Aceptar el concepto de la revelación divina es, por lo tanto, asunto de ir más y más en contra de la corriente. Creer en la revelación en su verdadero sentido bíblico es lo opuesto a mantener que todo el que habla de las cosas de «arriba», viene de «abajo». El concepto de revelación implica que hay «Alguien» que hace posible que los que están «abajo», tengan una real (si bien limitada) comprensión de las «cosas de arriba». También sugiere que no es un lujo del que uno puede prescindir y hacerlo todo bien de todos modos. En realidad no descubrimos *quienes* somos a menos que primero encontremos *de quién* somos y lo que podemos llegar a ser.

Al afirmar la posibilidad de la revelación deberían ser cuidadosos, para no obstruir la infinita diferencia que hay entre el Creador y la criatura. Cuando los místicos medievales llevaron sus devociones místicas, muchas veces combinadas con privaciones físicas, a extremos absurdos en su creencia de que podían con el tiempo lograr una forma de unidad con lo divino, sufrieron serios malentendidos. La brecha que existe entre Dios y la humanidad es, y sigue siendo, infinita. Por tanto, cualquier revelación será parcial y limitada. La luz plena de la presencia de Dios no solo no sería útil, sino que sería letal. Ninguna historia es tan clara al respecto como lo es el registro del deseo de Moisés de ver al Dios infinito. Moisés estaba ansioso de recibir una plena y final seguridad de que Dios estaría con él como el líder de su pueblo. Sus súplicas de que Dios le diera la absoluta certeza que anhelaba, culminó con esta súplica final: «Te ruego que me muestres tu gloria» (Éxo. 33: 18). Dios quería que su siervo tuviera la seguridad que deseaba, pero solo podía verlo en un grado muy limitado. «No podrás ver mi rostro; porque no me verá hombre, y vivirá» (vers. 20). Luego sigue un pasaje que podría parecer a simple vista un tanto extraño, pero el significado fundamental es claro: «He aquí un lugar junto a mí, y tú estarás sobre la peña; y cuando pase mi gloria, yo te pondré en una hendidura de la peña, y te cubriré con mi mano hasta que haya pasado. Después apartaré mi mano, y verás mis espaldas; mas no se verá mi rostro» (vers. 21-23). Esta historia, magnífica y un tanto desconcertante, contiene una verdad vital en relación con la forma como Dios se revela. La revelación es, diría uno, un desvelarse, pero no en un sentido total o absoluto. «Las cosas secretas pertenecen a Jehová nuestro Dios; mas las reveladas son para nosotros y para nuestros hijos para siempre» (Deut. 29: 29).

En diferentes maneras

El autor de la Epístola a los Hebreos comienza su carta (quizá «sermón» sería una mejor palabra) con la declaración de que «Dios, habiendo hablado muchas veces y de muchas maneras en otro tiempo a los padres por los profetas». Al principio habló a través de los profetas, pero más tarde («en los días finales») «nos ha hablado por el Hijo»

(Heb. 1: 1, 2). El apóstol Pablo añade una dimensión muy particular del método divino para revelarse. La naturaleza que nos rodea, dice, no es solo para nuestro uso o para nuestro deleite. Porque si la miramos en la forma correcta, podemos «ver claramente las cualidades invisibles de Dios, su eterno poder y su naturaleza divina» (Rom. 1: 20).

Para muchos que ya han llegado a creer en Dios, «el libro de la naturaleza» es, ciertamente, un fabuloso comentario ilustrado sobre el poder creativo divino. Cuando ellos miran al cielo estrellado, ven un poderoso río, se maravillan de la nieve resplandeciente sobre la copa de una majestuosa montaña, se maravillan ante los incontables colores de los arrecifes de coral del Océano Pacífico, o miran a través del microscopio y se maravillan ante lo que permanece oculto para el ojo natural, cuando escuchan los retumbantes truenos, experimentan la vasta soledad del desierto, o escuchan la sinfonía de los pájaros que entonan incansablemente sus cantos, se convencen de que ven irrefutables evidencias de la omnipotencia del Creador. También ha ocurrido que los hombres y mujeres que previamente no habían tenido una verdadera fe en Dios, experimentaron un repentino rayo de percepción cuando se vieron frente a un fenómeno natural inusitado, o tuvieron una comprensión repentina de la majestad de la naturaleza que los rodeaba. Los cristianos tienden a estar de acuerdo con el apóstol Pablo de que una inspección sincera y libre de prejuicios de la naturaleza debiera incitar a los hombres a pensar. ¿Pueden atribuir en realidad todo lo que les rodea a la secuela de una «gran explosión»? ¿Es esta, en realidad, la teoría o la sugerencia más convincente? (Porque eso es, en realidad, una hipótesis que descansa sobre presuposiciones nunca probadas.) ¿O más bien, la naturaleza señala alguna forma de diseño inteligente? ¿Es un enfoque teísta (uno que implica a un Dios todopoderoso) al menos tan probable como el que se niega a aceptar tal posibilidad?

Sin embargo, cuando todo esto se ha dicho y hecho es claro que la naturaleza únicamente puede proporcionar una respuesta muy parcial a todas las preguntas que tenemos en cuanto a quién y qué es de Dios. El libro de la naturaleza también contiene muchas páginas de terrible crueldad. ¿Quién no ha contemplado alguna vez, con desilusión, o con verdadero disgusto, un documental de la televisión que mostraba con sangrientos detalles cómo matan los animales sin misericordia? ¿Cómo podemos reconciliar la horrenda crueldad de la naturaleza con la idea de un Creador amante? A través de los siglos la belleza del cuerpo humano ha inspirado incontables obra de arte. Después de todo, Dios hizo al ser humano tan solo «un poco menor que los ángeles» (Sal. 8: 5). Sin embargo, poco de esa belleza permanece cuando la enfermedad le roba al cuerpo no solo su fortaleza, sino también toda su dignidad.

¿Y qué en cuanto a la muerte y la destrucción causadas por los cada vez más frecuentes desastres naturales tales como: tsunamis, inundaciones, incendios de bosques, terremotos y otros fenómenos naturales? ¿No esperaríamos que un Dios omnipotente tuviera un mejor control de la naturaleza? ¿Cómo reconciliamos la realidad de las fuerzas letales de la naturaleza que arruina la vida de millones de seres humanos, hombres, mujeres y niños y el ganado, con la fe en un Dios de amor y misericordia? Tales preguntas permanecerían totalmente selladas e imposibles de responder si no tuviéramos una Fuente adicional de revelación.

La Palabra escrita

La fuente adicional de información sobre quién y qué es Dios es la Biblia. Cualquiera que sepa algo de la Biblia comprende que es un libro singular. Casi cuarenta autores la escribieron durante un período de más de mil quinientos años. Aquellos que escribieron en ella, con toda su diversidad educacional, cultural, y ocupacional, emplearon una amplia variedad de estilos. El libro ha proporcionado gran confort e inmenso apoyo espiritual a los que no han tenido la oportunidad de educarse, pero al mismo tiempo ha sido objeto de una constante investigación académica. Naturalmente, es claro para la razón que es un libro singular, si es lo que pretende ser: La Palabra de Dios en lenguaje humano. Dos elementos fundamentales deben mantenerse en completo equilibrio, pero cada uno ha de obtener su peso completo. (1) La Biblia es el vehículo a través del cual *Dios nos habla*. No son los seres humanos dirigiéndose a sus prójimos humanos. Pero, (2) es *Dios hablándonos a través de los seres humano*. Dios, en su gracia, condesciende a bajar a nuestro nivel. No puede comunicarse con nosotros en la misma forma como lo hace con los seres celestiales. Más bien, acepta, con dignidad y elegancia, las limitaciones de las palabras humanas, del razonamiento y de las historias humanas. Dios decidió revelar lo que quería que conociéramos y entendiéramos empleando el hebreo antiguo y un tipo particular de griego, y en unos cuantos versículos se usó el arameo. La Biblia es, por lo tanto, simultáneamente, divina y humana. En eso consiste su verdadera singularidad.

Dios nos ha dejado a nosotros la tarea de traducir, lo mejor que podamos, esta singular colección de sesenta y seis «libros» al francés, al inglés, al chino, al español o a cualquier otra lengua que podamos leer y entender. La tarea de narrar de nuevo la Palabra en el tipo de idioma que la gente de diferente cultura y con diversos niveles de educación y de edad pueda comprender, sigue siendo un desafío permanente. Siempre hemos de recordar que la Biblia no se convierte realmente en la Palabra de Dios hasta que podamos escucharla en un lenguaje en que la podamos comprender.

Sus lectores y oyentes deben centrar su atención en las verdaderas intenciones de la comunicación de Dios con nosotros. Aunque encontramos mucha información histórica digna de confianza en la Biblia; la Palabra de Dios no es, en primer lugar, un libro de historia. Y aunque la Biblia es el texto fundamental de todos los esfuerzos teológicos, no está diseñada como un volumen de teología sistemática. El objetivo principal de la Biblia es ayudarnos, a los seres humanos, a establecer y fortalecer nuestras relaciones con Dios, y de este modo darle significado, estructura y dirección a nuestras vidas.

El Espíritu de Dios inspiró a los autores de la Biblia (2 Tes. 3: 16). «Los santos hombres de Dios hablaron siendo inspirados por el Espíritu Santo» (2 Ped. 1: 21). Por lo tanto, no se convirtieron en escritores mecánicos, movidos por una fuerza misteriosa e invisible, registrando palabras producidas sin la participación de sus propias mentes y sin ningún impacto del mundo en el cual vivían. Sería más correcto decir que los «pensamientos» de la Biblia son inspirados y no las palabras individuales. Pero, por extraño que nos parezca, la teoría de la inspiración verbal (que Dios seleccionó cada palabra en el texto original de la Biblia) siempre ha tenido sus defensores, incluso entre los adventistas del séptimo día a pesar de la clara evidencia en sentido contrario. Elena G. de White fue bastante clara al expresar lo que ella creía sobre este punto. En 1866, mientras visitaba Europa, ella escribió: «La Biblia está escrita por hombres inspirados, pero no es la forma del pensamiento y de la expresión de Dios. Es la forma de la humanidad. Dios no está representado como escritor… Dios no se ha puesto a sí mismo a prueba en la Biblia por medio de palabras, de lógica, de retórica. Los escritores de la Biblia eran los escribanos de Dios, no su pluma. No son las palabras de la Biblia las inspiradas, sino los hombres son los que fueron inspirados. La inspiración no obra en las palabras del hombre, ni en sus expresiones, sino en el hombre mismo, que está imbuido con pensamientos bajo la influencia del Espíritu Santo, pero las palabras reciben la impresión de la mente individual. La mente divina es difundida. La mente y voluntad divinas se combinan con la mente y la voluntad humanas. De este modo, las declaraciones del hombre son la Palabra de Dios».*

En su búsqueda de las palabras para expresar tan claramente como les fuera posible el mensaje que el Espíritu quería que presentaran, los autores de la Biblia utilizaron analogías y metáforas. Al concentrar su atención en ciertos aspectos de las personas, objetos o fenómenos y aplicarlos a su tema, esperaban crear frescas percepciones en el lector o el oyente. Por ejemplo, comparando a Dios con un pastor que cuida su rebaño con total dedicación, David ha ayudado a millones de lectores del Salmo 23, a captar una vislumbre del cuidado de Dios por los seres humanos. ¡Por supuesto, nosotros entendemos que, si bien Dios es como el pastor en ciertos aspectos, es totalmente diferente a los pastores en muchos otros! No obstante, la verdad se presenta en forma muy efectiva. Cristo fue el maestro absoluto en el uso de metáforas para explicar a sus discípulos lo que él quería que supieran. Una y otra vez comenzaba con: «El reino de los cielos es semejante a…» y luego enfatizaba algo que ilustraría un aspecto particular de la venida del reino en una forma mucho más efectiva de lo que una tirada de lenguaje abstracto sería capaz de hacer.

Los autores de la Biblia utilizaron la poesía y las figuras apocalípticas y otras formas estilísticas, pero para la mayoría de los lectores, pasados y presentes, la *historia* o *relato* bien podría ser el formato más atractivo. Las historias de la Biblia son historias verdaderas, pero hacen mucho más que simplemente proporcionar información histórica, biográfica o de otro tipo. También hacen eso, pero siempre desde cierta perspectiva. Consideremos las historias de los reyes de Israel. Aunque son históricamente confiables, son también incompletas y subjetivas. Relatan sola-

---

* Elena G. de White, *Mensajes selectos*, t. 1, p. 24. Para otra declaración clásica sobre el punto de vista de Elena G. de White, sobre la inspiración, ver la introducción de su libro *El conflicto de los siglos*.

mente ciertas cosas, y aquellos reyes que «hicieron lo que era bueno a los ojos de Dios», tienden a ser más extensas que las de aquellos que hicieron el mal, a pesar de que el último era de mayor importancia política. La historia de ellos es parte de la historia de la salvación. Esa es la perspectiva que cuenta. La historia de la creación es un registro verdadero del origen de nuestro planeta y de la vida sobre él. Sin embargo, el relato de la creación del mundo está muy lejos de ser completo y deja muchos hilos sueltos, dejándonos con muchas preguntas sobre cómo se complementan todas las cosas. Mientras nos concentramos en nuestra búsqueda de lo *que* la historia nos dice, debemos pasar por alto en la razón por la cual se escribió la historia en la forma como se escribió y debemos buscar el *mensaje espiritual* que queda detrás de los hechos. ¿Qué significa el hecho de que Dios es nuestro creador y qué implica que nos haya creado a su imagen? Tomemos otro ejemplo: ¿Por qué el apóstol Juan solo nos habla de siete milagros aunque Cristo realizó muchísimos más? ¿Y por qué eligió los que incluyó? Lo que Juan nos dice ocurrió en la realidad, pero ciertamente no fue todo lo que ocurrió. ¿Por qué hizo esa elección en particular? En gran medida tenemos que imaginar por qué el Espíritu lo guió a hacer esa selección en particular, pero el estudiante cuidadoso debe discernir un interesante patrón teológico. Y podríamos añadir centenares de ejemplos en los cuales vemos la participación creativa de la humanidad en la elección de las historias y de las palabras que canalizaron la Palabra divina.

Jamás seremos totalmente capaces de explicar la forma como obra la inspiración. La mezcla milagrosa de la perfecta actividad del Espíritu divino con la creativa, pero limitada e imperfecta, participación del espíritu humano está más allá de nuestra comprensión. Las teorías sobre la inspiración no pueden hacer justicia a este milagro y tienden a perder el equilibrio. O enfatizan demasiado el elemento divino o el humano. Un énfasis desequilibrado sobre lo divino nos deja con una teoría antibíblica, mientras que un énfasis excesivo en el elemento humano le roba a la Santa Escritura su autoridad divina. Además, no olvidemos que el papel del Espíritu Santo no está limitado a la producción de la Biblia. Si es que hemos de sacar provecho de su *lectura,* el Espíritu debe involucrarse constantemente. A menos que el Espíritu ayude nuestro entendimiento, las palabras permanecerán vacías, de hecho, siguen siendo simplemente humanas y no logran constituirse en una revelación, y como tales, en «lámpara y lumbrera en mi camino» (Sal. 119: 105).

Mirando a Dios

La Biblia revela aspectos de Dios y de su plan de salvación que la naturaleza no puede develar, pero ni siquiera la Palabra escrita de Dios fue adecuada. «En estos postreros días» Dios, por lo tanto, dio un salto gigantesco en sus relaciones con la humanidad. No solo nos dio la Palabra en lenguaje humano, sino también proporcionó a la humanidad una revelación de carne y sangre. «Aquel verbo se hizo carne y habitó entre nosotros» (Juan 1: 14). Al verlo a él vemos cómo es Dios. Él dijo: «El que me ha visto a mí, ha visto al Padre» (Juan 14: 9).

Cuando Dios se hizo carne («se hizo carne», como dicen la mayoría de las versiones), fue el límite máximo al que Dios llegó. Una mayor revelación tendrá que esperar hasta que nos levante por encima de nuestras actuales limitaciones. «Ahora vemos por espejo oscuramente, mas entonces veremos cara a cara» (1 Cor. 13: 12).

Aspectos de la revelación

Este breve capítulo solo puede tocar algunos pocos aspectos de este fabuloso tema de la revelación. Pero, para terminar, permítanme hacer unas pocas consideraciones muy importantes que espero usted tome en cuenta:

Permítame repetir lo que declaré antes: Lo que Dios nos revela nos da una información real acerca de él, aunque muchas cosas todavía continuarán ocultas. ¡La verdadera revelación viene de arriba y no de abajo! Los eruditos que creen esto, utilizan un término técnico para subrayarlo. Ellos alegan que hablar de Dios no es más que un juego de lenguaje, pero son firmes en su negación de que hablar de Dios tiene un *referente,* es decir, que se refiere a una realidad que existe independientemente de lo que decimos acerca de él. Sin embargo, las palabras humanas nunca podrán definir completamente las realidades celestiales.

Para usar otro término técnico, la revelación se *contextualiza.* Dios emplea palabras humanas, el tipo de palabras e imágenes que la gente usó en una época en particular, dentro de un contexto específico. Reconocer esto es esencial si nosotros, que vivimos en una época posterior y dentro de un contexto cultural diferente, queremos comprender el significado de lo que Dios se propone decirnos. Al mismo tiempo, sin embargo, debemos estar alertas para no caer en la trampa de reducir todo a una mera reflexión del contexto histórico y cultural. Un mensaje eterno siempre nos espera debajo de la envoltura cultural del tiempo en cual el escritor bíblico escribió.

La revelación divina tomó lugar dentro de una *comunidad* particular. En la mayoría de los casos, los intentos de comprender lo que Dios reveló también ocurrió dentro de un contexto comunitario. La comunidad tiene su propia historia, sus propias tradiciones y su propia jerga. Sería ingenuo sugerir que la comunidad de la que somos parte no afecta la forma en que leemos la Palabra de Dios y explicamos su significado para nosotros hoy. Los adventistas no se acercan a la Biblia con su mente como una *tabula rasa* (tablilla sin escribir). No pueden evitar la lectura de sus Biblias con ciertas presuposiciones adventistas en línea con la tradición a la cual pertenecen. El desafío que cada comunidad, incluyendo la comunidad adventista, tiene que afrontar constantemente es si podrá ser lo suficientemente objetiva hacia sus propias tradiciones y todavía mantenerse dispuesta a ir más allá de ellas en su búsqueda de «más luz».

Para recibir la revelación de Dios se requiere *reflexión teológica.* Con el propósito de obtener una mejor comprensión de lo que él procura decirnos, podemos necesitar palabras y símbolos que no son parte del vocabulario bíblico. La Biblia no emplea palabras y expresiones como Trinidad, personas de la Deidad, o la naturaleza de Cristo. Y tampoco se refiere a los atributos divinos como la omnipotencia, la omnisciencia, etc. La mayoría de los cristianos han concordado en que tales palabras son útiles para sistematizar nuestra limitada comprensión de lo que Dios nos ha revelado de sí mismo. Pero no olvidemos que estos (y muchos otros) términos son palabras humanas que solo pueden, en el mejor de los casos, señalarnos aspectos de la verdad, sin proporcionarnos una completa descripción de ella. Y muchas de estas palabras llevan su propio bagaje. Por ejemplo, la palabra «persona» cuando se introdujo por primera vez en el vocabulario teológico significaba algo muy diferente de lo que muchos consideran que significa hoy.

Un enfoque sin prejuicios de la Escritura nos conducirá a la conclusión de que el método de Dios al usar «escritores» humanos ha resultado en un texto *confiable, pero no totalmente libre de discrepancias.* Un ejemplo interesante de esto aparece en 2 Samuel 24: 1 y en 1 Crónicas 23.

Ambos pasajes relatan la historia del censo que David hizo del pueblo. Es claramente la misma historia en síntesis, pero no en todos los detalles. Ni siquiera el resultado del relato principal es el mismo en las dos versiones. Sin embargo, no hemos de preocuparnos por esas cosas. La inspiración, al parecer, obra de tal manera que no elimina o evita las discrepancias menores, como las que hallamos en este ejemplo. Pero no necesitamos tener ninguna duda acerca de lo que es el mensaje.

Finalmente, la revelación es *progresiva.* Los profetas construyeron sus escritos a partir de los libros de Moisés. El Nuevo Testamento se edifica sobre el Antiguo. La revelación a través de Cristo sobrepasa todo lo que se dijo anteriormente. Pero aunque tenemos una clara progresión, no quiere decir que lo que Dios reveló anteriormente se vuelve obsoleto o inconcluso. El Señor nos revelará mucho más a nosotros en el mundo venidero. El hecho de que todo lo que ya ha sido revelado puede ser limitado, no indica, sin embargo, que es inconcluso e insuficiente para nuestra peregrinación espiritual. Pero dada nuestra humanidad, con todas sus limitaciones, significa que siempre existirá el desafío de cavar más profundamente cada día en lo que Dios nos ha revelado. Esta profundización debe ser hecha de manera individual y como comunidad. Nuestra comprensión de lo que Dios ha abierto ante nosotros es también progresiva. Siempre habrá más para ver y comprender. Siempre hay lugar para un mayor crecimiento «en el conocimiento de nuestro gran Dios y Salvador Jesucristo» (2 Ped. 3: 18). Y cuando hablamos de este tipo de conocimiento, debemos recordar que el verdadero «conocimiento» no es, en el sentido bíblico, básicamente información proposicional depositada en fórmulas, pruebas, y argumentos, sino un conocimiento relacional porque, en última instancia, es lo que la revelación divina significa, una guía para una relación personal con Dios.

Capítulo seis

Pecado

«Todo el que comete pecado quebranta la ley;
de hecho, el pecado es transgresión de la ley».
1 Juan 3: 4

«Todo lo que no proviene de fe, es pecado».
Romanos 14: 23

«El que sabe hacer lo bueno y no lo hace, comete pecado».
Santiago 4: 17

«Pecado» es una de las palabras comunes que han sufrido una constante devaluación. La gente la usa en toda clase de circunstancias y a veces incluso le añaden una connotación positiva de aventura y diversión. Con frecuencia la conectan con una excitante conducta sexual, o a diferentes formas de excesiva indulgencia que puede ser poco sabia, pero que es, sin embargo, pintada como comprensible e, incluso, agradable. En este capítulo consideraremos el verdadero significado del término y veremos cómo lo define la Biblia, y qué significa el «pecado» para los cristianos que procuran emular a aquel que es sin pecado.

Preguntas

La Biblia define el pecado como oposición a la ley de Dios (1 Juan 3: 4). A primera vista esto parece ser bastante sencillo. Usted consulta la ley, y cualquier cosa que no esté en armonía con ella es pecado. Pero, ¿a cuál ley se refiere Juan? ¿A la de los Diez Mandamientos? ¿O hay una aplicación más amplia a otras leyes y mandamientos? E incluso si nos centramos en los Diez Mandamientos, ¿cuáles son las implicaciones de las enseñanzas de Jesús? ¿No les dijo él a sus discípulos que el impacto de esta ley divina se extiende mucho más allá de la aplicación inmediata y literal, pues también que incluye los motivos internos (véase Mat. 5: 27)?

Otros aspectos pueden ser también bastante difíciles de manejar. Todos comprendemos que robar es malo, o «pecaminoso», como dirían los cristianos. Si yo robo un BMW porque no estoy contento con el automóvil que tengo, he cometido un pecado. O si robo cien mil dólares defraudando a la compañía para la cual trabajo, soy un ladrón. Pero, ¿qué pasa si no tengo absolutamente nada de dinero (y no tengo culpa por esto) y robo una pieza de pan, simplemente para mantenerme vivo? ¿También eso cae en la categoría de pecado? ¿Y qué si soy un cleptómano, alguien que es completamente incapaz de resistir el impulso de robar? No estoy robando porque quiero tener toda clase de lujos, sino que tomo cosas pequeñas de insignificante valor, obligado por una extraña compulsión interna que está más allá de mi control. ¿Me hace eso un ladrón o más bien un paciente que necesita terapia?

La gente por lo general considera el asesinato como el peor de los pecados. En nuestra escala de valores se puede ver una amplia brecha entre decir una mentira blanca y apuñalar voluntariamente a mi vecino después de una confrontación por causa de la cantidad de decibeles que salen de su casa. Pero, ¿es la violencia física en principio más objetable que el abuso verbal? ¿Y es el asesinato de dos personas intrínsecamente más malo que el de una sola persona? ¿Es un asesino en serie peor que alguien que mata una o dos veces? ¿O podría el asesino en serie ser menos culpable si descubrimos que sufre alguna compulsión interna que ha reducido agudamente su responsabilidad personal?

Otras preguntas surgen tan pronto como empezamos a pensar en el pecado. ¿Hay algo llamado «pecado original» o «pecado hereditario» o «pecado ancestral»? Un concepto que ha entrado en la teología cristiana se refiere a la condición general de pecaminosidad en la cual nacen los seres humanos, más que a hechos reales de pecado. Uno podría compararlo con un virus que ha infectado al mundo después de que la primera pareja «cayó» en pecado. San Agustín, uno de los padres de la iglesia, y otros después de él, sugirieron que el bautismo de infantes es necesario para manejar los resultados letales del pecado original.

Si muere un niño no bautizado su condición pecaminosa lo destina inevitablemente al infierno. Aparte del hecho de que este punto de vista del infierno carece tristemente de base bíblica, el concepto del pecado original tiene también otros elementos que son indefendibles. Sin embargo, la pregunta permanece: ¿Por qué comenzamos en la vida con una seria desventaja a causa del error de nuestros primeros padres? ¿Qué justicia puede haber en el hecho de que «el pecado de Adán causó la muerte» y que, como resultado, «la muerte pasó a todos los hombres» (Rom. 5: 12) y que «por la transgresión de uno vino la condenación a todos los hombres» (vers. 18)?

¿Qué es pecado?

Podríamos añadir otras preguntas a las que ya hemos formulado. El texto que acabamos de citar de Romanos 5 sugiere un principio de causalidad. Una cosa es causada por la otra, estableciendo así una cadena de sucesos en movimiento. Un pecado trágicamente condujo al pecado universal, y el pecado universal resultó en la muerte universal. Hay una verdad en eso. Sin embargo, debemos ser muy cuidadosos de no hablar solo en términos de causalidad, como si cada problema específico, y cada caso específico de sufrimiento humano fuera el producto de un pecado identificable de parte de un individuo específico. ¿Recordamos la historia bíblica del hombre que nació ciego? Los discípulos de Jesús, que estaban acostumbrados a pensar en términos de causa y efecto, preguntaron: «Maestro, ¿quién pecó, este o sus padres, para que haya nacido ciego?» (Juan 9: 2). Jesús les dijo que no hicieran ese tipo de conexiones precipitadas. «No es que pecó este, ni sus padres, sino para que las obras de Dios se manifiesten en él» (vers. 3). Jesús también subrayó esta verdad cuando se refirió a un incidente que había ocasionado la muerte de dieciocho hombres. La torre de Siloé se había derrumbado y sepultado entre sus escombros a dieciocho hombres. «¿Pensáis que eran más culpables que todos los hombres que habitan en Jerusalén?» (Luc. 13: 4). Es claro que no quería que la gente sacara esas conclusiones y ligara su muerte incidental con cualquier comportamiento pecaminoso específico. Las cosas son más complejas que eso. A las personas malas les ocurren cosas malas, pero también les ocurren a las personas buenas.

Si bien hay pecado *personal*, también hay pecado *corporativo*. El pecado ha infectado al mundo y, como resultado, el mundo está sujeto a la muerte y la decadencia. La humanidad se ha convertido en esclava del pecado (ver Rom. 6). Vimos en el capítulo sobre la «Revelación» que la creación de Dios sufre bajo los efectos del pecado. «Porque sabemos que toda la creación gime a una, y a una está con dolores de parto hasta ahora» (Rom. 8: 22).

La responsabilidad individual y la responsabilidad corporativa están interconectadas. Como muchos de nosotros tomamos decisiones equivocadas, los acontecimientos del mundo toman un cierto sesgo y se desarrolla un cierto tipo de sociedad en la cual la humanidad, no la Deidad, se convierte en la medida de todas las cosas. Como muchas de las personas individuales no controlan su codicia y egoísmo, el mundo se ha caracterizado por el materialismo y la centralidad del yo. Al mismo tiempo, el tipo de mundo egoísta y violento que la humanidad ha «creado» influirá en todos aquellos que nacen sobre él. Y este cáncer del pecado continúa haciendo metástasis con resultados que no se pueden detener. Sin embargo, no podemos simplemente culpar a nuestro crecimiento, al ambiente, a nuestros genes, o cualquier otra cosa. En la Biblia el pecado es mucho más que una infección que se ha extendido y que ahora nos tiene a todos cautivos. La definición bíblica primaria de pecado se refiere al comportamiento pecaminoso consciente. «Toda injusticia es pecado», leemos en 1 Juan 5: 17. La mayoría de las versiones de la Biblia hablan de la «injusticia» como el elemento principal del pecado. Cuando pecamos «infringimos» la ley de Dios (1 Juan 3: 4). Pecar no es ir contra cierto vago ideal o principio general, es una abierta rebelión contra Dios. David reconoció esto cuando meditó sobre su pasado adúltero: «Contra ti, contra ti solo he pecado» (Sal. 51: 4). Note que el pecado tiene que ver con un acto de la voluntad. Es ir contra una norma, la ley absoluta de Dios. Esto difiere radicalmente de lo que la mayoría de la gente postmoderna cree. Para ellos no existen las reglas absolutas. Se trata únicamente, dicen ellos, de preferencias individuales y del consenso que la sociedad ha desarrollado. Si bien es posible que ciertas cosas no sean de nuestro agrado, eso no las hace inherentemente malas. Aunque sintamos la necesidad de crecimiento personal y consideremos ciertas fallas de nuestra propia conducta como debilidades que nos gustaría superar, todas quedan muy lejos del punto de vista bíblico del pecado como una rebelión activa y voluntaria contra una ley absoluta dada por el legislador divino. «El pecado es transgresión de la ley». Una vez más cito 1 Juan 3: 4, pero esta vez lo hago de la Nueva Versión Internacional. Esta versión subraya más patéticamente la forma como Dios define los límites para la humanidad. Dios dice que el pecado es transgresión de su ley santa y espiritual (Rom. 7: 12-14). Quebrantar la ley, cruzar esos límites divinos, el límite que Dios nos pone a nosotros, es pecado.

Los cristianos medievales consideraron siete pecados capitales como pertenecientes a una categoría especial. Los así llamados «pecados mortales» (también conocidos como pecados «capitales») requerían acción sacramental especial si uno quería obtener el perdón y la absolución. Los hallamos por primera vez en una lista del siglo sexto que tuvo su origen con el papa Gregorio el Grande (c. 540-604). Estos son: Lujuria, gula, avaricia, pereza, ira, envidia, soberbia. A cada pecado capital le corresponde una virtud particular:

Lujuria < >	Castidad
Gula < >	Templanza
Avaricia < >	Generosidad
Pereza < >	Diligencia
Ira < >	Paciencia
Envida < >	Caridad
Soberbia < >	Humildad

No hallamos ningún fundamento bíblico para hacer una distinción entre pecados «capitales» y «veniales». ¡Y esta lista medieval, y cualquier otra que podamos confeccionar, de pecados que supuestamente son menos graves que otros, puede extraviarnos en vez de ayudarnos, porque puede sugerir que algunos pecados son en realidad menos serios que otros! Sin embargo, la lista tradicional de pecados mortales sugiere esa actitud y desempeña un importante papel. Es un claro principio bíblico que Jesús mismo enfatizó fuertemente. Desear sexualmente la esposa de otro hombre o acariciar fantasías sexuales es tan pecaminoso como sostener una relación totalmente adúltera; y estar obsesionado con sentimientos de odio no es intrínsecamente diferente al acto de jalar el gatillo (Mat. 5: 21, 28).

Pero tampoco agotamos el fenómeno del pecado declarando que es un acto de transgresión voluntaria a una ley santa que Dios nos reveló para guiarnos en la vida, o la alimentación del deseo de cometer tal transgresión si tan solo tuviéramos las agallas o el valor para hacerla. Santiago 4: 17 añade un aspecto muy significativo: «Así que comete pecado todo el que sabe hacer el bien y no lo hace». De modo que además del pecado de comisión, también existe el pecado de omisión. La parábola del rico y Lázaro (Luc. 16: 19-31) nos proporciona un excelente ejemplo de este tipo de pecado. La historia nos dice que el rico se quejó amargamente con el padre Abraham contra la suerte que le había tocado, comparando su propia miseria con las bendiciones que el pobre mendigo Lázaro estaba experimentando en el «seno de Abraham». Jesús explicó que el rico que pudo haber hecho algunas cosas en la vida que lamentablemente no realizó. Aquellas omisiones lo perseguían ahora. Mateo 25: 31-46 contiene la misma moraleja. Cuando Jesús vuelva «con su recompensa», las cosas que no hemos hecho pueden ser causa de pérdida de la vida eterna.

No se necesita pensar mucho para comprender que muchísimas cosas ocurren porque la gente no actuó. Es muy cierta la observación de Edmund Burke (hombre de estado y filósofo irlandés, 1729-1797) de que «todo lo que necesita el mal para triunfar es que la gente buena no haga nada».

Sin embargo, «el pecado» se extiende todavía más. Su significado también cubre la idea de «no alcanzar el blanco». Este es el significado radical de una de las palabras griegas (*hamartia)* y su equivalente hebreo que los traductores traducen como «pecado». «Sed, pues, vosotros perfectos, como vuestro Padre que está en los cielos es perfecto» (Mat. 5: 48). Si el objetivo es alcanzar la perfección, siempre estará más allá de nuestro alcance. «Por cuanto todos pecaron, y están destituidos de la gloria de Dios» (Rom. 3: 23). Por supuesto, ese «errar el blanco» es una realidad que nosotros afrontamos constantemente en nuestra vida diaria. En muchas formas erramos el blanco de los ideales que profesamos; en tantas formas chasqueamos a otros y a nosotros mismos cuando no logramos cumplir nuestras promesas que deberíamos haber cumplido y nuestros objetivos que deberíamos haber alcanzado.

La realidad del pecado

El pecado es, sin duda, un tema crucial en el vocabulario cristiano. Debemos enfrentarlo con mucha seriedad, nunca poner su cruda realidad a un lado o minimizarla. Naturalmente, nos preguntamos acerca del origen del pecado. La historia de la caída en el Génesis nos habla del primer acto humano de rebelión. Al parecer es una cosa sumamente pequeña: cortar un fruto que parecía atractivo y apetitoso. Pero fue, ni más ni menos, la primera demostración de orgullo humano desmesurado, fue intercambiar las normas de Dios por la suya propia.

¿Cómo pudo ocurrir eso? Ocurrió por una simple razón: Dios había creado a la humanidad con la libertad para elegir. Los seres humanos podían permanecer obedientes o, por otra parte, podían decidir seguir sus propios caminos. Podían escuchar la voz de su Creador o las engañosas sugerencias del enemigo. Antes de la caída en el Paraíso, ya se había producido una confrontación celestial entre el bien y el mal, Un ser celestial había ejercido su poder de elección y había decidido rebelarse, y luego había encontrado quienes estuvieran dispuestos a seguirle entre los seres angélicos. Varios pasajes bíblicos nos proporcionan una vislumbre de lo que ocurrió (véase Apoc. 12: 7-13; Eze. 28: 12-19; Isa. 14: 12-14).

Tan pronto como Dios creó a la humanidad, Satanás, el capitán de los ángeles malos, hizo todo lo posible para infectar nuestro planeta con el germen del pecado. Y tuvo éxito. No podemos comprender en toda su plenitud el qué y el por qué de la «caída» en el pecado. Sigue siendo, en el sentido real de la palabra, un misterio. El término que se usa en 2 de Tesalonicenses 2: 7 es muy apropiado: «misterio de iniquidad».

Por muchas razones la teoría de la evolución es inadecuada como explicación de los orígenes. Un problema clave que la hipótesis evolucionista no puede resolver es el origen del juicio moral, de la distinción entre el bien y el mal. El pensamiento evolucionista, no tiene lugar para el pecado como una transgresión moral de una ley divina, y de cualquier transgresión moral de omisión, de «fallar» en alguna marca moral. El evolucionismo reduce al pecado a una etapa del desarrollo, una habilidad que todavía no hemos dominado, o una percepción que todavía debe lograrse a medida que todo progresa a través de un larguísimo período de tiempo. No existe ningún mandamiento moral de proteger al débil. De hecho, el débil debe, por necesidad, perder, para que «el más apto» pueda sobrevivir. Muchos arguyen que la fe cristiana no tiene nada que temer con la teoría de la evolución. Sí, dicen, debemos abandonar una lectura literal de la Biblia como obsoleta y precientífica, pero la verdad más profunda de la religión cristiana no afronta ningún peligro real. Nada podría, sin embargo, estar más lejos de la verdad. La evolución es irreconciliable con la realidad del pecado. Los evolucionistas no necesitan un Salvador; lo único que requieren es un poco más de tiempo para obtener un mejor desarrollo. Por tanto, aquellos que intentan integrar el mensaje bíblico con el pensamiento evolucionista deben expulsar al Cristo bíblico del cristianismo.

Pero el pecado es una realidad que exige una batalla durante toda la vida. Es un conflicto de dimensiones sobrehumanas. «Porque no tenemos lucha contra sangre y carne, sino contra principados, contra potestades, contra los gobernadores de las tinieblas de este siglo, contra huestes espirituales de maldad en las regiones celestes» (Efe. 6: 12). En esta lucha necesitamos toda la protección y todas las armas que podamos utilizar. La Escritura nos amonesta a fortalecernos «en el Señor, y en el poder de su fuerza» (Efe. 6: 10). El consejo es apropiado: «Vestíos de toda la armadura de Dios, para que podáis estar firmes contra las asechanzas del diablo» (Efe. 6: 11). Nuestra lucha es, primero y antes que todo, contra nuestro pecado personal. Por ejemplo, podemos estar luchando contra nuestras tendencias a comprometer la verdad. Algunos de nosotros explotamos en ira con mucha facilidad. Muchos sienten la tentación del orgullo y el prejuicio. Otros podemos sufrir de una adicción que, una y otra vez, demuestra que somos demasiado débiles para dominarla. El pecado toma una multitud de formas. Una vez que comprendemos claramente esto, cesaremos de juzgar a otros, que pueden estar luchando contra pecados que nosotros personalmente no tenemos que luchar con ellos. Cada uno de nosotros tiene una lucha personal. Siempre ha sido un misterio para mí el hecho de que algunos cristianos se han atrevido a concluir que ellos han dominado completamente el pecado. 1 Juan 1: 10 no deja ningún espacio para esta evaluación: «Si decimos que no hemos pecado, lo hacemos a él mentiroso, y su palabra no está en nosotros». Jesús nos habló tanto a nosotros como a los dirigentes judíos que condenaron ansiosamente el comportamiento de la mujer que fue sorprendida «en el acto mismo», cuando dijo: «El que de vosotros esté sin pecado sea el primero en arrojar la piedra contra ella» (Juan 8: 7).

Las enseñanzas adventistas del tiempo del fin incluyen la expectación de que como parte de los acontecimientos finales la mediación de Cristo cesará y los creyentes remanentes tendrán que sobrevivir sin su mediador. En nuestra situación actual no sabemos cómo será posible esto. Tomemos en consideración, en todo caso, la plena definición bíblica del pecado, y no concluyamos a partir de esto que en nuestra condición actual cualquiera de nosotros puede alcanzar un estado de total impecabilidad. «Si decimos que no tenemos pecado nos engañamos a nosotros mismos» (1 Juan 1: 8).

Nuestra lucha contra el pecado incluye, definitivamente, el pecado corporativo. Ni como individuos ni como comunidad eclesiástica podemos aceptar pasivamente que nuestro mundo es malo. Cualquiera sea la influencia que tengamos, debemos utilizarla para reducir la violencia en este mundo y la cultura materialista de desperdicio y explotación. Los cristianos simplemente no pueden tolerar como un hecho deplorable, pero inalterable, que un muchacho de doce años sea enlistado como soldado, que una mujer sea golpeada y abusada, y que los que padecen de sida no obtengan las medicinas que la ciencia ha puesto a su disposición. La convicción del pronto retorno de Jesús, cuando él finalmente erradicará el mal, no puede conducirnos a un complaciente *laissez-faire* y a una negativa a ayudar en todo lo que podamos al necesitado y al hambriento. Mientras vivamos en este mundo continuaremos siendo la luz del mundo y la sal de la tierra (Mat. 5: 13-16).

¿Cuán victoriosos podemos ser?

La lucha contra el pecado no terminará mientras seamos ciudadanos del mundo actual. El hecho de que seguiremos siendo pecadores mientras vivamos, no significa, sin embargo, que no podemos obtener ninguna victoria. Los cristianos saben por experiencia que «hay poder, sí, sin igual poder, en la sangre que él vertió».*

Vencer al pecado es siempre una cuestión de gracia, un don de Dios. Echaremos una mirada más profunda a esto en el siguiente capítulo. Pero Dios espera algo de nosotros si queremos que la gracia tenga esta influencia sobre nosotros. Para comenzar, podemos decidir evitar situaciones comprometedoras, mantenernos alejados de lugares o compañías que pueden tentarnos a hacer algo que sabemos que no debemos

---

* La música y palabras de este poema escrito por Lewis E. Jones (1899).

hacer. Si el alcohol es nuestro problema, sería mejor que no frecuentáramos lugares donde se ofrece licor en abundancia. Si estamos luchando contra el problema de la pornografía en Internet, poner la PC en un lugar donde todos puedan ver lo que hay en la pantalla en frente de nosotros puede ser una útil medida preventiva. O si nuestra lucha es contra la pereza, haríamos bien en someternos a ciertas actividades estructuradas y pedir a alguien que nos ayude monitoreando nuestro programa. Debemos tratar de reemplazar las actividades que nos afectan en forma negativa con otras que fortalezcan las actitudes positivas y despierten los deseos positivos. «No seas vencido de lo malo, sino vence con el bien el mal» (Rom. 12: 21).

Algunas veces necesitamos ayuda exterior. Vencer ciertas adicciones puede requerir tratamiento especializado. Además de todo el poder de la voluntad que podamos reunir, con frecuencia necesitaremos tratamiento y ayuda que le darán una nueva dirección a nuestra vida. En general, las palabras de ánimo de parte de otros nos ayudarán para hacerles frente a nuestras debilidades. «Hay amigos que llevan a la ruina, y hay amigos más fieles que un hermano» (Prov. 18: 24).

Y luego está la oración. Y más oración. Orar pidiendo la ayuda de Dios para resistir la tentación (Mat. 6: 13). Orar para que nos ayude a ser fuertes cuando las presiones a pecar aparezcan repentinamente en nuestro camino. Orar pidiendo liberación cuando el diablo procure «devorarnos» (1 Ped. 5: 8). Orar pidiendo ayuda para perseverar. Y, por supuesto, orar para pedir perdón. Y luego para pedir más perdón.

Culpabilidad

Al terminar este capítulo necesitamos destacar un aspecto particular: No podemos deshacernos de todos nuestros pecados y de toda nuestra naturaleza pecaminosa. El pecado continuará levantando su horrible cabeza. Pero no debemos continuar sufriendo de culpabilidad. Podemos ser totalmente liberados de nuestra culpabilidad. En eso consiste precisamente la expiación, esto es lo que significa ser «salvos». La gloriosa verdad es que existe una respuesta satisfactoria a la pregunta que una vez formuló el apóstol Pablo, y desde entonces ha sido repetida por los labios de millones de cristianos: «¡Miserable de mí! ¿Quién me librará de este cuerpo de muerte?» (Rom. 7: 24). No podemos obtener mejor seguridad que la que podemos encontrar en la conclusión de

Pablo: «Gracias doy a Dios por Jesucristo, Señor nuestro» (Rom. 7: 25).
El esfuerzo humano nunca resolverá el dilema del pecado. Pero hay
una solución. Tenemos un Salvador.

Capítulo siete

Gracia

«Un cristiano lleno de gracia es aquel que mira al mundo a través de lentes que tengan el color de la gracia».

Philip Yancey*

C uando Pablo llegó a la ciudad griega de Corinto se preguntaba cuál método utilizar para alcanzar a su audiencia. Finalmente decidió poner todos los huevos en una canasta. No iría con «excelencia de palabras o de sabiduría» que su mente creativa fuera capaz de producir, sino que decidió «no saber entre vosotros cosa alguna, sino a Jesucristo y a este crucificado» (1 Cor. 2: 2). El apóstol decidió que debía tratar con el problema fundamental que afronta la humanidad: ¿Cómo trata Dios con el problema del pecado? Y él quería hallar cierta forma de impresionar a los corintios con la idea de que Dios lo hizo a través de la muerte de Jesucristo.

A medida que pensamos en el tema de la gracia y la expiación nos vemos confrontados inmediatamente con la historia evangélica de la crucifixión y la muerte de Jesucristo, y debemos afrontar la pregunta fundamental: ¿Por qué tuvo que morir Jesús? ¿No había otra manera de «salvar» a los pecadores? ¿Y para beneficio de quién murió? ¿Murió para aplacar al Padre y para resolver el dilema que Dios tenía por causa del pecado? ¿O fue por todos los hombres y todas las mujeres que estaban dispuestos a confiar en él para lograr su salvación eterna a causa de la

---

* Philip Yancey, *What's so Amazing About Grace?*, p. 272

intervención divina para beneficio de ellos en la cruz? Y esto nos conduce a la siguiente pregunta: ¿Cuál es la relación que existe entre el amor divino y la justicia divina?

En nuestros días y en nuestro tiempo muchas personas con una cosmovisión postmoderna encuentran el concepto tradicional de la expiación totalmente inaceptable. Si los seres humanos han cometido errores, deberían ser tenidos como personalmente responsables y enmendarse ellos mismos. La misma idea de que alguien tenga que aceptar el castigo en su lugar los hace rebelarse. Eso una teoría supersticiosa del pasado, cuando la gente todavía necesitaba trucos para manejar sus sentimientos de culpabilidad. Peor todavía, era un concepto cuidadosamente estimulado por el clero que siempre estaba ansioso de hallar medios para ejercer su poder sobre sus parroquianos ignorantes. Por fortuna, esa no es la posición de los cristianos adventistas del séptimo día.

La rama especial de la teología que trata con la gracia y los asuntos relacionados con ella recibe el nombre de soteriología. Soteriología es ciencia de la salvación. Ese término sugiere que la salvación es un proceso sumamente complicado y que requiere gran erudición si es que hemos de aprender algo de lo que significa. En realidad, los teólogos han escrito a través de los siglos gruesos volúmenes para presentar sus diferentes teorías. Algunos han presentado la idea de la satisfacción, por medio de la cual se pueden satisfacer las demandas de la ley divina y así dejar satisfecha a la justicia divina. Otros defienden la teoría forense, es decir, los aspectos legales y penales de la expiación. Una tercera categoría de estas teorías destacan, en particular, los elementos de sustitución (alguien siendo castigado en nuestro lugar), mientras que, finalmente, también existen teólogos que ven la expiación principalmente, o exclusivamente, en términos de su influencia moral. ¿Cuáles de estas teorías son bíblicas?

Los teólogos tienen que edificar sus construcciones teológicas con los materiales provistos por la Biblia. También emplean palabras que, aunque no aparecen como tales en la Biblia, se cree que resumen los conceptos bíblicos. La lista de tales términos es impresionante. Los que se mencionan con más frecuencia son: Salvación, reconciliación, expiación, propiciación, rescate, redención, sacrificio, juicio e ira, satisfacción y sustitución. Sin embargo, todos los enfoques teológicos caen, de hecho, en dos clases: Teorías objetivas y subjetivas.

Aquellos que defienden algún tipo de teoría subjetiva sugieren que la cruz fue, antes que todo, una demostración del amor de Dios, más que un arreglo legal de créditos y débitos, con nuestros pecados siendo pesados contra la inocencia de Cristo. La cruz, dicen, nos impresiona tanto, que nos da fortaleza y determinación para cambiar nuestro comportamiento y seguir a Cristo. Nosotros llegamos a quedar inmersos en una atmósfera de generosa abnegación. De este modo, la cruz «ocurrió» con el propósito de despertar una respuesta de amor de parte de los seres humanos.

Pero los teólogos que apoyan una teoría objetiva de la expiación no están de acuerdo. Ellos sostienen que algo real y concreto ocurrió en el Gólgota que hace una diferencia objetiva. Dios tuvo que tratar con el problema del pecado a través de un acto divino. Siendo la fuente de amor así como de justicia, tuvo que aplicar un castigo en un suceso histórico. La humanidad tendría que morir a causa de sus pecados, pero aquel viernes por la tarde, alrededor del año 31 d. C., Cristo murió en Jerusalén como nuestro sustituto. Un precio tenía que pagarse, y el precio fue pagado.

Los adventistas del séptimo día apoyan el punto de vista objetivo de la expiación, aunque reconocen que el punto de vista subjetivo también tiene sus méritos, y que ambos puntos de vista no son excluyentes uno del otro. Sin embargo, jamás debemos pensar que podemos reducir todos los aspectos de la expiación a fórmulas nítidas y exactas. Las palabras humanas no pueden describir adecuadamente el misterio del mal. Y tampoco pueden definir totalmente el misterio de la gracia (Efe. 3: 1-13). Es, sin embargo, importante que nunca restrinjamos nuestro punto de vista de la expiación simplemente a lo que ocurre *en* nosotros cuando contemplamos el milagro de la cruz donde Cristo tomó lugar *por* nosotros. Nuestra contemplación solo puede tener efecto si algo decisivo ocurrió cuando Cristo murió en la cruz. Es la única manera en la que puedo leer pasajes como Romanos 3: 23-25:

«Por cuanto todos pecaron, y están destituidos de la gloria de Dios, siendo justificados gratuitamente por su gracia, mediante la redención que es en Cristo Jesús, a quien Dios puso como propiciación por medio de la fe en su sangre, para manifestar su justicia, a causa de haber pasado por alto, en su paciencia, los pecados pasados».

Y 1 Pedro 2: 24:

«Quien llevó el mismo nuestros pecados en su cuerpo sobre el madero, para que nosotros, estando muertos al pecado, vivamos a la justicia; y por cuya herida fuisteis sanados».

Las opciones de Dios

Una de las doctrinas centrales de la fe cristiana es que la muerte de Cristo, de alguna manera, nos hizo justos delante de Dios y nos ha dado un nuevo comienzo. Ahora, imagine lo que Dios pudo haber hecho con respecto a la aparición del pecado humano. Humanamente hablando, podemos pensar en cuatro opciones:

Dios podía crearnos de tal manera que hubiera sido imposible para nosotros pecar. Podría habernos hecho sin libre albedrío, como los robots. Pero virtudes como la obediencia, la bondad y el servicio amante serían conceptos completamente carentes de sentido.

Dios podría haber ejecutado a Adán y a Eva inmediatamente después de la caída, y podría haber comenzado todo de nuevo, esta vez haciendo que fuera imposible para sus criaturas repetir el mismo error. Las mismas objeciones del número 1 se aplican.

Dios podía abandonar su creación. Si hubiera ignorado a la humanidad, pronto habría pasado y terminado la escena de la historia humana, porque, si se lo deja solo, el pecado es totalmente autodestructivo.

Dios podría operar sobre la base de la gracia, tomar el pecado sobre sí mismo, y tratar con él de tal manera que a su tiempo lo erradicaría.

Algunos también podrían argüir que Dios pudo haber borrado la cartilla e ignorar simplemente el hecho de que la raza humana había pecado. Pero esa no era una opción. Dios es santo y no puede tolerar el pecado, pues el pecado se opone a todo lo que Dios quiere y a todo lo que él es. El pecado no es simplemente un lamentable problema de comunicación entre Dios y la humanidad. No, el pecado conduce a una final e irrevocable ruptura entre el Creador y sus criaturas. Ninguna solución humana funcionará. El pecado requiere un remedio divino: ¡La gracia!

Cuando discutimos la expiación, deberíamos recordar que Dios toma la iniciativa en la solución al problema del pecado. «En esto consiste el amor: No en que nosotros hayamos amado a Dios, sino en que él nos amó a nosotros, y envió a su Hijo en propiciación por nuestros pecados» (1 Juan 4: 10). La cruz es el momento decisivo en el proceso del amor divino. Todo lo que ocurrió antes fue en preparación para este momento, y todo lo que ocurrió después es su consecuencia. La salvación tiene su centro en la cruz. Pero la cruz no fue un pensamiento posterior ni una medida resultante de una desesperada pérdida de control: «Según nos escogió en él antes de la fundación del mundo» (Efe. 1: 4). Cristo es el Cordero de Dios, «que fue inmolado desde el principio del mundo (Apoc. 13: 8). Ese fue el fundamento de la historia de la salvación. Después de su muerte Cristo continuó ministrando como mediador en el santuario celestial (Heb. 8: 2). Solo cuando hayamos heredado la tierra nueva se completará el proceso de la salvación.

La realidad de la cruz

En la actualidad es una tendencia pintar a Jesús como una víctima, una víctima del odio y del abuso, de la discriminación y de la violación de los derechos humanos. Por lo tanto Jesús sirve como símbolo para millones de personas que en el curso de la historia han llegado a ser víctimas de los crímenes contra la humanidad: los esclavos vendidos como ganado para trabajar en las plantaciones, los prisioneros de Auschwitz, las víctimas de Hiroshima, los negros bajo el Apartheid de Sudáfrica, los indios en Norteamérica, los aborígenes de Australia, los estudiantes en la plaza de Tiananmen, y todos aquellos que sufrieron y todavía siguen sufriendo bajo los regímenes totalitarios. Todo esto es cierto. Jesús llegó a ser la víctima de la maldad humana, su muerte fue la mayor mascarada de un juicio de la historia. Su crucifixión fue un terrible crimen contra los derechos fundamentales de la humanidad.

Pero la historia completa todavía no se ha contado cuando lo hacemos el símbolo de todos los que han experimentado la injusticia. La singularidad de la historia de la cruz está en lo que yace detrás del drama del Calvario. Las manos de aquellos que lo golpearon y lo vilipendiaron no fueron las manos más importantes en esta tragedia. La profundidad de esta historia está en las santas manos de Dios el Padre, que se extendieron sobre su Hijo. Los martillos y los clavos de los soldados romanos no constituyen el foco principal, sino la intensidad de la incompatibilidad divina contra el pecado. La cruz no ocurrió, simplemente, como algo que se salió de control. Los planes de los sacerdotes y fariseos no fueron el factor decisivo. La cruz fue parte de «un plan prearreglado» por la gracia de Dios, como afirmó el apóstol Pedro el día de Pentecostés (Hech. 2: 23).

No obstante, no deberíamos ver el drama como un escenario prefijado que Jesús no tenía más opción que sujetarse a él. Él podría haber rehusado llevar la cruz. Pero, en su amor, la aceptó y llegó hasta el fin, hasta que pudo decir: «Consumado es» (Juan 19: 30). Cuando Cristo murió, «hubo tinieblas sobre la tierra» (Mat. 27: 45) como una señal de que un acontecimiento de singular importancia había ocurrido. Su clamor final no fue el grito de un hombre agonizante que sabía que su sufrimiento físico había terminado, sino que expresaba la gloriosa verdad de que había cumplido su tarea para siempre. Había conquistado las fuerzas del mal; la salvación de la raza humana era un hecho; el sacrificio se había realizado para nunca más ser repetido ni jamás será mejorado. La muerte de Cristo había cruzado el abismo del pecado. Verdaderamente el Cordero de Dios había llevado los pecados del mundo (Juan 1: 29).

Imágenes de la expiación

Las palabras humanas no pueden describir apropiadamente el misterio de la gracia. Las diferentes teorías que los teólogos han construido pueden ayudarnos, en el mejor de los casos, solo para tener una vislumbre. Las diferentes metáforas de los escritores de la Biblia contribuyen para asombrarnos y para apreciar esta demostración sin paralelo de la compasión divina, pero dejan muchas preguntas sin respuesta.

Entre las figuras que se usan en la Biblia encontramos algunas que fueron inspiradas por el sistema sacrificial de Israel. El Nuevo Testamento describe a Cristo como «la propiciación por nuestros pecados» pero, «no solamente por los nuestros, sino también por los de todo el mundo» (1 Juan 2: 2). Muchos pasajes de la Biblia se refieren a él como «el Cordero de Dios». Isaías 53, la sección que habla del siervo sufriente, expande este tema en la más sublime de las formas. Isaías 53 presenta a Cristo como un «cordero que fue llevado al matadero» y que fue «angustiado y afligido» por nuestros pecados. Este hermoso capítulo enfatiza el elemento de la sustitución. Cristo tomó nuestro lugar delante de Dios. Tomó lo que nosotros merecíamos, mientras que nosotros recibimos lo que él merece. Jesús aceptó el castigo que era el resultado de nuestros pecados, mientras que nosotros heredamos los privilegios de la condición de hijos de Dios.

El sistema sacrificial del Antiguo Testamento no fue una hábil adaptación de ideas y ritos paganos, sino una parte esencial de la revelación divina de que se necesitaría algo drástico para restaurar la relación quebrantada entre Dios y la humanidad. Todo lo que ocurría en el tabernáculo y en el templo fue una magnífica *tableau vivant* (cuadro viviente), una vibrante lección objetiva de la forma como Dios trataría el problema del pecado. Y cuando la realidad hubo llegado, y el verdadero cordero fue sacrificado, las ilustraciones habían cumplido su propósito. El velo del templo, que estaba entre el lugar santo y el lugar santísimo, se rompió, como una clara señal de que la realidad había superado a la sombra.

Aquí encontramos en una forma inimaginable del misterio de la gracia de Dios. La misericordia de Dios no se revela en una debilidad que simplemente ignora. Ni tampoco se perdió en un sentimentalismo que hizo a un lado subrepticiamente las demandas de la santa ley de Dios. Aquí encontramos un amor consumidor. Un amor que le costó a Dios mucho. Un amor que requería la vida de su Hijo. No podía haber dado más. Cuando un ser sin pecado entra en el mundo, los habitantes lo condenan a muerte. Es lo que la humanidad pecaminosa hizo. Pero también existe otro lado del asunto. Porque cuando un ser sin pecado entra a este mundo, muere para salvar al mundo. Es lo que Dios hace.

Las Escrituras toman otras imágenes de la salvación del mundo de la ley y de la economía. Nosotros debemos comprender que son metáforas y no debemos aplicarlas más allá de lo que tratan de expresar. Pero dejan una impresión vívida en nuestra mente. Tomemos Marcos 10: 45 como ejemplo: «Porque el Hijo del Hombre no vino para ser servido, sino para servir, y para dar su vida en rescate por muchos». La idea de un rescate, el pago de un precio como redención, es un concepto bien conocido del Antiguo Testamento, y no debiera sorprendernos que los escritores del Nuevo Testamento se sintieran inspirados a usarlo: «Porque hay un solo Dios, y un solo mediador entre Dios y los hombres, Jesucristo hombre, el cual se dio a sí mismo en rescate por todos» (1 Tim. 2: 5, 6). La humanidad ya no es propiedad del malo, sino de Dios que nos compró y nos devolvió a su familia. Él nos compró por un «elevado precio» (1 Cor. 16: 20). «Sabiendo que fuisteis rescatados de vuestra vana manera de vivir, la cual recibisteis de vuestros padres, no con cosas corruptibles como oro o plata, sino con la sangre preciosa de

Cristo, como de un cordero sin mancha y sin contaminación» (1 Ped. 1: 18, 19).

Puede ser que otra categoría de imágenes no apele tanto a nuestra mente como debe haberlo hecho con nuestros hermanos y hermanas del primer siglo, que leyeron por primera vez la porción de la Escritura que empleó las metáforas de guerra y victoria. El Gólgota es el lugar de una victoria cósmica. Los «principados, las potestades, los gobernadores de las tinieblas de este siglo» son imágenes de las malas influencias que nos rodean y nos seducen, tratando de destruirnos y distanciarnos del único y verdadero Señor. El gozoso mensaje del Nuevo Testamento es que *Christus Victor* ha destronado a todas esas influencias y poderes. «Y despojando a los principados y a las potestades, los exhibió públicamente, triunfando sobre ellos en la cruz» (Col. 2: 15). Sí, estos poderes todavía existen, pero son meros fantasmas que ya no tienen la última palabra. Dios los ha conquistado para siempre.

Nuestra respuesta

Damos ahora la vuelta completa al círculo. Algo de proporciones sin precedentes tuvo lugar hace casi dos mil años. Fue un hecho histórico, suprahistórico, concreto y objetivo. Por supuesto, la cuestión de lo que esto significa para nosotros todavía permanece. Muchas de las personas que nos rodean ignoran completamente el tema de la expiación. Y para muchos otros, que conocen la historia muy bien, hace muy poca diferencia en su vida diaria. Eso nos recuerda las palabras de Pedro, quien predijo que habría «burladores» que se burlarían de la verdad, diciendo: «Porque desde el día en que los padres durmieron, todas las cosas permanecen así como desde el principio de la creación» (2 Ped. 3: 4). Tales burladores están, sin embargo, totalmente equivocados, porque ciertamente todas las cosas han cambiado. El equilibrio del poder en el universo ha cambiado de una vez por todas. Cuando Cristo estaba muriendo en la cruz, no dijo: «Está casi consumado, ni algún día será terminado». No, dijo: «*Consumado es*».

Pero todo lo que Jesús logró en el Calvario debe ser implementado. Cristo ministra en el santuario celestial para asegurar que podemos cosechar los beneficios eternos de lo que él realizó. Mientras Cristo es nuestro gran sumo sacerdote, que intercede por nosotros sobre la base de lo que él realizó, nosotros paciente, pero ansiosamente, esperamos el momento en que vendrá para hacer nuevas todas las cosas. En el ínterin, él nos llama a ser sus discípulos, a caminar tras él y llevar la cruz que será puesta sobre nosotros. Por ahora debemos aprender a vivir por la ley de la fe, y hemos de continuar creciendo en gracia. Vivimos en la seguridad de la salvación. «El mismo Espíritu da testimonio a nuestro espíritu de que somos hijos de Dios» (Rom. 8: 16). Estando seguros de la salvación y de su generoso perdón, haremos todo lo que esté de nuestra parte para vivir en forma digna ese privilegio. «¿Qué, pues, diremos? ¿Perseveraremos en el pecado para que la gracia abunde?» (Rom. 6: 1). La respuesta es evidente por sí misma: «En ninguna manera. Porque los que hemos muerto al pecado, ¿cómo viviremos aún en él?» (Rom. 6: 2). Después de haber sido salvos, queremos vivir como discípulos de Cristo, siendo guiados por los principios de su reino.

En este momento es bueno citar extensamente de 2 Corintios 5 los versículos 18-21 señalan lo que viene después. Si estamos reconciliados, queremos que otros tengan la misma experiencia:

«Y todo esto proviene de Dios, quien nos reconcilió consigo mismo por Cristo, y nos dio el ministerio de la reconciliación; que Dios estaba en Cristo reconciliando consigo al mundo, no tomándoles en cuenta a los hombres sus pecados, y nos encargó a nosotros la palabra de la reconciliación. Así que somos embajadores en nombre de Cristo, como si Dios rogase por medio de nosotros; os rogamos en nombre de Cristo: reconciliaos con Dios. Al que no conoció pecado, por nosotros lo hizo pecado, para que nosotros fuésemos hechos justicia de Dios en él».

Estamos reconciliados. Estamos salvados. Pero nunca comprenderemos en toda su plenitud todo lo que esto significa. Para muchos la idea de «Cristo crucificado» sigue siendo una «piedra de tropiezo» o simplemente «locura» (1 Cor. 1: 23). ¡Muchos que profesan ser cristianos siguen anclados en sus ideas erradas de que la expiación es el precio que un Dios airado exige, y pierden la gloriosa verdad de que es don que un Dios de amor y de gracia proporciona!

Capítulo ocho

Descanso

Es posible que nuestra prisa nos dé seguridad, pero también nos mantiene malnutridos. Nos impide probar aquellas cosas que nos harían sentir verdaderamente seguros. La oración, el toque respetuoso, la bondad, la fragancia: todas estas cosas pueden experimentarse en la quietud y el descanso, no en la prisa».

Wayne Müller*

Cuando Dios creó nuestro mundo también inauguró el *tiempo*, tal como lo conocemos ahora. Para nosotros, los seres humanos, los movimientos de los astros regulan el tiempo. Una vuelta de la tierra alrededor de su eje determina la longitud del día. El mes depende de los movimientos relativos de la Tierra y de la luna, mientras que los movimientos relativos de la Tierra y el sol nos dan el año. Más tarde nosotros, los seres humanos, fuimos lo suficientemente inteligentes como para procurarnos las unidades menores de tiempo: horas, cuartos de hora, minutos, segundos. Más recientemente la ciencia ha introducido el concepto de nanosegundo (la milmillonésima parte de un segundo). Pero cuando «Dios creó los cielos y la tierra», también estableció otra unidad de tiempo, una unidad que no estaba relacionada con ningún movimiento de nuestro planeta, ni de la luna, ni del sol: la semana.

---

* Wayne Müller, *Sabbath: Finding Rest, Renewal, and Delight in Our Busy Lives* (New York: Bantam Books, 2000), p. 53.

Para aquellos que no creen en el relato de la creación, el origen de la semana continuará siendo un misterio insondable. Los eruditos han realizado muchas investigaciones y especulaciones. Algunos han sugerido que ciertos pueblos antiguos tenían días de mercado, y que en algún lugar y momento nuestra sociedad realizó sus días de mercado una vez cada siete días, y que ese fue el tenebroso origen de la semana. Otros han propuesto teorías adicionales, pero no tienen pruebas sólidas para fundamentarlas. Como resultado, el origen de la semana y el día de descanso semanal deben seguir siendo un misterio, a menos que usted esté preparado para creer en el relato bíblico de la creación.

La historia de la creación sugiere que la semana de siete días es un arreglo fundamental. Usted no puede deshacerse de ella, no importa con cuánto vigor lo intente. Durante la Revolución Francesa, los franceses procuraron reemplazar la semana regular de siete días, por una de diez días. Pero no funcionó como los líderes revolucionarios esperaban que funcionara, y el gobierno abolió el experimento muy pocos años más tarde. A través de los siglos la humanidad ha hecho otros intentos de modificar el ciclo semanal. Recuerdo que en el año 1960 las revistas adventistas imprimieron muchos artículos acerca de una propuesta de calendario que resultaría en la inserción de días en blanco y, como resultado, perturbaría grandemente el ciclo regular del sábado. La conmoción que produjo esta campaña murió después de algún tiempo y muy pronto se olvidó. Sin embargo, un poco de investigación en Internet nos revela que la idea de reformar el calendario, aunque no tan dramáticamente como en el tiempo de la Revolución Francesa, todavía mantiene ocupadas a muchas mentes. Creo que podemos afirmar, sin embargo, que la invención divina de la semana es más fuerte que los intentos humanos de cambiarla.

La historia de la creación no solo nos da información del origen de la semana, sino también de la institución del sábado semanal en el día número siete. Cuando Dios vio que lo que había creado era «bueno en gran manera», «descansó» de crear, es decir, dejó de crear y le dio al séptimo día un significado especial. Lo hizo «santo» al ponerlo aparte. Sería, en lo sucesivo, un día honorable. Y de este modo instituyó el ritmo singular de seis días más uno que ha gobernado el flujo del tiempo desde entonces. Este es y será el pulso de la vida en el planeta Tierra mientras la humanidad viva en él.

Gracias a Dios por el sábado

En la actualidad encontramos más interés en el fenómeno del sábado del que ha existido durante mucho tiempo. En años recientes han aparecido muchos libros exaltando las virtudes de la observancia del sábado. No es difícil ver por qué existe una renovada fascinación por establecer un día regular de reposo. Después de todo, hablamos mucho de la administración del tiempo. Tenemos, por lo general, tanto que hacer, y el tiempo es, por lo general, penosamente breve. ¿Cómo podemos utilizar nuestro tiempo con más eficiencia? ¿Cómo podemos reducir la cantidad de tiempo que desperdiciamos? ¿Cómo podemos organizar nuestras prioridades de modo que dediquemos tiempo de calidad para aquellas cosas que son más importantes? ¿Cómo podemos aprender a trabajar metódicamente y delegar responsabilidades cuando sea posible? ¿Y cuándo podremos encontrar tiempo regular, en un mundo como este, para relajarnos un poco?

Muchos anunciaron la entrada de las computadoras como el principio de una nueva era en la cual difícilmente necesitaríamos más el papel, la longitud de nuestra semana de trabajo se reduciría drásticamente. Ambas predicciones han fracasado total y miserablemente. Al parecer consumimos más papel que antes, con nuestras cada vez más sofisticadas impresoras y fotocopiadoras, en más borradores preliminares de documentos cada vez más largos. Y es muy probable que el número de horas que tenemos que trabajar, en realidad se haya incrementado a más de cuarenta horas por semana, en vez de descender por debajo de las treinta, como muchos llegaron a creer.

Encontramos una extraña anomalía en la forma como experimentamos nuestro tiempo. Por un lado, vemos algo que podríamos llamar «la adoración del fin de semana¨. Ya no me asombro mucho cuando la gente comienza a desearme un buen fin de semana desde el jueves por la tarde en adelante. Sí, para muchos el fin de semana es el oasis en el tiempo en que viven. Cuando comienza el lunes, se considera que no faltan más que pocos días para que el próximo fin de semana llegue otra vez. Pero luego tenemos demasiadas cosas que hacer durante el fin de semana. Incluso lo que se supone que debe ser recreación, con frecuencia toma formas tan serias que comienzan a sentirse como un duro trabajo. Y además, a muchos de nosotros las preocupaciones del trabajo nos acompañan cuando cerramos nuestra oficina durante el fin de semana. Todavía tenemos mucho que leer, muchos informes que escribir, llamadas telefónicas que hacer y correos electrónicos que responder. La mayoría de los que trabajamos a un nivel gerencial medio, o superior, sabemos cuán vagos son los límites que existen entre el tiempo de trabajo y el tiempo libre. Hace poco leí en algún lugar acerca de un hombre que volvió de sus vacaciones. «Listo de nuevo para trabajar», dijo, mientras cambiaba la laptop de la mochila de viaje a su lugar regular.

El mundo occidental parece que está herido por una epidemia de ataques al corazón, alta presión arterial y estrés que amenaza la vida. Nuestros médicos nos dicen que debemos aprender a bajar el ritmo si queremos sobrevivir. Debemos curarnos nosotros mismos de la infección con el virus mortal del vicio del trabajo. Una vez más hemos de aprender a escuchar el ritmo interno de nuestros cuerpos. En otras palabras, necesitamos redescubrir el verdadero descanso como un ingrediente regular de nuestra existencia física y espiritual.

Los adventistas tienen un mensaje para la gente que los rodea, que tiene una conexión directa con esto. No es nada nuevo, pero es «verdad presente». El mensaje es que el descanso que necesitamos está disponible para todos. El sábado semanal es el antídoto perfecto para una vida en la cual los deberes sociales y de trabajo nos mantienen cautivos, al parecer, sin ninguna vía de escape. El sábado nos recuerda que el trabajo y el deber tienen su lugar correcto. Es posible que, como resultado del pecado, el trabajo haya adquirido aspectos negativos, para algunos más que para otros. La tendencia hacia el exceso de trabajo y el peligro de convertirnos en esclavos de lo que hacemos, bien puede ser una forma contemporánea de la maldición ligada con el trabajo después de la caída de Adán (Gén. 3: 18). El sábado es la medicina que excede a todos los placebos atractivamente empacados con envoltura de diversión y recreación. El sábado nos capacita para poner el trabajo en verdad tras nosotros cada siete días. Y nos recuerda que, por importante que sea nuestro trabajo, la vida verdadera tiene más valor que la carrera y el dinero. Hay una forma en que de verdad podemos alejarnos del trabajo durante veinticuatro horas completas. Dios nos proporcionó un maravilloso método de escape por medio del sábado.

Descanso

El sábado es el día de descanso. Eso ciertamente incluye el descanso físico. Ciertamente es maravilloso liberarnos el viernes por la tarde y levantarnos un poquito más tarde el sábado por la mañana. Desde hace tiempo dejé de sentirme culpable por tomarme una siesta los sábados por la tarde. Pero «descansar» en el sentido bíblico es mucho más que un poquito de sueño. El texto clásico que nos presenta el descanso que el creyente puede disfrutar es, por supuesto, Mateo 11: 28-30: «Venid a mí todos los que estáis trabajados y cargados, y yo os haré descansar. Llevad mi yugo sobre vosotros, aprended de mí, que soy manso y humilde de corazón; y hallaréis descanso para vuestras almas; porque mi yugo es fácil y ligera mi carga». El descanso genuino no es el resultado de desperezarse en el sillón de la sala, en una hamaca en el jardín o en el balcón. El descanso profundo que necesitamos es de origen divino. El «Señor del sábado» (Mar. 2: 28) proporciona ese descanso todo el tiempo, pero en particular lo hace durante su día de descanso.

En la Epístola a los Hebreos este concepto de descanso es muy importante. Dios quería que su pueblo de la antigüedad experimentara su «reposo» al entrar a la tierra prometida. Pero este reposo no implicaba que nunca más volverían a trabajar. Más bien, significaba que sus vidas estarían caracterizadas por una profunda sensación de satisfacción y sentido de realización, una preciosa experiencia de paz e intimidad con Dios. Pero las cosas no ocurrieron como Dios había planeado. El pueblo de Israel no «entró» en el reposo de la manera en que Dios había deseado que entrara. Su falta de consagración a Dios los mantuvo lejos del reposo prometido. Pero Dios nunca se dio por vencido. «Por tanto, queda un reposo para el pueblo de Dios» (Heb. 4: 9). Un reposo tal, en plenitud, espera al pueblo de Dios en el más allá. Pero, significativamente, encontramos varios nexos en el capítulo 4 de Hebreos entre este «reposo» eterno y el sábado semanal en nuestro mundo actual. La misma palabra griega, *sabatismos*, que se utiliza para referirse a este reposo en el vers. 9 nos recuerda con toda claridad su conexión con el séptimo día. El séptimo día de cada semana nos presenta una visión previa, un gusto anticipado, de este reposo celestial que todavía está en el futuro.

Acordarte has de guardarlo santo

El mandamiento del sábado tal como se lo registra en Éxodo 20 comienza con una palabra preñada de significado: *Acuérdate*. Para nosotros, recordar es, antes que todo, una función del cerebro. Debemos recordar muchas cosas y a veces fracasamos miserablemente olvidando las más importantes. Algunos de nosotros tenemos una memoria que mejor otros. En la Biblia, la palabra que se traduce como «*acuérdate*», no se refiere primariamente a una función del lóbulo cerebral derecho. Cuando Dios nos asegura que se acuerda de nosotros, o cuando nos pide que lo recordemos, no significa que en algún momento nos ha olvidado, y que necesita que se le recuerde que todavía estamos allí y que todavía lo necesitamos. Su «recordar» tiene que ver con su activa manifestación de amor y compasión. A Israel se le instaba continuamente en los tiempos del Antiguo Testamento, a recordar lo que el Señor había hecho por ellos. Las fiestas anuales tenían esta función fundamental: detenerse, hacer una pausa, y considerar, individual y como comunidad, la forma en que Dios los había guiado y los había salvado en su amor y compasión. Los creyentes cristianos habrían de celebrar la Cena del Señor en forma regular, «en memoria» de lo que Cristo había hecho (Luc. 22: 19). Aquí, una vez más, la Escritura no utiliza el elemento de «recordar» por accidente. Todavía tiene el mismo y profundo significado. No tomamos parte en el servicio de Comunión simplemente porque es una tradición antigua que no debemos olvidar. No, lo hacemos porque estamos profundamente inmersos en la experiencia. Estamos en contacto con una forma muy real del amor y la compasión divina.

El hecho de que Dios nos instruye y nos ordena a recordar el sábado, también tiene el significado de volver a algo que ya habíamos olvidado. Eso era verdad con relación a los israelitas en el desierto, cuando Dios les recordó la importancia del reposo semanal al no permitir que el maná descendiera el séptimo día. Al parecer, hacía mucho el pueblo de Dios había olvidado observar el sábado, y Dios necesitaba advertirles de que el ese mandamiento no se había abolido. Es posible que ese sea el caso para nosotros, o para algunas de las familias de la iglesia. Pero «recordar» el sábado implica mucho más. Es, primero y más importante, abrirnos a la realidad del amor y la compasión de Dios hacia sus criaturas.

Recordamos santificando el sábado. La forma en que consideramos el sábado facilita nuestra experiencia de la realidad del amor compasivo de Dios hacia nosotros. Guardarlo «santo» significa ponerlo aparte, haciendo de él un día especial. Se dice que las personas y los objetos que tienen una función especializada en la adoración del Antiguo Testamento son «santos». Fueron separados para un uso especial y no podían utilizarse con propósitos ordinarios. También se dice que el pueblo de Dios en el Nuevo Testamento es santo. Evidentemente no son santos porque sean sin pecado o perfectos. Pero son santos, a causa del papel que desempeñan en el plan de salvación de Dios que los puso aparte. Más tarde volveremos a tratar con un poco más de detalles lo que implica santificar el día para los cristianos del siglo XXI.

Un símbolo de obediencia

Varios de los libros sobre el sábado que han aparecido últimamente contienen algunas declaraciones muy iluminadoras con relación al significado del sábado. Incluso, el papa actual nos ha sorprendido a muchos de nosotros en su último libro sobre la persona y la obra de Cristo, con sus notables declaraciones acerca del significado bíblico del sábado, y de lo que significa reconocer a Cristo como Señor del sábado.* Pero, casi sin excepción, estos libros ignoran simplemente un aspecto crucial del sábado. Como regla, ellos suponen que no hay ningún problema al tomarse la libertad de cambiar todo lo que la Escritura dice acerca del sábado, al domingo. Por lo general, un breve comentario bastará para arreglar la situación: el domingo tomó gradualmente el lugar del sábado y la iglesia no vio ningún problema en aceptar esta transferencia y adoptar el domingo como día semanal de reposo. Después de todo, se añade, por lo general, el primer día es el día de la resurrección y es apropiado que los cristianos le presten una atención especial a ese día. La mayoría de la gente que llega a ser consciente de ese cambio humano del séptimo al primer día de la semana, no ve su profunda significación. Mientras guardemos un día cada siete días, dicen, no importa cuál día guardemos.

Los adventistas del séptimo día están en total desacuerdo con esa posición. El domingo y el sábado no son intercambiables, no importa lo que la gente pueda pensar. Dios es un Dios especial. Si él decidió «bendecir» un día especial, y lo declaró «santo», (Gén. 2: 3), ¿bajo qué criterio cuestionamos su juicio y declaramos que el asunto no es importante? ¿Podía Dios haber sido más explícito cuando le dictó las palabras del sábado a Moisés: «Mas el séptimo día es reposo para Jehová tu Dios; no hagas en él obra alguna, tú, ni tu hijo, ni tu hija, ni tu siervo, ni tu criada, ni tu bestia, ni tu extranjero que está dentro de tus puertas.

---

* Pope Benedict XVI, *Jesus of Nazareth* (Random House, 2007).

Porque en seis días hizo Jehová los cielos y la tierra, el mar y todas las cosas que en ellos hay, y reposó en séptimo día; por tanto, Jehová bendijo el día de reposo y lo santificó» (Éxo. 20: 10, 11)?

Más claro no se puede hablar. Guardar el sábado, el séptimo día de la semana, es parte de los Diez Mandamientos, la constitución divina para la humanidad. Estos mandamientos retendrán su validez mientras exista este mundo. Cristo no vino a abolirlos, como algunos cristianos han sugerido erróneamente. Más que abolirlos, él nos asegura: «Porque de cierto os digo que hasta que pasen el cielo y la tierra, ni una jota ni una tilde perecerá de la ley, hasta que todo se haya cumplido» (Mat. 5: 18). Nosotros no podemos ser selectivos en cuanto a cuáles mandamientos decidimos obedecer o cuáles decidimos alterar o ignorar. «Porque cualquiera que guardare toda la ley, pero ofendiere en un punto, se hace culpable de todos» (Santo. 2: 10). Aquellos que desean pertenecer al pueblo de Dios cumplen este requisito: «Aquí está la paciencia de los santos, los que guardan los mandamientos de Dios y la fe de Jesús» (Apoc. 14: 12).

Un aspecto muy importante del mensaje adventista es comunicar de todas las maneras posibles la proclamación del «primer ángel»: «Adorad a aquel que hizo el cielo y la tierra, el mar y las fuentes de las aguas» (Apoc. 14:7). Incluso muchos que profesan creer en él han desacreditado la verdad de Dios como creador. Al guardar el sábado, el séptimo día de la semana, el pueblo de Dios continúa enfatizando su condición de Creador y todo lo que eso implica. Esto, según creen los adventistas, le añade una tremenda importancia al significado especial del sábado en este tiempo. Por lo tanto, ellos no vacilan al referirse al sábado como el *sello* especial de propiedad divina. El sábado proclama que Dios «posee» a su pueblo. Él los creó y los redimió. Como en los tiempos del Antiguo Testamento, cuando el sábado era una señal permanente del pacto de Dios (Éxo. 31: 13, 17); Eze. 20: 12, 20), así, en el «tiempo del fin» el sábado es una señal de lealtad a Dios, el Creador. Los cristianos adventistas se sienten privilegiados y están orgullosos de estar marcados con esa señal de lealtad. Es posible que a veces sea socialmente inconveniente; y puede ser que en un futuro cercano sea causa de mayores problemas si uno persiste en no seguir la corriente, pero ellos desean pertenecer al remanente: aquellos que han decidido no seguir la tradición humana. Ellos saben que sin importar cuales sean los problemas que afronten por causa del sábado vale la pena. Después de todo, él ha colocado sus bendiciones en este día. Solo mostrando nuestra lealtad a él, y siendo obedientes a lo que él ordena, podemos disfrutar la plenitud de sus bendiciones.

Cuándo y cómo guardar el sábado

Es importante que sepamos *cuándo* guardar el sábado. Pero igualmente es importante saber *cómo* celebrar este día especial que Dios ha puesto aparte. Uso la palabra *celebrar* por varias razones. En verdad los cristianos tienen mucho que celebrar. Dios nos creó, y somos, por lo tanto, sus criaturas que tenemos el privilegio de llevar su imagen. Pero, como seguidores de Cristo, también sabemos que hemos sido redimidos. La versión de los Diez Mandamientos en Deuteronomio 5 enfatiza este aspecto. Dios dijo a Israel: «Acuérdate que fuiste siervo en tierra de Egipto, y que Jehová tu Dios te sacó de allá con mano fuerte y brazo extendido» (vers. 15). No importa cuál forma haya tomado nuestro Egipto, las palabras están dirigidas a nosotros tanto como a los israelitas. Los Diez Mandamientos nos recuerdan que somos dos veces suyos: ¡por creación y por redención! Por tanto, sí, hay muchas razones para celebrar.

Pero, *en concreto*, ¿cómo hemos de celebrar? ¿Cómo podemos santificar el sábado? ¿Cómo podemos disfrutar el día del Señor y llamarlo «delicias» (Isa. 58: 13)? Muchos de nosotros debemos admitir que no siempre hemos tenido éxito al respecto. Algunas segundas o terceras generaciones de adventistas, piensan en muchos de los «no hagas esto, no hagas lo otro» que rodeaban la observancia del sábado, en el hogar de sus padres, y por lo tanto, no siempre recuerdan los sábados de su juventud como una delicia, y muchos estudiantes adventistas universitarios, por desgracia, no sienten que disfruten «inmensamente» el sábado.

El recordatorio del texto que acabamos de citar de Isaías, también ha dado como resultado mucho sentimiento de culpabilidad. Después de decirle a su audiencia que el propósito del sábado es que sea una delicia, el profeta le dice al pueblo que en el séptimo día no hemos de seguir nuestros «propios caminos» ni hablar nuestras «propias palabras». ¿Qué significa todo esto? ¿Nos mete todo eso en una camisa de fuerza que apenas nos deja espacio para respirar?

También recordamos otros pasajes del Antiguo Testamento que nos llenan, más bien, de temor, que de delicia. ¿Qué hacemos, por ejemplo, con una historia como la que está registrada en Números 15, en la cual leemos que un israelita sorprendido recogiendo leña en un día de sábado, y que fue llevado ante Moisés y Aarón, y luego se determinó que el hombre debía de ser castigado? Como resultado, la congregación lo apedreó hasta que murió (vers. 32-36). ¿Qué hacemos con esto?

En general, debemos concluir que sabemos muy poco con relación a la forma en que la gente ha observado el sábado a través de los siglos. Con frecuencia no lo guardaron en lo absoluto. A veces los profetas del Antiguo Testamento expresaron serias advertencias contra el enfoque vacío, ritualista del sábado, denunciado como «iniquidad» (Isa, 1: 13). Sabemos que para el tiempo de Cristo la observancia del sábado se había convertido en algo extremadamente legalista, con una larga lista de categorías de actividades prohibidas en ese día. Las implicaciones fueron con frecuencia casi absurdas. Un día que Jesús salió a dar una caminata con sus discípulos, ellos recogieron algunas espigas de trigo, las frotaron en las manos y comieron algunos granos. Los críticos de Jesús clasificaron inmediatamente aquella acción como «cosechar», una de las categorías de trabajos que estaban estrictamente prohibidas durante las horas del sábado (Luc. 6: 1-5). A partir de todo lo que leemos en el Nuevo Testamento, es claro que el enfoque del sábado que tenía Jesús era muy diferente al que tenía la mayoría de los dirigentes espirituales. Esto es, por ejemplo, muy visible en muchos de los milagros de sanidad que Jesús realizó en sábado. Jesús no dejó ninguna duda de que él no tenía intención de abolir la ley de Dios. Más bien, hizo énfasis en su intención de hacerla más profunda. Los mandamientos no solo se interesan en nuestras acciones externas, sino también en nuestros motivos más profundos (véase Mat. 5: 21-48). Pero lo más importante es que enseñó a sus discípulos que el propósito del sábado es, principalmente, construir una relación con él, que es «Señor del sábado» (Mar. 2: 28).

Sin embargo, todavía tenemos que afrontar la cuestión práctica del ¿*cómo* se debe observar el sábado? ¿En qué forma exacta recordamos el sábado para santificarlo? He viajado a muchas partes del mundo, y he encontrado que los adventistas difieren ampliamente en la forma en que intentan hacer esto. Las cosas consideradas en algunos países como absolutamente inapropiadas para hacerlas durante las horas del sábado, otras partes del mundo las consideran como bastante apropiadas. Algunas formas de recreación durante el sábado en algunos lugares son vistas con ceño en otros, mientras que en un tercer lugar son parte del patrón regular de la observancia del sábado. En algunas regiones el asunto de pagar o no dinero para participar en algunas actividades es el factor determinante, mientras que en otras partes, los miembros de la iglesia no lo ven como algo muy importante. Hace algunos años May-Ellen Colon, asistente departamental en la Asociación General, escribió su tesis doctoral sobre este tema.* Su estudio nos proporciona una sólida confirmación académica de que lo que yo, y muchos otros, hemos experimentado mientras viajamos alrededor del mundo. ¿A qué conclusión podemos llegar? ¿Es todo aceptable, siempre que nos sintamos bien al respecto? ¿O deberíamos enviar un mensaje de severa advertencia a las otras regiones del mundo para decirles a nuestras hermanas y hermanos que deberían desistir de sus errores y comportarse como nosotros lo hacemos? Permítanme, al concluir este capítulo, hacer algunas sugerencias.

«Santificar» o «poner aparte», no es algo que ocurre por accidente. Exige un esfuerzo intencional y continuo. Con frecuencia algunos han utilizado la metáfora de poner un «cerco» alrededor del sábado, y de esta manera mantener algunas cosas adentro y otras afuera.

La Biblia es nuestro guía para descubrir los principios fundamentales de la observancia del sábado, y nosotros creemos que tenemos una guía adicional en los escritos de Elena G. de White. Debemos identificar con cuidado los principios guiadores subyacentes y aplicarlos a nuestra situación en el siglo XXI. (Solo un ejemplo sencillo: Cuando el mandamiento me ordena no «codiciar» el asno de mi vecino, yo inmediatamente creo que tiene algo que ver conmigo y con el Porsche o BMW de mi vecino.)

Lo que conservamos dentro del «cerco» o dejamos fuera de él, depende, en cierta medida, de nuestra historia y cultura. (Como vivo en un país que en un tiempo fue predominantemente calvinista es probable que mi observancia del sábado muestre algunas similitudes con la forma en que muchos protestantes ortodoxos acostumbraban a guardar el domingo).

---

* May-Ellen Colon, *Sabbath-keeping practices and factors related to these practices among Seventh-day Adventists in 51 countries*. Tesis doctoral no publicada (Andrews University, 2003).

La comunidad de la cual somos parte desempeña un papel determinante del lugar donde ponemos el «cerco». Con esto no quiero decir que no hemos de ejercer nuestro poder de elección, sino que el ser parte de una comunidad indudablemente influye sobre nosotros.

Las cosas que elijo hacer en sábado, o decido incluir, pueden diferir de las que alguien puede decidir incluir o excluir. (Como recibo cien o más correos electrónicos durante cada día de la semana, puede ser que decida mantener mi laptop cerrada durante el sábado, mientras que otros pueden decidir que es el mejor día para mantenerse en contacto con sus amigos y familiares).

Tenga cuidado de los extremos: (a) legalismo y (b) descuido. Ambos destruirán las bendiciones del sábado.

Todo se resume en que debemos asegurarnos de que el sábado esté lleno de cosas buenas: adoración, compañerismo cristiano, familia, amigos. Si todo eso tiene la prioridad, todo lo demás cae dentro de su lugar correcto.

Y, cuando otros no siguen con exactitud el mismo patrón o modelo que sigue usted, decida no juzgarlos. Es posible que ellos estén en lo correcto, y que usted esté equivocado.

Finalmente, deje lugar para el crecimiento. Es posible que usted haya crecido y madurado con los años en su forma de santificar el sábado. Dé a otros el mismo espacio para el mismo proceso de crecimiento.

Cuando todo esto se ha dicho y hecho, es crucial que lleve el espíritu del sábado a los otros días de la semana. El espíritu de adoración y la nueva actitud hacia nuestro trabajo diario que el sábado promueve, pueden proporcionarnos una gran bendición para cada hora de cada día de la semana.

Capítulo nueve

El cielo

«*Hay una tierra de deleite puro,*
Donde los santos inmortales reinan,
El día eterno excluye la noche,
Y el placer desvanece al dolor.
Allí mora la eterna primavera,
Y las flores nunca se marchitan:
La muerte, como un angosto mar, separa
de nosotros esta tierra celestial».

Isaac Watts*

En 1999, durante tres audiencias de miércoles más bien controversiales, el papa Juan Pablo II dijo que no debemos interpretar el cielo, el infierno o el purgatorio como *lugares*, sino más bien *como estados del ser* de un espíritu (ángel o demonio) o de un alma humana. La declaración contiene varios errores teológicos, pero aquí estamos especialmente preocupados con la afirmación de que el cielo no es un lugar sino una condición. Referirnos a un *lugar*, es, de acuerdo con el papa, inadecuado para describir las realidades involucradas, siendo que está ligado al orden temporal en el cual existimos este mundo y nosotros. Añadió que este punto de vista ha sido una posición venerada por mucho tiempo, defendida también por el famoso Tomás de Aquino. ¿Es bíblicamente sólido este punto de vista del cielo? Muchos teólogos

---

* *Himnario adventista*, n° 504.

dirían que sí. La mayoría de los adventistas diría que no. ¿Cuál es la perspectiva correcta? Aquí presentamos solo una de varias preguntas candentes que debemos afrontar mientras luchamos con el concepto del cielo.

¿Dónde está el cielo?

Le sugiero que busque y vea bajo el título «cielo», en una enciclopedia, ya sea en una biblioteca o en forma digital. Encontrará que la palabra se usa en diferentes maneras. Puede referirse al cielo visible, o a la expansión sin fin del universo físico. Sin embargo, la gente también la emplea para describir el lugar, o la condición, donde podemos ir después de la muerte, ya sea como almas incorpóreas o como seres con un nuevo cuerpo espiritual. Si usted consulta una concordancia, encontrará que en los textos bíblicos que tienen las palabras «cielo», «cielos», y «celestial», dichas palabras tienen diferentes connotaciones en la Escritura. Dios creó los cielos y la tierra. Puso las luces del sol, la luna y las estrellas «en los cielos para alumbrar sobre la tierra» (Gen. 1: 17). Pero los términos no se refieren solamente al firmamento, sino también al reino de Dios y los ángeles. Se dice que Dios «vive» (Apoc. 13: 6) en el «cielo». Además, la Escritura puede emplear la palabra «cielo» como sinónimo de Dios, como, por ejemplo, en la frase «el reino de los cielos».

Uno podría preguntar cómo podemos decir que Dios «vive» en *un* lugar llamado «cielo», cuando uno de los atributos de Dios es su omnipresencia. A él no podemos identificarlo con todas las cosas que existen, tal como lo proclaman los panteístas, sino que siempre está presente en todas partes (ver Sal. 139: 7-12). Así que, ¿cómo podemos reconciliar el concepto de omnipresencia con la idea de que él mora en un lugar específico? El Evangelio de Juan nos dice que Dios, «es espíritu» (Juan 4: 24). ¿Qué significa eso? Al final de todo, implica que nosotros no debemos pensar en él como un ser con un cuerpo material como tenemos nosotros, «viviendo» en un lugar material en la misma manera en que vivimos nosotros. «El único que tiene inmortalidad, que habita en luz inaccesible; a quien ninguno de los hombres ha visto ni puede ver» (1 Tim. 6: 16).

El concepto de «cielo» se expresa de diferentes maneras, no solo teológicamente, sino también en el arte, la narrativa, la poesía, la liturgia y el folclor. La gente ha conceptualizado el cielo en formas muy distintas.[29] En el Antiguo Testamento los contornos del cielo, como el lugar para una vida después de la muerte permanecen más bien incompletos. Durante el tiempo de Cristo los líderes espirituales tenían una opinión dividida. Los saduceos no creían en una vida celestial en el más allá (Mat. 22: 23), mientras que los fariseos sí creían en la resurrección. En este punto, Jesús claramente se puso de lado de los fariseos, como lo comprendemos por la forma en que respondió a la pregunta tendenciosa de los saduceos. Tenían curiosidad. Preguntaron: ¿Qué le pasaría después de la muerte a una mujer que había estado casada siete veces en esta vida? Jesús respondió que el problema en cuanto a quién pertenecería la mujer en el más allá no se aplicaba, pues aquellos que heredarán la eternidad «ni se casan ni se dan en casamiento, sino que serán como los ángeles de Dios en el cielo» (ver Mat. 22: 23-30). Pablo luchó para encontrar las palabras que explicarían adecuadamente su experiencia de la visión que tuvo en el camino a Damasco. Dice: «Conozco a un hombre que fue arrebatado hasta el tercer cielo» (2 Cor. 12: 2). En otras partes de sus Epístolas habla de la vida en el más allá en la que los salvados viven en cuerpos espirituales, libres de toda restricción física. El libro de Hebreos habla del cielo como la residencia de Dios, donde encontramos el tabernáculo celestial y donde Cristo ministra como nuestro sumo sacerdote. El libro de Apocalipsis nos presenta vívidas descripciones del salón del trono divino y el entusiasta servicio de culto que tiene lugar en el cielo. El libro de Apocalipsis termina con cantos de alabanza por los cielos nuevos y la tierra nueva, en los cuales Dios y su pueblo oportunamente disfrutarán por la eternidad la compañía mutua.

A medida que pasan los siglos, vemos la manera en que cada época pinta su propio cuadro de cómo espera que será el cielo. Las imágenes fluctúan desde descripciones totalmente materialistas hasta las imágenes completamente ascéticas. En ocasiones el énfasis está en un futuro paraíso como un jardín edénico el cual proporciona el escenario perfecto de suprema alegría, de belleza y amor, y una incesante contemplación de lo divino lo que con frecuencia se ha referido como la visión beatífica. Pero al observar muchas pinturas medievales del cielo, vemos que en la Edad Media el crecimiento de las ciudades en la antigua Europa cada

---

* Una visión de conjunto muy accesible es dada por Colleen McDannell y Bernhard Lang en *Heaven—A History* (New Haven, 1990).

vez más llegó a representar el cielo en términos más urbanos. Las descripciones de los reformadores protestantes parecían centrarse más en Dios mismo que en su ambiente celestial. Los reformadores no dedicaron mucho tiempo a debatir cómo sería el cielo, pero frecuentemente diferían marcadamente en cómo llegar allí. Los católicos también enfatizan el papel de María y de los santos, quienes, dicen ellos, nos han precedido al cielo e interceden por nosotros. En el protestantismo más reciente la preocupación de reunirse con la familia y los amados que nos precedieron desempeña un papel crucial.

En la actualidad, muchos cristianos piensan como el papa Juan Pablo II. Consideran el punto de vista de que el cielo es un lugar real como crudo, o en el mejor de los casos ingenuo. Los teólogos liberales en ocasiones han propuesto teorías basadas en el concepto de una escatología «realizada». Con esto dan a entender que las cosas que la mayoría de los cristianos han visto como situadas en el futuro (cuando el «tiempo del fin» venga, y cuando Cristo regrese para crear un mundo nuevo) ya se ha realizado en el aquí y el ahora. Han desechado la idea de un reino futuro de Dios y toman el texto en el que Cristo dijo que «el reino de Dios no vendrá con advertencia porque he aquí el reino de Dios está entre vosotros» (Luc. 17: 20-21) como su punto de partida. Pero los círculos más conservadores, como la Iglesia Adventista, todavía ven al cielo como un lugar real y concreto.

Los primeros adventistas tendían a describir el cielo en términos más materialistas que hoy. El cambio gradual hacia la afirmación de la incapacidad humana para imaginar e incluso para describir el reino celestial es evidente en los escritos de Elena G. de White. Ella recibió su primera visión en 1844, poco después del Chasco. Esa visión, publicada un año más tarde en *The Day Star,* uno de los primeros periódicos adventistas, fue una lectura fascinante. A Elena G. de White se le mostró «el camino que el pueblo adventista ha de recorrer en el viaje a la santa ciudad». Les tomó siete días ascender hacia el «mar de vidrio». Cuando entró en la Nueva Jerusalén, vio arpas de oro y palmas de victoria que se dieron a los viajeros. También vio el árbol de la vida y el trono de Dios. Lo más notable es, quizá, el comentario de que logró hablar con hombres llamados Fitch y Stockman, quienes habían sido líderes activos en el movimiento adventista.*

---

* Arthur L. White, *Ellen G. White: The Early Years* (Hagerstown, Md.: Review and Herald Publishing Association, 1985), p. 56 ff.

Algunas declaraciones de Elena G. de White pueden sorprendernos en su detallada descripción de ciertos aspectos del cielo. Ella nos informa que un grupo de ángeles han estado trabajando intensamente a través de los siglos para confeccionar las coronas que usarán los redimidos.* También nos asegura que nuestras «mansiones» celestiales son bastante grandes y cómodas, así que ellas serán adecuadas para cuando aquellos que serán salvos crezcan a la estatura ideal de la humanidad, como la estatura que Adán tuvo una vez.** No solamente alcanzarán una gran estatura, ¡sino que también recibirán alas!*** En los últimos escritos Elena G. de White parece ser un poco menos específica en sus descripciones. Pero ella continúa afirmando que nosotros no debiéramos estar tan temerosos de hacer parecer nuestra futura herencia demasiado material: «El temor de hacer aparecer la futura herencia de los santos demasiado material ha inducido a muchos a espiritualizar aquellas verdades que nos hacen considerar la tierra como nuestra morada». «El lenguaje humano no alcanza a describir la recompensa de los justos. Solo la conocerán quienes la contemplen. Ninguna inteligencia limitada puede comprender la gloria del paraíso de Dios».****

¿Cuándo iremos al cielo?

Ha sido largamente apreciada entre los cristianos la creencia de que los seres humanos están formados de un cuerpo material y un alma inmaterial. Al morir el alma se va ya sea al infierno o (en muchos casos, de acuerdo a la enseñanza católica, vía purgatorio) al cielo. Aquellas almas que fueron al cielo viven en la presencia de Dios mientras esperan la futura resurrección. No solo es una explicación insatisfactoria (¿para qué hay necesidad de un nuevo cuerpo material si el alma ya está perfectamente feliz?), sino que es también antibíblica. Cuando las personas mueren, son reducidas a polvo. En cierta forma podemos comparar el estado de la muerte con el sueño. Realmente, la Biblia utiliza la palabra en varios lugares. Cuando la gente muere, «yace y no vuelve a levantarse... hasta

---

* Elena G. de White, *¡Maranata: El Señor viene!*, p. 308.
** Ver Walton J. Brown, *Home at Last* (Hagerstown, Md.: Review and Herald Publishing Association, 1983), p. 36.
*** *Íbid.*, 55.
**** Elena G. de White, *El conflicto de los siglos*, p. 733.

que no haya cielo no despertarán de su sueño» (Job 14: 11, 12). Cuando la muerte llega a nuestra puerta, nos consolamos con la promesa: «Reposarás, y te levantarás para recibir tu heredad al fin de los días» (Dan. 12: 13).

La resurrección para aquellos que eligieron estar del lado de Dios y confiar en su gracia tiene lugar cuando Jesús vuelva a este mundo. Es en este punto donde dejamos esta tierra y vamos hacia un destino que llamamos cielo. Cualquiera sea este, incluye una dimensión espacial, algo que está también implicado en lo que Pablo trata de comunicar, cuando dice que «el Señor mismo con trompeta de Dios…» aparezca en los cielos todos los cristianos que murieron resucitarán de sus tumbas «… los muertos en Cristo resucitarán primero», y junto con los fieles creyentes que viven para experimentar su segunda venida se irán al cielo. «Luego nosotros los que vivimos, los que hayamos quedado, seremos arrebatados juntamente con ellos en las nubes para recibir al Señor en el aire, y así estaremos siempre con el Señor» (1 Tes. 4: 16, 17).

Apocalipsis 20 nos da una información muy importante acerca de lo que pasará después. «Durante mil años» todos aquellos que sean salvos «reinarán con Cristo» (vers. 4) en el cielo.

Los cristianos normalmente se refieren al período de mil años como el milenio, aunque esa palabra no aparece en la Biblia. Es asombroso ver cuánta gente habla y escribe en cuanto a este período de mil años, aunque en los Estados Unidos mucho más que en Europa o cualquier otra parte del mundo cristiano. Un historiador, al observar la propagación del milenialismo, comenta que en el siglo diecinueve Estados Unidos estaba «embriagado con el milenio».*

Los estudiosos de la Biblia tienen una gran diversidad de teorías relacionadas con el milenio. El amilenialismo, propuesto por primera vez por Agustín, considera la época actual de la historia de la iglesia, entre el primero y segundo advenimiento de Cristo, como el milenio. El postmilenialismo espera un período de mil años de paz (aunque el período de tiempo puede ser simbólico) que precede a la segunda venida de Cristo. Los adventistas del séptimo día están entre aquellos que defienden el premilenialismo: que Cristo vendrá primero y luego principiará

---

* H. Richard Niebuhr, *The Kingdom of God in America*, p. 135.

el milenio. Los adventistas difieren marcadamente, sin embargo, de muchos evangélicos en que no aceptan el así llamado rapto como parte de la escena que precede a la segunda venida. Al leer el capítulo 20 del libro de Apocalipsis tal como está, debemos concluir que durante el milenio la tierra estará vacía. Los «santos» ahora resucitados se habrán ido al cielo. Aquellos que hayan rechazado a Dios serán resucitados al final de los mil años. Luego, según nos dicen las Escrituras, la Jerusalén celestial con los santos «descenderá» al planeta Tierra. Una confrontación final tendrá lugar entre las fuerzas del mal y el bien. Esto llevará a la erradicación de todo lo que se opone a Dios, «un nuevo cielo y una tierra nueva» será ahora la nueva morada de los hijos de Dios. ¿Entiende usted todo? Yo no, y no tengo que hacerlo. Lo que importa está claro como el cristal. Un glorioso futuro nos espera. Pasaremos tiempo en el «cielo» y entonces ¡viviremos eternamente en alguna dimensión glorificada sobre la tierra hecha nueva!

¿Cómo será?

En todos los días y todas las épocas la gente ha tratado de imaginar la nueva realidad que Dios creará cuando erradique finalmente el pecado. Las imágenes que pintamos, ya sea en un lienzo o en prosa o en poesía, siempre, al menos en mayor medida, reflejarán el mundo actual en el cual vivimos. Cuando el profeta Isaías fue inspirado para escribir el cielo nuevo y la tierra nueva, utilizó las imágenes que tenía en su acervo creativo, que su audiencia podía comprender. El «nuevo cielo» y la «tierra nueva» que Dios iba a crear, dijo, sería una tierra de abundancia, donde no habría ningún pobre (ver Isa. 65 y 66). La gente ya no construiría casas para otros, sino que ellos vivirían en las casas que hubieran diseñado y construido y «comerían del fruto de sus propios viñedos». La muerte y la miseria ya no existirían. La muerte a la edad de cien años será considerada muerte prematura. La naturaleza renacerá, porque «el lobo y el cordero pastarán juntos». El león llegará a ser vegetariano y la venenosa serpiente perderá su capacidad de dañar con su veneno. «He aquí que yo extiendo sobre ella (Jerusalén) paz como un río... la gloria de las naciones como torrente que se desborda». ¡Y así continúa Isaías! Ahora nosotros entendemos que la comprensión del profeta todavía estaba limitada, y que Dios daría una revelación más completa. El profeta todavía no entendía, como ahora sabemos nosotros, que el Mesías no vendría una vez, para dar inicio a tiempos mejores, sino que un primer advenimiento precedería a uno segundo, y que habría una discontinuidad mucho mayor entre este mundo y el siguiente de lo que Dios vio apropiado revelar a los profetas del Antiguo Testamento. Cuando Juan el revelador escribe acerca del cielo nuevo y la tierra nueva utiliza algunas de las mismas imágenes y añade otras que eran más iluminadoras en sus días.

Hasta los escritores inspirados se sienten limitados para expresar con palabras lo que Dios les ha revelado. Y esa limitación es mayor cuando personas no inspiradas tratan de imaginar la realidad futura. No es sorprendente que las pinturas medievales de la tierra nueva difieren significativamente de las ilustraciones hechas por artistas adventistas del siglo pasado, como, por ejemplo, Harry Anderson. Cuando yo trato de formarme una imagen mental de lo que podría esperar en el más allá, tiendo a pensar en la playa cercana a Abidján, en África occidental. Cuando viví allí, desde la mitad de la década de los años ochentas y principios de los noventas, una estrecha playa tropical que está a unos quince kilómetros al sur de la ciudad era mi lugar favorito durante la mayoría de los domingos. En mi memoria esta experiencia semanal de mi vida es lo que más se acerca, del mundo que conocemos, a cómo será la vida en el «paraíso».

Pero ¿todo lo que podemos decir en cuanto este nuevo mundo que Dios va a crear para su pueblo, y donde él mismo «vivirá» con nosotros, no es más que una extrapolación de las cosas buenas que conocemos hoy? ¿No hay nada más que podamos descubrir acerca de la nueva creación que puedan exceder aun las mejores cosas que podemos imaginarnos hoy? Así le parecía al apóstol Pablo: «Cosas que ojo no vio, ni oído oyó, ni han subido en corazón de hombre, son las que Dios ha preparado para los que le aman» (1 Cor. 2: 9).

Uno bien podría preguntar cuán importante es saber al detalle lo que vendrá. Es posible que algunas personas estén perfectamente felices con los conceptos abstractos, mientras que otras desean imágenes más concretas. Pero cualquiera sea el caso, nunca debemos pensar que podemos tener un cuadro final mientras vivamos en este mundo, y como resultado estar satisfechos con las limitadas percepciones que nuestros sentidos nos permiten, y con los conceptos finitos que nuestro cerebro humano puede manejar. Las preguntas permanecerán. Algunos de nosotros podremos estar más preocupados acerca de ello que otros. Como niño me pregunté si mi hermano menor, quien murió cuando tenía apenas 8 años, resucitaría como un muchacho joven, y si mi abuelo paterno que murió pocos años después, a la edad de 70, resucitaría como un septuagenario. Algunos pueden estar bastante felices con las sorprendentes declaraciones de Jesús relacionadas con el matrimonio en la vida futura que pareciera indicar que el sexo será para siempre una cosa del pasado. Pero otros están preocupados profundamente con esta declaración porque temen que algo importante se perderá. Personalmente, cuando leo acerca de las calles de oro que se extienden por unos 2000 kilómetros y que tiene paredes de unos setenta metros de grueso (Apoc. 21: 17), no estoy muy seguro si ese es el mundo de mis sueños. Francamente, una casita construida en un tranquilo escenario campestre me gustaría más que un paisaje urbano. Podría ser que allí alguien se podría preguntar si las vacaciones para siempre serán cosa de la historia. Qué pena, piensan, que allí no habrá sol ni mar (Apoc. 21: 2; 22: 5). Un obispo anglicano recientemente escribió un libro en el que sugiere que la constante adoración y alabanza ofrecida a Dios, y esas figuras del cielo que tan prominentemente describe Juan, no son muy atractivas para muchas personas en la actualidad. Tocar sus arpas y participar en un inmenso coro no es su forma preferida de gastar el tiempo. También se preguntan, dice, con qué clase de ser estamos tratando si Dios está deseoso de que todos, continuamente y para siempre, canten sus alabanzas.*

¿Cuánto de lo que hemos leído en los capítulos 21 y 22 de Apocalipsis deberíamos tomarlo en un sentido literal? ¿Cuánto de eso es simbólico? Se requiere más espacio del que tenemos aquí para dar una respuesta completa. Pero unos pocos comentarios, esperamos, serán de ayuda. El libro entero de Apocalipsis tiene un contenido altamente simbólico, y es razonable esperar que esta característica por lo tanto se aplique a los últimos dos capítulos. Tomemos un ejemplo específico. El libro siempre se refiere a «Babilonia» simbólicamente. Es un titulo que abarca a todos los poderes, políticos y religiosos, que se oponen a Dios y a la verdadera adoración a él. En las profecías del último libro de la

---

* Richard Harries, *God Outside the Box: Why Spiritual People Object to Christianity* (Londres: SPCK , 2002), pp. 28-32.

Biblia, el nombre «Babilonia» no se refiere a una ciudad literal, sino claramente a una poderosa imagen de los enemigos de Dios. Por lo tanto, sería coherente concluir que el término «Nueva Jerusalén» no denota a una ciudad tampoco, sino más bien es un símbolo adecuado para todos aquellos que eternamente estarán con Dios. Si tomamos ese enfoque, podremos también hacer algo de sentido en la descripción de la ciudad celestial. Es un inmenso cubo con gruesas paredes y una docena de puertas. Por supuesto, en los días de Juan, la gente pensaría en paredes y puertas cuando dibujaban una ciudad, así como ahora nosotros pensaríamos en rascacielos, autopistas y otras construcciones importantes de una moderna infraestructura urbana. El hecho de que esta «ciudad» es un cubo, inmediatamente nos recuerda el lugar santísimo del tabernáculo en el Antiguo Testamento, el cual era un cubo perfecto. Allí Dios estaba presente entre su pueblo en una forma muy especial. No extraña, entonces, que la idea de un cubo surja cuando la Escritura describe una «ciudad» en la cual Dios estará más directamente presente entre su pueblo de lo que jamás ha estado.

Así que, sí, mucho del lenguaje es simbólico. Pero los símbolos siempre señalan a algo muy real. Es solo que las limitaciones humanas hacen imposible hablar acerca de esta realidad en una manera más directa y proposicional. A pesar de todas las preguntas e inseguridades que quedan, los últimos dos capítulos de la Biblia nos dicen suficiente para emocionarnos acerca del muy real futuro que Dios tiene preparado para los redimidos.* Podemos resumir los principales puntos como siguen:

Una total erradicación del pecado caracteriza la vida eterna, el cielo y la tierra nueva. Un amor total gobierna ahora todas las relaciones.

La muerte y la decadencia serán cosas del pasado. Con todas las trazas del pecado removidas del ambiente; todas las consecuencias del pecado son revertidas, y el reino de Dios se realiza sin ninguna imperfección o distorsión.

Como resultado, no tendrá nada que pueda causar dolor y temor. El mundo nuevo estará tan cercano a su fuente de luz que todo baño en esta gloria y toda oscura sombra para siempre retrocede en el olvido.

---

* Para el siguiente párrafo, estoy en gran deuda con H. Berkhof, *Christelijk Geloof* (Nijkerk: G.F. Callenbach BV, 1973), pp. 556-564.

En la eternidad las criaturas de Dios disfrutarán perfectas relaciones. No necesitamos preocuparnos si nuestros arreglos sociales presentes, como el matrimonio y la familia, seguirán siendo. Dios asegura dicha eterna en una forma absoluta. Eso debería ser suficiente.

Una de las grandes diferencias de nuestra vida presente es que en la eternidad podremos relacionarnos con Dios en una forma inmediata. El «velo» entre Dios y nosotros habrá sido quitado. Al fin vendrá a ser realidad lo que con frecuencia cantamos: «¡Cara a cara allá en el cielo, he de ver a mi Jesús!» Finalmente, Cristo es el centro de todas las cosas.

Dios debe haber tenido alguna razón para no proporcionarnos descripciones más detalladas del destino de la humanidad, de este planeta y del universo. Aparentemente no quiere que gastemos todo nuestro tiempo y energía en especulaciones en cuanto a qué será, en la misma forma que millones de personas en el mundo actualmente gastan una porción mayor de su tiempo en su obsesión con una existencia «virtual» y una «segunda vida» en el mundo de la Internet. Dios quiere que experimentemos una seguridad fundamental de que al final todo saldrá bien. Hay un destino supremo que es una realidad. Mientras estamos todavía aquí en el presente este hecho le da significado a nuestro día de actividades.* En esa sensación limitada el cielo puede ser ya nuestro mientras continuamos fervientemente sirviéndole a él.

---

* Richard Rice, *Reign of God*, p. 346.

Capítulo diez

Discipulado

*«¿Cómo puede esperar entrar en comunión con él cuando
en algún punto de su vida está huyendo de él?»*
Dietrich Bonhoeffer*

¿**Q**ué es un discípulo? No requiere mucho estudio de la Biblia para comprender que, si bien las Escrituras emplean la palabra para referirse los doce hombres que formaban el círculo más cercano a Jesús, tiene también un significado mucho más amplio y general. En Hechos 11: 26 leemos que los seguidores de Jesús en la ciudad de Antioquía fueron los primeros en ser llamados cristianos. Aquí la *New Living Translation* utiliza correctamente la palabra «creyentes», mientras que muchas otras versiones usan la palabra «discípulos». Es claro que en este contexto, «discípulo» no solo se aplica a una pequeña élite de líderes, sino a todos los miembros de la iglesia. La palabra griega que comúnmente se traduce como «discípulo» ocurre unas doscientas cincuenta veces en los Evangelios y en el libro de Hechos. En muchos casos, ciertamente, se refiere a «los doce» a quienes Jesús eligió al principio de su ministerio terrenal para estar con él y ser entrenados por él. Pero las Escrituras se refieren a muchos otros también como discípulos. El Nuevo Testamento utiliza la palabra para referirse a los seguidores de Juan el Bautista (Juan 3: 25) y de los fariseos (Mar. 2: 18), Y escuchamos de personas que se describieron como «discípulos» de Moisés (Juan 9: 28).

---

* Dietrich Bonhoeffer, *The Cost of Discipleship* (New York: McMillan Company, 1963), p. 73.

Otros seguidores, aparte de «los doce», fueron discípulos de Jesús. Tome, por ejemplo, José de Arimatea, a quien Juan llamó «un discípulo secreto» de Jesús (Juan 19: 38). Pero también recuerde a los setenta discípulos enviados a un viaje misionero de corta duración (Luc. 10: 1). Muchas versiones de la Biblia definen a Tabita, la mujer de Jope que hacía muchas actividades humanitarias, como una discípula (Hech. 9: 36). Esto también es verdad para los seguidores de Pablo, que lo ayudaron a escapar de Damasco (Hech. 9: 25).

El hecho de que las Escrituras no restringen el discipulado a un pequeño grupo entre los creyentes, está también abundantemente claro en la comisión evangélica que Jesús dio a su iglesia después de su resurrección: «Id, y haced discípulos» (Mat. 28: 19). La implicación es que el discipulado iba a ser el privilegio de todo creyente en Cristo.

¿Qué es un discípulo?

Ser un discípulo significa seguir a un maestro. Maestros con seguidores era un fenómeno ampliamente difundido en el mundo antiguo, e incluso ahora escuchamos de gurús y otros maestros quienes reclutan a sus seguidores. En el judaísmo muchos rabinos reclutaban discípulos durante el período entre el Antiguo y el Nuevo Testamento y en los días de Jesús, muchos otros, como los filósofos griegos, también tenían discípulos.

La relación entre el maestro y el discípulo es una relación de desigualdad. «El discípulo no es superior a su maestro» (Luc. 6: 40), aunque aspire a ser como él. En una situación puramente humana los estudiantes realmente pueden tener éxito o, con el tiempo, sobrepasar a sus maestros. En lo que a Jesús y sus discípulos concierne, el elemento fundamental de desigualdad en la relación siempre va a existir. Él es y seguirá siendo el Señor, cuya autoridad debemos reconocer y quien seguirá demandando nuestra obediencia y lealtad. Los usos repetidos de metáforas del maestro y sus «siervos» recalcan esto en forma poderosa.

La base del discipulado es el aprendizaje. La palabra griega *mathetes*, tradicionalmente traducida como «discípulo», también significa «estudiante» o «aprendiz», y se deriva de un verbo que significa «aprender». Para los doce discípulos, que iban a desempeñar un papel esencial en el nuevo movimiento de Jesús, el proceso de aprendizaje duró tres años. La enseñanza y el aprendizaje constituyen una parte esencial de todo lo que implica el discipulado. Los nuevos discípulos han de ser «enseña-dos» antes de ser bautizados (Mat. 28: 18). Los Evangelios presentan a Jesús no solo como un predicador y obrador de milagros, sino también como un Maestro. «Cualquiera» dijo Jesús, «que me oye estas palabras y las hace… es sabio» (Mat. 7: 24). Sus muchas parábolas ofrecen ejem-plos sublimes de la profundidad de sus enseñanzas. Mientras estaba en Capernaúm acostumbraba enseñar en la sinagoga local. Impresionaba a la gente porque «su palabra era con autoridad» (Luc. 4:32). Cuando los líderes espirituales del momento discutieron con los guardias del tem-plo por no haber hecho nada por reducir la influencia de Jesús, la sen-cilla respuesta final fue que habían quedado tan impresionados, por-que, dijeron, «¡Jamás hombre alguno ha hablado como este hombre!» (Juan 7: 46).

En todas las enseñanzas que se nos dan en los Evangelios, Cristo continúa siendo nuestro Maestro. El éxito del proceso de enseñanza no descansa, sin embargo, solamente en la disponibilidad de un instruc-tor de primera clase. Depende tanto más de la voluntad de los que aprenden para concentrarse en lo que están escuchando y su deseo por absorber y aplicar aquellas enseñanzas. En otras palabras, aquellos que en la actualidad quieren ser discípulos deben ser educables. Han de estar abiertos a las enseñanzas de Jesús, y tienen que decidir aplicarlas en su vida diaria, mientras cumplen su labor en la misión de Cristo.

El discipulado también contiene el elemento de la *imitación*. Las en-señanzas que aprenden deben resultar en la internalización de los valo-res del reino que Cristo enseña. «El discípulo no es superior a su maes-tro; mas todo el que fuere perfeccionado, será como su maestro» (Luc. 6: 40). Esto, por supuesto, no es real en su sentido absoluto en nuestra ca-rrera del discipulado cristiano. Nunca llegaremos a ser tan perfectos y tan sabios como nuestro Maestro. Aún así, él es el modelo supremo a quien debemos estar deseosos de imitar. El discipulado nos cambiará y tendremos resultados visibles. «Mis verdaderos discípulos producen mu-cho fruto», declaró Jesús, cuando los invitó a estar en él, «la Vid verda-dera», y comparando a sus seguidores con las «ramas» que se suponía que llevarían mucho fruto (Juan 15: 8). El discipulado llega a ser tangible en la comprensión de nuestra mayordomía en todos los aspectos de la vida. (Nos centraremos sobre esos aspectos en el siguiente capítulo). Por lo tanto, Jesús desafió a sus discípulos a ser la luz del mundo, ofreciendo un ejemplo que todos pueden ver. Al mismo tiempo son la sal de la tierra, que da sabor a todo y a todos aquellos con quienes entren en contacto.

Interesarse por los demás miembros de la comunidad de fe es otro aspecto del discipulado. Cristo dijo a sus discípulos que se amaran unos a otros como él los había amado. «Su amor de unos por los otros», explicó, «demostrará al mundo que ustedes son mis discípulos» (Juan 13: 35). *Obediencia* es otra palabra clave que aflora cuando tratamos de analizar lo que implica el discipulado. Cuando «hacemos» discípulos, debemos enseñarles a obedecer todos los mandamientos de Cristo (Mat. 28: 20). Este es el mínimo aceptable del mensaje de la gracia: una respuesta de obediencia voluntaria.

Algunos de los discípulos cercanos a Cristo llegaron a ser apóstoles y cumplieron papeles de liderazgo en la iglesia primitiva. Pero no estaba limitado a los doce que Jesús llamó cuando empezó su ministerio. De hecho, uno de estos hombres llegó a ser un traidor en lugar de un apóstol. Por otra parte, Pablo, que no estaba entre los doce originales, reclamó el rango de apóstol a pesar del hecho de que algunos le disputaban ese privilegio. Sus conversos fueron «una prueba viviente de que [él era] apóstol del Señor» (1 Cor. 9: 2). Y muchos otros, escribió Pablo, habrían de recibir el don espiritual del apostolado (1 Cor. 12: 28). Pero aunque no todos los discípulos llegaron a ser apóstoles, todos estarían involucrados en el cumplimiento de la misión de Cristo.

Llegando a ser discípulo

El discipulado implica disciplina. En la vida cristiana la disciplina tiene dos niveles fundamentales. Podemos diferenciarlos entre la disciplina «espiritual» y la disciplina del «sentido común». Casi desde el principio de la era cristiana algunas personas adoptaron un estilo de vida ascético como una forma para llegar a estar más cerca de Dios. Durante el quinto y sexto siglos, hubo santos que se retiraron al desierto de Siria y pasaron días y noches, algunos por muchos años, en lo alto de una columna. Son ejemplos extremos. Dedicaron sus vidas al ayuno riguroso y a la constante oración. Su objetivo era recibir la seguridad de la salvación de sus almas a través de la mortificación de su cuerpo. En la edad media algunos monjes y monjas quisieron estar recluidos en pequeñas celdas enclaustrados, totalmente aislados del mundo que los rodeaba. Esto, creían ellos, los ayudaría a alcanzar la suprema unidad con lo divino. Ignacio de Loyola (1491-1556), el fundador de la orden de los Jesuita, escribió el famoso libro *Ejercicios espirituales*, una colección de meditaciones, oraciones y ejercicios mentales. Tales instrucciones diarias, diseñadas para ser practicadas durante un período cercano a un mes, incluía varias meditaciones sobre la naturaleza del mundo, o de la psicología humana como Ignacio lo entendía, y la relación humana con Dios. Muchos católicos todavía utilizan eso como un método para lograr un caminar más cercano con Dios. Actualmente, los cristianos de todas las confesiones religiosas asisten a retiros, van en peregrinaciones o pasan tiempo en total aislamiento como un medio de fortalecer su vida espiritual y reforzar en su vida, su compromiso de discipulado.

Los protestantes tienden a sospechar de la mayoría de tales «obras» espirituales, y con frecuencia con buenas razones. Como adventistas del séptimo día pertenecemos a un segmento de la cristiandad cuyo activismo siempre ha tenido más admiradores en la meditación sistemática que en el prolongado aislamiento espiritual. Aun así reconocemos, o al menos debiéramos reconocerlo, que la vida de un discípulo necesita constantemente ser alimentada por el Espíritu de Dios. Cada vez más la iglesia se da cuenta que mientras la evangelización pública (la predicación) puede ser fuerte, la enseñanza y nutrición de los nuevos creyentes muchas veces se descuida tristemente. Como resultado, un buen número de recién bautizados no se mueve en el escenario del verdadero discipulado. También, muchos de nosotros que decimos ser discípulos no nutrimos suficientemente nuestro discipulado. No necesitamos gruesos manuales con listas de oraciones y toda clase de prescripciones de actividades para elevar nuestro espíritu al cielo. No es así como el Espíritu, que es como un viento que «sopla», opera en formas más allá de nuestro control (Juan 3: 8). Sin embargo, esto no significa que la mayoría de nosotros no necesitamos una mayor disciplina en nuestra vida espiritual. Debemos tomar tiempo para la *lectura* regular de la Biblia (no solo el *estudio* de la Biblia, sino también la *lectura* sistemática de la Palabra), asegurando que la oración es una parte fundamental de nuestra rutina diaria, y el diálogo con otros creyentes (reforzado por la lectura de libros cuidadosamente seleccionados que enriquecerán nuestra comprensión) son todos parte de un fundamento no negociable para un discipulado sólido.

Al mismo tiempo hay elementos de sentido común en nuestro acogimiento intencional del discipulado. Quizá podemos sumar o subordinar lo menor a lo mayor. La vida debe ser un proceso de constante y consciente elección, y no un mero ir acumulando en cualquier forma que fluya la corriente. Por ejemplo, no podemos ver todo, escuchar todo, leer todo, ir a todas partes e investigar todo. No tenemos el tiempo, y normalmente no tenemos la energía o los recursos para eso. Es imprescindible que digamos no a algunas cosas y entusiastamente abrazamos otras. La vida demanda elegir y establecer constantemente cuáles son nuestras prioridades. Esto nos puede ayudar si aprendemos a dominar ciertas habilidades, pedir consejo a otros más frecuentemente, o tomar ciertas precauciones en nuestra prosecución intencional de una vida de discipulado disciplinado.

El costo del discipulado

Ser un discípulo es un privilegio y una bendición. El discipulado trae paz interior y produce un gozo inestimable. Este nos liga en un compañerismo significativo con otros que comparten los mismos ideales y lealtades. Pero nunca se nos dijo que iba a ser fácil. De hecho, Cristo nunca hizo algún esfuerzo por esconder el hecho de que el discipulado podría ser costoso, porque puede requerir tomar decisiones difíciles, establecer prioridades dolorosas y ofrecer costosos sacrificios. Pocas declaraciones acerca del discipulado son más claras que las palabras de Cristo que cito a continuación:

«No penséis que he venido para traer paz a la tierra; no he venido para traer paz, sino espada. Porque he venido para poner en disensión al hombre contra su padre, a la hija contra su madre, y a la nuera contra su suegra; y los enemigos del hombre serán los de su casa.

«El que ama a su padre o madre más que a mí, no es digno de mí; el que ama a hijo o hija más que a mí, no es digno de mí; y el que no toma su cruz y sigue en pos de mí, no es digno de mí. El que halla su vida, la perderá; y el que pierde su vida por causa de mí, la hallará» (Mat. 10: 34-39).

Ser un discípulo siempre significa dar al Maestro la primera y total lealtad. Él viene antes y por encima de todo y de cualquier otro, incluyendo a aquellos que amamos más. Seguir a Cristo puede significar ser ridiculizado y rechazo, o ser todavía peor, pero pase lo que pase, ¡vale la pena!

Los discípulos, especialmente los que llegaron a ser apóstoles, experimentaron el costo del discipulado. La Biblia solamente registra el martirio de uno de los apóstoles, Santiago el hermano de Juan por la espada de los sirvientes de Herodes (Hech. 12: 1). Pero las antiguas tradiciones nos dan razones para creer que al menos siete de los apóstoles experimentaron la muerte por martirio. Simón Pedro, así como también Pablo, se ha dicho que sufrieron el martirio, uno por crucifixión y el otro por decapitación, en Roma durante la persecución de Nerón (67 o 68 D.C.). Orígenes, uno de los padres de la iglesia (185-254), nos dice que Pedro se sintió a sí mismo indigno de morir en la misma forma que su Maestro, y por lo tanto, solicitó ser crucificado con la cabeza para abajo. Juan, Andrés, Felipe, Mateo, Santiago Tadeo, Simón «el zelote» y Tomás también, según se dice, pagaron con su vida su lealtad a Cristo. Las tradiciones que van hasta el siglo cuarto dicen que Tomás predicó en Partia o Persia, y finalmente fue enterrado en Edessa en Siria. Tradiciones posteriores lo llevan más al oriente. Su martirio, ya sea en Persia o en la India, se dice haber sido por una lanza, y todavía es conmemorado cada año por la iglesia latina el 21 de diciembre, y el 6 de octubre por la iglesia griega, y por los creyentes de la India el 1 de julio.

Antes de llegar a Roma para enfrentar la prisión y la muerte, Pablo atravesó por más privaciones y persecuciones de lo que uno puede creer que una persona es capaz de sobrevivir sin darse por vencida. El catálogo de sus sufrimientos suena como un registro absoluto de resistencia humana: «En trabajos más abundante; en azotes sin número; en cárceles más; en peligros de muerte muchas veces. De los judíos cinco veces he recibido cuarenta azotes menos uno. Tres veces he sido azotado con varas; una vez apedreado; tres veces he padecido naufragio» y así la lista de horrores sigue (ver 2 Cor. 11: 23-26). Los apóstoles solo fueron el comienzo de una lista interminable de millones que, a través de los siglos, han pagado el más alto precio por el privilegio del discipulado. Y ni por un momento piense que todo esto es cosa del pasado ahora que, en el siglo veintiuno, vivimos en la era de la luz en la que casi todas las naciones reconocen oficialmente la libertad religiosa. La verdad es que hoy, en unos sesenta países diferentes hostigan, abusan, arrestan, torturan y algunos ejecutan cristianos por causa de su fe. Unos doscientos millones de cristianos alrededor del mundo viven en constante temor de la policía secreta o de otros agentes de represión y discriminación.* Y nadie conoce lo que aguarda el futuro. Si el escenario del tiempo del fin que los adventistas creen está por venir es cierto, un tiempo de gran horror (Mat. 24: 21) probará la paciencia del pueblo de Dios hasta el mismo límite su poder de aguante (Apoc. 14: 12).

Aun ahora en el mundo occidental el discipulado puede ser costoso. La obediencia a Dios puede ir en contra de la lealtad que nuestros jefes y colegas esperan de nosotros. Afirmarse en los principios puede resultar en pérdida de promociones y de oportunidades en la carrera. Y el discipulado puede cobrar elevados intereses sobre nuestras relaciones cuando debemos asegurarnos que otras personas, incluso nuestros seres amados, no interfieran con nuestro compromiso con nuestro Señor. Pero cualquiera sea el precio, este está más allá de lo que podemos soportar mientras confiemos en Dios. Hemos de recordar que si las cosas se ponen difíciles, no somos los únicos que pagaremos el costo del discipulado: «No os ha sobrevenido ninguna tentación que no sea sobrehumana» (1 Cor. 10: 13). Eso en sí mismo podría ser un pequeño consuelo. Pero hay más: «Pero, fiel es Dios, que no os dejará ser tentados más de lo que podéis resistir, sino que dará también juntamente con la tentación la salida, para que podáis resistir» (vers. 13). Y finalmente, nunca hemos de olvidar que, cualquiera sea el precio que se nos pida pagar, el precio que Dios pagó para salvarnos ¡fue infinitamente más grande!

---

* Ver, e.g., Paul Marshall, *Their Blood Cries Out* (Nashville: W. Publishing Group, 1997).

Capítulo once

Mayordomía

«*En un buen pan hay más religión de lo que muchos piensan*».

Elena G. de White*

Yo creo que uno de los aspectos más deplorables de la filosofía postmoderna es la predilección por la fragmentación. Cuando a Jaques Derrida, uno de los famosos filósofos postmodernos, se le preguntaba: «¿Cómo está usted?», él respondía con otra pregunta: «¿En qué piso?» Le gustaba comparar su vida con una casa de varios pisos, cada uno con varias habitaciones, y la vida que él vivía en uno de los cuartos sería muy diferente de cómo la vivía en otro.

Por desgracia, esta tendencia a la fragmentación está dejando sus huellas en muchas vidas cristianas. Los valores que dirigen sus vidas cuando están en el hogar pueden diferir grandemente de cómo se comportan cuando están en la iglesia. Y otra vez pueden mostrar otro tipo de conducta cuando están fuera, en el gimnasio u operando en su lugar de trabajo. Naturalmente, los papeles que «desempeñamos» siempre afectarán la forma como actuamos y hablamos. Sin embargo, el cristianismo debe determinar quiénes y qué somos en una forma 24/7. Como vimos en capítulos anteriores todo eso tiene que ver con el discipulado. Pero también subyace en la base el concepto de *mayordomía*. Tanto los cristianos como los no cristianos utilizan este vocablo, pero la mayordomía tiene un significado mucho más profundo para aquellos que

---

* Elena G. de White, *Consejos sobre el régimen alimentario*, p. 374.

desean modelar su vida de acuerdo con la de Cristo. Ser mayordomo no es una función que asumo en un solo piso o en un cuarto de nuestra existencia, la verdadera mayordomía toca cada aspecto de nuestra amada vida.

Muchos ensayos o sermones relacionados con la mayordomía toman su punto de partida en la historia sobre los tres siervos que Jesús contó en Mateo 25. Podemos leer la historia paralela relatada en Lucas 19. Los *personajes del drama* difieren, pero el propósito de las dos narraciones es el mismo. Un «amo» que se fue de viaje al extranjero y dejó diferentes cantidades de dinero (o «talentos») a cada uno de sus siervos. A su retorno estaba interesado por saber qué ganancias habían obtenido sus siervos. Aquellos que habían producido una buena ganancia en lo que se les había confiado recibieron alabanza, mientras que el siervo que no consiguió ninguna ganancia, porque se limitó a guardar celosamente lo que se le había dado sin darle ningún uso, afrontó una severa crítica. La lección es clara: Tenemos la responsabilidad de usar nuestros recursos en la mejor forma posible. No es solo un asunto de sentido común, es un deber religioso. Tan simple como suena, lo que tenemos no es nuestro, sino que se nos ha confiado para optimizarlo. Por lo tanto, debemos analizarlo y hacer nuestro mejor esfuerzo para tener «utilidades».

Siempre que se discute el tema de mayordomía, se toca el asunto del dinero. Es natural que esto suceda, pues el dinero juega un papel crucial en la vida hombre, y esto incluye al cristiano. Pero sería una grave equivocación limitar el campo de la mayordomía a los asuntos materiales. Tiene que ver con muchas otras áreas de la vida: nuestras habilidades y capacidades, el uso de nuestro intelecto y nuestra potencial influencia sobre la sociedad, nuestra administración del tiempo, nuestra salud y definitivamente también mayor responsabilidad por nuestro planeta, el clima, la naturaleza y el ambiente.

Mayordomos del mundo

Es bueno ver que muchos cristianos adventistas están profundamente interesados en el planeta Tierra y participan en las políticas así como también en los esfuerzos para salvaguardar la naturaleza, mantener limpio nuestro mundo, hacer todo cuanto puedan para combatir el cambio del clima y usar cuidadosamente los recursos no renovables de nuestro planeta. Sin embargo, al parecer, los primeros adventistas estaban en muchas formas delante de muchos adventistas de la actualidad en cuanto a sus preocupaciones sociales se refiere. Verdaderamente sorprende ver cómo una pequeña y naciente comunidad religiosa, que todavía tenía que invertir mucha de su energía en establecer su identidad doctrinal y conseguir salir organizacionalmente del frío suelo, al mismo tiempo estaba tan involucrada en iniciativas para oponerse a la esclavitud, en defensa de los principios de no combatientes en medio de una guerra civil y especialmente en asumir un papel de liderazgo en las campañas de temperancia al estar en la primera línea en la reforma de salud y valientemente afrontar los desafíos de la libertad religiosa. Los pioneros adventistas, a pesar de su énfasis en el pronto regreso de Cristo, no se retiraron del mundo, sino que fueron entusiastas al presentarse a sí mismos como sus más destacados mayordomos. Tomando en cuenta esta rica herencia de involucramiento con la sociedad, uno se pregunta qué pasó y qué causó que tal mayordomía tan activamente comprometida con el mundo que nos rodea esté desapareciendo gradualmente.

Los cristianos que ponen gran valor sobre la historia de la creación deberían poner especial atención a las implicaciones de la mayordomía en los primeros capítulos de Génesis, porque es allí donde descansa el fundamento del concepto total de mayordomía. Todo principia en el jardín del Edén. Dios bendijo a la primera pareja que había creado y les dio su tarea: «Fructificad y multiplicaos; llenad la tierra y sojuzgadla, señoread en los peces del mar, en las aves de los cielos, y en todas la bestias que se mueven sobre la tierra» (Gen. 1: 28). Podríamos parafrasear «sojuzgadlos» como «controlar su potencial». La humanidad recibió la tarea de cuidar la creación de Dios. «Tomó, pues, Jehová Dios al hombre, y lo puso en el huerto del Edén, para que lo labrara y lo guardase» (Gen. 2: 15). Es interesante saber que Adán tuvo que darle nombre a todas las criaturas de Dios. Eso indica que teníamos que ejercer control sobre ellos. Note que nuestra responsabilidad hacia la tierra es la de atender un jardín, no es una licencia para explotar o saquear la creación de Dios. Por desgracia, la humanidad no ha realizado ese trabajo de la mejor manera. En lugar de «atender» la tierra y cuidarla, los seres humanos han destruido una gran porción de lo que se suponía que iban a proteger. Abundan los ejemplos. La selva tropical ha sido diezmada, con cuantiosas ganancias desaparecidas en los profundos bolsillos de negociantes del Oeste y políticos corruptos del tercer mundo. Las reservas de combustibles fósiles están agotándose rápidamente, liberando imprudentemente enormes cantidades de CO_2 en la atmósfera y muy probablemente siendo la principal causa de los terribles cambios del clima. Los seres humanos están «mejorando» genéticamente la creación de Dios y han estado añadiendo muchas sustancias a la tierra, a los alimentos de los animales y a su propia comida, que la persona promedio está confusa y no puede determinar lo que es seguro para comer o es peligroso consumir.

Podría ser imposible revertir muchos de los procesos que amenazan el ambiente. Después de todo, es un hecho innegable que la solución final para los problemas de nuestro planeta debe venir de arriba. Aún no es demasiado tarde para que los cristianos asuman sus responsabilidades individual y colectivamente en una estupenda mayordomía del estilo de vida. Si bien los resultados no hagan más que incrementar el daño, y aunque todos los esfuerzos combinados de mayordomía ya no pueden revertir el daño hecho, es deber del cristiano dar una señal de que Dios es el dueño y que nosotros estamos listos para reconocer su propiedad visible y concretamente. Una iglesia que habla tanto de mayordomía debería reevaluar lo que hace actualmente y lo que podría y debería hacer. En lugar de ser la «cabeza» entre todas organizaciones actuales que invitan a una mayor actitud responsable hacia la tierra y sus recursos, la penosa realidad pareciera ser que nosotros estamos cerca de la cola. Muy a menudo hemos limitado nuestra visión de mayordomía a unas pocas leyes de salud y a unos pocos aspectos del dinero. Para los cristianos bíblicos eso sencillamente no es suficientemente bueno.

¿Somos dueños de nuestro cuerpo?

La idea de que somos mayordomos de nuestro cuerpo puede apelar más para muchos cristianos de la actualidad de lo que lo hizo en el pasado. Tradicionalmente, los cristianos insistían en que la fe tenía que ver con su alma y no en forma directa con nuestro cuerpo. Como resultado, fue sorprendente ver cuántos de ellos abusaron de su cuerpo. Fumar, beber alcohol y descuidar la alimentación fueron parte de muchos hogares cristianos aquí y en otras partes. Al parecer se ha obtenido algún progreso con relación a esto, mientras que las personas en general han aprendido más en cuanto a la vida saludable y muchos cristianos empezaron a verse en una forma más holística, con el cuerpo y el espíritu interactuando más estrechamente de lo que previamente se reconocía.

Hay una cosa que los cristianos no deberían dudar. Su cuerpo no es de su propiedad, por lo tanto no deben usarlo o abusarlo como les plazca. El apóstol Pablo hizo a los corintios una pregunta que sigue siendo relevante para nosotros: «¿O ignoráis que vuestro cuerpo es templo del Espíritu Santo, el cual está en vosotros, el cual tenéis de Dios, y que no sois vuestros?» (1 Cor. 6: 19).

Aunque el enfoque de la Biblia está, ciertamente primero sobre nuestra vida y naturaleza espiritual, las Escrituras no consideran al cuerpo sin importancia. El Antiguo Testamento contiene muchas leyes e instrucciones sobre la higiene y la preparación de los alimentos. La Escritura establece una diferencia entre los alimentos aptos para el consumo humano y aquellos que no lo son (Lev. 11). Comentarios sobre nuestro bienestar físico abundan en libros como Proverbios y Eclesiastés. Jesús mostró un firme interés en el bienestar físico de la humanidad. Sanó a muchas personas que sufrían de una gran cantidad de enfermedades y hasta resucitó a varios muertos. Y también no sintió que rebajara su dignidad de maestro famoso, cuando consideró necesario proporcionar un servicio adecuado para las multitudes que vinieron a escucharlo.

Como hemos notado, la teología adventista desde el mismo principio enfatiza la unidad fundamental del ser humano, señalando hacia el acontecimiento de la creación que declara que el primer hombre llegó a ser un «ser viviente» después que el aliento de vida entró en «lo material» que Dios había preparado (Gén. 2: 7). Desde su mismo comienzo los adventistas han rechazado la dualidad del cuerpo y el alma comúnmente aceptado por la mayoría de las iglesias cristianas. Y desde el principio estuvieron sumamente interesados en la reforma pro salud. Pronto rechazaron todo uso de bebidas alcohólicas y tabaco. El tabú sobre otras drogas siguió su ejemplo. También, en sus inicios, el estilo de vida vegetariano recibió fuerte apoyo.

Investigaciones sobre salud en muchos países han provisto una evidencia irrefutable, vez tras vez, de que el estilo de vida adventista ofrece muchos beneficios para la salud, aunque podrían tener un mayor impacto si un número mayor de adventistas fueran más cuidadosos con su estilo de vida. La sugerencia frecuentemente escuchada de que la mayoría de los adventistas han optado por un estilo de vida vegetariano es uno de aquellos mitos acerca de que los adventistas de alguna manera viven. Las investigaciones indican que el porcentaje de vegetarianos entre los adventistas normalmente es cerca del 28 por ciento. Es dudoso que haya sido mucho más alto, excepto en ciertas áreas geográficas.*

En general, uno podría decir que los adventistas han hecho razonablemente bien en lo que se refiere a la mayordomía de su cuerpo. Aunque todavía muchos de nosotros podríamos y deberíamos mejorar. Muchos adventistas sufren de obesidad más de lo que se esperaría de una comunidad que procura un estilo de vida saludable. Es dudoso que entre los adventistas haya menos trabajadores obsesivos y menos víctimas del estrés en comparación con la población en general. Muchos de nosotros sabemos que no hacemos suficiente ejercicio, insistimos en comer una gran cantidad de comida rápida y consumir demasiada azúcar. Mientras muchos de nosotros «obedecemos» las reglas tradicionales de la salud con las que hemos crecido, si somos verdaderamente sinceros, también deberíamos admitir que nos somos conscientemente tan saludables como deberíamos ser. Como iglesia todavía estamos bastante metidos en el negocio de la salud. Mantenemos elevados estándares en la mayoría de nuestras instituciones. Pero, ¿no habremos perdido mucho de nuestra buena disposición inicial, por estar a la vanguardia de la prosecución de una vida cada vez más saludable? ¿Deberíamos reavivar al menos en alguna extensión nuestro antiguo entusiasmo por los remedios naturales y ser un poco más cautelosos hacia el uso de medicinas sintéticas con sus numerosos efectos colaterales? ¿Deberíamos hablar un poco más de la forma en que muchos de nuestros alimentos son procesados? ¿Deberíamos estar un poco más alarmados por algunas cosas que le pasan a nuestra comida, ya sea de fuente animal o no? Y, ¿deberíamos depender un poco más de las vitaminas y otros elementos vitales de nuestra comida en lugar de apoyarnos demasiado en los suplementos que han llegado a ser omnipresentes en nuestras mesas? ¿Deberíamos pensar un poco más en lo que realmente significa para cada uno de nosotros ser fervientes mayordomos de nuestros cuerpos?

---

* Keith Lockhart, «The Myth of Vegetarianism», *Spectrum*, Vol. 34, 2006, pp. 22-28.

Administración del tiempo

La religión afecta la forma como gastamos nuestro tiempo. El tiempo es una seria y valiosa posesión. En nuestra vida presente tiene un límite definido. «Los días de nuestra edad son setenta», nos dice el salmista, «en los más robustos son ochenta años…porque pronto pasan y volamos» (Salmo 90: 10). Sin embargo, esto no significa que cada momento debiera ser utilizado en el sentido material en el que normalmente empleamos la palabra. Con frecuencia, Cristo tenía un programa muy ocupado, sin embargo, en medio de sus viajes y enseñanzas, él era un hombre del pueblo. Tenía tiempo para platicar, tiempo para una buena comida, tiempo para ir a una fiesta y tiempo para la recreación. Si nosotros queremos imitarlo, ese debería ser nuestro patrón. Por una parte, hemos de evitar aquellas cosas que desperdician nuestro tiempo y energía, y no enriquecen nuestra vida ni la de otros. Por otra parte, tenemos que recordar que la vida es más que trabajo y que necesitamos tomar tiempo para aquellas cosas que podemos verdaderamente disfrutar.

Dios creó el tiempo en ciclos de seis por uno, y todavía este ciclo permanece en el ritmo básico de la vida humana. Seis días para trabajar y hacer toda clase de actividades comunes, y un día apartado por Dios como tiempo «sagrado». Está comprobado que es un horario que se adapta maravillosamente a nuestras necesidades humanas.

En tantos libros escritos sobre la administración del tiempo todos enfatizan no solo la necesidad de planificar a corto, a mediano y a largo plazo, sino también a establecer prioridades y a mantener el equilibrio. El capítulo tres del libro de Eclesiastés es un singular resumen de la clase de equilibrio que ayuda al cristiano a vivir una vida plena. Ofrece no solamente tiempo para trabajar, sino también para la recreación y el descanso. Hay un tiempo para la obra de la iglesia, pero también hay un tiempo para los amigos y la familia. Y cuando hay tiempo para otros, debemos tener tiempo para nosotros mismos.

¿Los talentos y/o los dones espirituales?

Adolfo Hitler probablemente ha sido uno de los más grandes monstruos del siglo XX y de todos los tiempos. Sin embargo, muchos lo obedecieron y lo adoraron. ¿Por qué? ¿Cómo fue posible que convocara tal multitud de seguidores? Sin lugar a dudas tenía grandes talentos, en particular el de la oratoria. Podía mover las masas. Martin Luther King, quien jugó un papel fundamental en el movimiento por los derechos civiles en los Estados Unidos, tenía ese mismo don. Por generaciones la gente recordará su famoso discurso: «Yo tengo un sueño, que un día...». Tanto Hitler como King fueron extremadamente talentosos y pudieron mover a cientos de miles por su inmensa elocuencia. ¿Dónde estuvo la diferencia entre ellos? Hitler estaba hambriento de poder, lleno de odio y egoísmo. King puso sus talentos al servicio de una causa justa y sirvió a los demás. Ahí estuvo toda la diferencia.

La Biblia no solamente habla de los «talentos», también habla de los «dones espirituales». Todos los creyentes, nos dice la Escritura, están capacitados con algún don. Algunos de estos son muy especiales, incluso asombrosos: el don de sanidad, de hablar en lenguas, de predicar. Otros dones espirituales, aparecen más comunes: la enseñanza, la consejería, la administración, el proporcionar ayuda y consuelo, etc. En varios pasajes se nos da una lista algunos de ellos: Romanos 12, Efesios 4, 1 Corintios 13-15. Los comentaristas difieren en cuanto a la totalidad de los veintidós (o menos) dones. Podemos dividirlos entre (1) dones de enseñanza/liderazgo, (2) dones de servicio y (3) dones «señales» (dados para autenticar la obra de los apóstoles y profetas, particularmente en el tiempo cuando Dios quería que la iglesia primitiva se estableciera y creciera).

La Biblia no nos dice cuál es la diferencia exacta entre los talentos y los dones. Pareciera que se sobreponen en una extensión considerable. Quizá «talento» se refiere en particular al aspecto genético y al proceso de aprender y desarrollar ciertas habilidades, en cambio el «don» enfatiza la gracia divina de otorgar ciertas capacidades sobre nosotros, aunque carecemos de talento natural en tales áreas. Cualquiera que sea el caso, las habilidades que hemos desarrollado y los dones que Dios nos ha confiado se debieran fundirse en nuestra testificación cristiana tanto en palabras como en hechos. Lo maravilloso es que no solo todos tenemos talentos y dones, sino también que aquellos talentos y dones son diferentes uno del otro. Vemos esta verdad en la vida ordinaria. Algunos son artísticos, mientras que otros tienen aptitudes para los negocios. Algunos son buenos cocineros, mientras que jugar futbol no es el área en que ellos se destacan. Y algunos pueden dirigir la adoración a través del canto, mientras que otros tienen que dejar de intentarlo. Pero ellos pueden ser ¡grandes narradores de historias! Nadie puede hacer todo bien. Siempre necesitamos a otros y debemos aprender a funcionar como miembros de equipo. Esto se aplica no solo para nuestra vida profesional, sino también en la vida en la iglesia.

Mientras que es esencial conocer nuestras limitaciones, es justo y crucial estar conscientes del potencial que Dios nos ha dado y ser buenos mayordomos sobre estos aspectos de nuestra vida. Ninguno de los pasajes bíblicos donde se mencionan los «talentos» alguna vez ha sugerido que cada una de las habilidades y capacidades que tenemos debe ser esencialmente religiosa. No todo canto que podemos cantar debe ser un canto religioso, ni todo poema que escribimos necesita ser sobre de Dios, y no todos los aspectos de nuestras habilidades organizacionales tienen que ser dirigidas a la iglesia. Pero podemos usar todos nuestros talentos y dones, ya sea en los deportes, la jardinería, la cocina o en los negocios o la computación para honrar a Dios. «Si, pues, coméis o bebéis, o hacéis otra cosa, hacedlo todo para la gloria de Dios» (1 Cor. 10: 31). La pregunta sencilla que usted debe continuar haciéndose es: ¿Es lo que hago agradable a Dios? ¿Enriquece esto mi vida? ¿Proporciona verdadero gozo y satisfacción a mí y a los demás? ¿Hace al mundo aunque sea un poquito mejor o más hermoso? ¿Hace más felices a los que me rodean? ¿Es lo que hago apropiado para alguien que pertenece al campo de Dios? ¿Afirma esto mi compromiso con él o más bien me conduce a alejarme de él?

El dinero

Finalmente, pensemos en cuanto a los bienes materiales, el dinero en particular. Considere solo unos pocos principios básicos. Primero que todo —y esto es verdad en todo lo que tenemos— Dios es el dueño y lo que tenemos solamente lo tenemos prestado. El mismo hecho de ser él sea el Creador implica esto. Cuando el conocido escritor de himnos evangélicos, John W. Peterson (1921-2006) meditaba en el salmo 50: 10, el famoso texto que habla de que Dios es el propietario, escribió acerca de cómo Dios es dueño de todo el ganado que pasta en miles de colinas, el paisaje mismo y la riqueza que hay en él y arriba en los cielos. Encontramos también este pensamiento básico claramente expresado en la historia de Jesús sobre el *propietario* de un viñedo que lo confió a unos agricultores, y de los sirvientes y el hijo del dueño que vinieron a supervisar el trabajo de los labradores. Las relaciones subyacentes son abundantemente claras: hay un dueño indiscutible y los demás son labradores (Mat. 21: 33-46).

El segundo principio bíblico relacionado con la mayordomía de nuestras posesiones materiales aparece en un dicho de Cristo registrado en Hechos 20: 35: «Más bienaventurado es dar que recibir». Tal concepto va contra la fibra de la naturaleza humana, pero es verdad que la experiencia ha probado su veracidad vez tras vez. Sin embargo, solo el verdadero desinterés identifica esta clase de dadivosidad. No procura establecer una reputación de generosidad y tampoco es motivada principalmente por ventajas físicas. El dar «bendecido» no se expresa en signos de pesos, sino en la cantidad de amor que lo impulsa. Fue en ese punto donde falló el generoso regalo de Ananías y Safira (Hech. 5: 1-10). Por otra parte, Jesús apreció gratamente las dos blancas de la viuda pobre (Mar. 12: 41-44) y la efusión del perfume de mucho precio (Juan 12: 1-7).

Dar no es un aspecto incómodo, doloroso de la mayordomía, sino la personificación de su gozo. Dios busca un «don voluntario» y no uno dado por una sutil o no tan sutil presión (2 Cor. 9: 7). Él desea que velemos generosamente por aquellos que están en necesidad, y que no seamos partícipes de un corazón duro y tacaño (Deut. 15: 7). También él desea que no seamos tacaños cuando consideramos nuestros dones hacia él. Esto nos lleva al tercer principio fundamental: Dios tiene el primer derecho en todo lo que decidamos hacer con nuestras «posesiones». Debemos «regresar» una parte significativa de lo que él nos ha prestado como un reconocimiento inequívoco de que todo lo que recibimos es suyo. El Antiguo Testamento establece una norma mínima para darle a Dios el diez por ciento. El nuevo Testamento solo se refiere en pocas ocasiones y en una forma pasajera, al diezmo (como por ejemplo en Mat. 23: 23). Diezmar, aparentemente, es tan natural que no necesita mayores comentarios.

Considerando todo lo que sabemos ahora, cómo cristianos del Nuevo Testamento, del amor divino que no tiene límites; incluso la consideración de dar a Dios menos de lo que el Antiguo Testamento les enseñó a los creyentes a dar, es completamente inapropiado. Por lo tanto, es muy razonable continuar citando el famoso pasaje en los escritos proféticos de Malaquías (3: 8-13). El profeta le advierte al pueblo de que no debe «robar» a Dios reteniendo los diezmos. Él los desafía a ellos, y a nosotros, a: «traer todos los diezmos al alfolí» (vers. 10). La promesa del Todopoderoso es esperar lo que él hará: «si no os abriré las ventanas de los cielos, y derramaré sobre vosotros bendición hasta que sobre abunde».

La mayordomía cristiana tiene amplias dimensiones. Es una cuestión de elección. Nosotros le servimos a él y lo reconocemos por lo que él es, o le volvemos la espalda y nos centramos en nosotros mismos. «Ninguno puede servir a dos señores» (Mat. 6: 24). O él es nuestro Señor o no lo es. Y solamente podemos ser verdaderos discípulos si reconocemos su señorío y si demostramos ser buenos mayordomos. Los dos conceptos están totalmente entrelazados.

Por supuesto ninguna de las cosas que hemos mencionado nos ayudará a ganar nuestra eterna recompensa. Somos salvos por medio de la fe en Cristo, y no por reciclar nuestros cristales o nuestros papeles o por comprar un automóvil «limpio», por buscar la dieta más saludable posible, por tomar clases de piano para desarrollar nuestro talento musical o por no olvidar nunca pagar nuestros diezmos. Pero nuestra consagración a Jesucristo se hará visible en la forma como opera en nuestras vidas (Sant. 2: 18). Ese es el verdadero significado de la mayordomía.

Capítulo doce

Comunidad

«La iglesia es la familia de Dios; somos adoptados por él como hijos y vivimos sobre la base del nuevo pacto. La iglesia es el cuerpo de Cristo, una comunidad de fe de la cual Cristo mismo es la cabeza. La iglesia es la esposa por la cual Cristo murió para poder santificarla y purificarla. Cuando regrese en triunfo, se la presentará como una iglesia gloriosa, es a saber, los fieles de todas las edades, adquiridos por su sangre, sin mancha ni arruga, santos e inmaculados». *

Muchas personas en el mundo actual, especialmente en el occidente, están aumentando su interés por lo espiritual, pero son sumamente desconfiadas en cuanto a pertenecer a una iglesia institucional. No muy seguras de la religión organizada con todo el bagaje que supuestamente lleva con ella, preguntan, *¿necesitamos todavía una iglesia?* Para muchos, el hecho de que el cristianismo esté dividido en miles de fragmentos, y cada uno promueve su propia variedad de la verdad y defiende sus ritos y tradiciones particulares, es una enorme piedra de tropiezo. Parece un grito muy lejano la unidad que Cristo dijo a sus seguidores que oraran por ella. Si necesitamos la iglesia, ¿dónde está? ¿En todas las tradiciones cristianas separadas, o solo en un segmento que tiene «la verdad»?

---

* Artículo 12, *Creencias fundamentales de los adventistas del séptimo día.*

Al mismo tiempo, cada vez más personas que solicitan el bautismo no quieren unirse a la comunidad de una iglesia en particular. ¿Es esto bíblicamente defendible? ¿Debería una denominación ordenar que sus nuevos miembros se suscriban a una larga lista de doctrinas, o estar dispuestos a bautizar a todo aquel que tan solo expresa su deseo de seguir a Cristo, ya sea que desee pertenecer o no a la comunidad visible?

Abundan otras preguntas. ¿Qué clase de iglesia organizada desempeña el mejor papel? ¿Debería la congregación local tener total autonomía? ¿O es una estructura nacional o aun global, la que está más en armonía con los principios bíblicos? ¿Cómo se relacionan las funciones del clero y los laicos? ¿Y qué de la ordenación de las mujeres al ministerio pastoral? ¿Cómo puede, o debe, funcionar la disciplina eclesiástica en el mundo actual? ¿Cómo entran las entidades eclesiásticas en el concepto bíblico de la iglesia? ¿Cómo deberíamos definir el concepto de un remanente? Y así la lista continúa.

La comunidad: un concepto bíblico

Dios siempre quiso trabajar a través de una comunidad de personas. Aun antes de que hiciera su pacto con Abraham y le prometiera que sería el progenitor de una nación especial que sería una bendición para el mundo entero (Gen. 12: 1-3), el Señor apartó familias particulares entre los descendientes de Adán, Set, Noé y Sem como los guardianes de su verdad.

En el Antiguo Testamento Dios habló al pueblo de Israel como su «pueblo santo» (Deut. 28: 9) y como una «nación santa». El Nuevo Testamento describió a sus seguidores como una «congregación» o «asamblea» que había sido llamada (Hech. 7: 38). La Septuaginta (la versión griega del Antiguo Testamento que se usaba en el tiempo de Cristo) con frecuencia emplea la palabra *ekklesia* para referirse al pueblo de Dios de la antigüedad. Es la traducción del hebreo de la palabra *qahal*, cuya raíz tiene el significado de «ser llamado». La palabra griega *ekklesia* está compuesta de dos palabras: *ek* «salir» y el verbo *kalein* «llamar». Dios llamó a su pueblo del Antiguo Testamento para una misión específica: Proclamar sus obras ante las otras naciones que estaban alrededor (Isa. 56: 7).

El llamamiento de los discípulos (Mar. 3: 13-19) señala el primer escenario de la creación de la comunidad de creyentes del Nuevo Testamento. Doce seguidores de Jesús constituyeron un grupo élite que recibieron un papel especial. Los doce habían tenido el privilegio de participar de un extenso entrenamiento a través de su asociación con Jesús (Mar. 6: 7-12; Mat. 9: 35-10: 18). Note, sin embargo, que los Evangelios se refieren a más personas como «discípulos» de Cristo, incluyendo a los setenta discípulos que Jesús envió en una misión especial (Luc. 10: 1-24), y varias mujeres (ver, por ejemplo, Luc. 8: 1-3).

Durante la última cena (Mat. 26: 26-29 y pasajes paralelos) Cristo instituyó el «Nuevo pacto» con sus discípulos como el nuevo pueblo de Dios. Este pasaje de la Biblia no solo es importante por su relación con la institución y significado de la Cena del Señor, sino también por el amplio concepto de comunidad que implicaba la práctica de este solemne rito hasta la segunda venida de Cristo.

La iglesia no sería solo una asociación de personas que disfrutarían las actividades sociales o se reunirían regularmente para la edificación espiritual. Dios estableció a la iglesia porque tenía una misión para llevar a cabo. La misión es, de hecho, *la* razón por la que existe la iglesia. La gran comisión (Mat. 28: 19, 20 y pasajes paralelos en los otros Evangelios) es, con muy buenas razones, el clímax de la historia del evangelio.

Inmediatamente después de la partida del Señor encontramos una comunidad de creyentes en Jerusalén, con los discípulos como sus principales representantes. La fragmentaria información en Hechos 2: 42-47 sugiere alguna forma de vida comunitaria, pero también en constante crecimiento. Aún miembros del clero judío se unieron a los creyentes en Cristo (Hech. 6: 7). El derramamiento del Espíritu durante la fiesta del Pentecostés les dio la dotación sobrenatural del poder que catapultó a la comunidad cristiana al escenario religioso del primer siglo. Visitantes de una gran variedad de naciones escucharon las buenas nuevas de Cristo en su propio idioma y llevaron sus nuevas percepciones con ellos cuando regresaron a sus hogares. La oposición provocó una gran dispersión de creyentes en Judea y Samaria (Hech. 8: 1). Hechos 8 informa las actividades de Felipe en Samaria y su contacto con un dignatario en su camino de regreso a Nubia. Hechos 9 describe el progreso de la iglesia en Damasco. Y así continúa la historia. Desde su mismo comienzo la iglesia fue étnica y culturalmente diversa, y mientras se expandía así lo hacía su estructura organizativa.

¿Qué es la iglesia?

El Nuevo Testamento habla tanto sobre de la iglesia y también sobre el reino de Dios. ¿Son idénticos los dos? Casi, pero no completamente. La iglesia es la comunidad de personas que vive bajo las leyes de Dios. Uno podría decir que el reino crea a la iglesia, y que la iglesia, a cambio, testifica del reino y vive sobre las bases éticas del reino, como está expresado en las enseñanzas que Cristo impartió en el monte donde habló de las bienaventuranzas.

Una visión cristiana tradicional (ampliamente difundida) es que la iglesia sustituyó a Israel en el plan de Dios. Los teólogos han etiquetado el concepto como *la teoría de la sustitución*. En este contexto, muchos se refieren con frecuencia a la iglesia como el «Israel espiritual». Aunque ese término no aparece en el Nuevo Testamento, muchos han creído, entre ellos hay teólogos adventistas, que el Nuevo Testamento apoya ampliamente esta idea. Sin embargo, algunos eruditos adventistas argumentan que los que apoyan la teoría de la sustitución exageran su caso, y que encontramos suficientes bases bíblicas para defender la idea de que los judíos todavía tienen un papel importante dentro de los propósitos salvíficos de Dios (salvación histórica). Parecería que, al menos, debemos reconocer una continuidad así como una discontinuidad entre Israel y la iglesia.

Una iglesia invisible

Muchas veces las personas hacen una distinción entre la iglesia *visible* y la *invisible*. La iglesia invisible supuestamente está formada por aquellos creyentes que ya han pasado al descanso, por aquellos que todavía van a nacer y elegirán creer y por todos los creyentes que ahora viven en alguna parte de la tierra y podrían o no podrían ser miembros de comunidades cristianas. Mientras son desconocidos para nosotros, son conocidos para Dios «quien conoce todos los corazones» (1Crón. 28: 9) y «conoce a los que son suyos» (2 Tim. 2: 9). En algunas iglesias, como la Católica Romana y la Ortodoxa, la diferencia entre la iglesia visible e invisible (su propia iglesia) es más bien borroso y aun puede haber una tendencia a permitir que las dos coincidan. Otros grupos cristianos, la Iglesia Adventista entre ellos, insisten no solamente en que hay una iglesia invisible sino también una comunidad visible, pero que es importante para los individuos creyentes unirse a la comunidad visible en todo lo posible. Esto, por supuesto, levanta la pregunta si todos los cristianos que viven en una época específica deben unirse a una iglesia si quieren ser parte del pueblo de Dios y recibir la salvación.

Solo unos pocos grupos religiosos restringen la iglesia visible sobre la tierra a su propia organización. Los adventistas del séptimo día nunca han tenido esta posición tampoco. Ellos ven a la iglesia como más extensa que su propia denominación. Sin embargo, no todas las que se llaman a sí mismas «iglesia» califican como tales. El Nuevo Testamento es claro cuando habla sobre la realidad de la apostasía. Hay situaciones cuando se enseña la falsa doctrina, y los «falsos profetas» llevan al pueblo al extravío. Cuando Cristo no es adorado como Señor y la apostasía llega más allá de cierto límite (1 Juan 4: 1-6), no hay duda de que la situación se ha ido más allá de los confines de la iglesia de Cristo. Pasajes como 1 Timoteo 4: 1-5 y 2 Timoteo 3: 1-9 están entre las declaraciones más francas concernientes a la realidad de la apostasía, especialmente durante «los últimos días». Así que no toda institución visible que se proclama a sí misma «iglesia» puede, de hecho, reclamar ser parte de la iglesia visible de Dios. Los cristianos necesitan el «don del discernimiento» para reconocer cuando los errores han oscurecido la verdad, y para que podamos concluir con seguridad que no hemos de estar de acuerdo con una particular tradición, grupo u organización como parte de la iglesia cristiana (1 Cor. 12: 10). En esos casos uno podría hablar del «cristianismo apóstata», y podría ser justificado usar títulos como «sectas» o «cultos». Sin embargo, aun entonces debería tenerse cuidado de pronunciar un juicio sobre los creyentes de manera individual. Y nunca hemos de olvidar que Cristo nos amonestó para que no pronunciemos juicio y ni hagamos una división precisa entre lo que es verdadero y lo que es falso, porque nuestro juicio humano nunca será totalmente confiable (Mat. 13: 24-30; 36-43). Tenemos que centrarnos en unir nuestros esfuerzos en seguir y proclamar la verdad. Esto es lo que el adventismo siempre ha creído.

Los adventistas también creen que un segmento especial de la iglesia visible tiene un lugar y papel únicos. Aquí encontramos el concepto del *remanente*, un término ya presentado en el Antiguo Testamento, en particular en los escritos proféticos, pero se le da una aplicación especial en el fin del tiempo. Al final del tiempo hay un «resto» (Apoc. 12: 17) de aquellos que permanezcan leales a su Creador y guarden los mandamientos de Dios. Los adventistas sostienen que el final del clímax de la historia la iglesia visible coincidirá con ese «resto» fiel. En el escenario del fin del tiempo los adventistas predicen una creciente lucha entre la iglesia «verdadera» y la iglesia «apóstata». Grandes secciones del cristianismo formarán parte de la «Babilonia», mientras que una parte relativamente pequeña permanecerá firme en su obediencia a la verdad bíblica. Aquí es donde los adventistas ven su misión y papel especial. Esto ha sido tanto una bendición como una tentación. La escatología adventista ha ayudado a la iglesia a comprender su responsabilidad y misión global. Pero también tiende a animar a las personas a mirar primariamente a la iglesia como un lugar para los pocos que serán salvos y como una comunidad de santos (casi) perfectos que «tienen» la verdad, en lugar de una escuela para pecadores. Como resultado, esto ha favorecido frecuentemente una tendencia hacia el perfeccionismo y legalismo.

Tradición y verdad

¡Tenemos la verdad de la Biblia, mientras que otras iglesias están entrampadas en sus tradiciones humanas! Pocos estarían preparados para expresar sus convicciones con tanta franqueza como esta. Sin embargo, es lo que de hecho, muchos adventistas piensan. Y, de seguro, no hay duda de que las tradiciones heredadas, más que un estudio personal e independiente son las que determinan lo que las personas creen. La Iglesia Católica Romana sostiene que la Biblia no es suficiente para comprender la verdad. La iglesia tiene la tarea de explicar lo que la Biblia enseña, y que la tradición de la iglesia debe ser tomada en cuenta como una de las fuentes de la revelación. Los protestantes «protestaron» contra tal posición y defendieron la posición de «*sola scriptura*», que la Biblia sola debía ser el fundamento de nuestras doctrinas. Sin embargo, es claro que la tradición también ha asumido un papel significativo en el pensamiento protestante.

¿Qué en cuanto el adventismo? ¿Ha sido capaz la Iglesia Adventista de permanecer libre de las tradiciones humanas? ¿O la creación de tradiciones es inevitable? ¿Son quizás aceptables las tradiciones mientras no vayan en contra de las enseñanzas de la Biblia? Debemos enfrentar el hecho innegable de que una comunidad religiosa no puede funcionar sin tradiciones. Cada comunidad religiosa se origina dentro de un contexto y de ese modo «nace» con ciertas tradiciones. Los pioneros adventistas fueron influenciados, al menos en alguna medida, por las tradiciones de las comunidades de donde salieron. Estaban impregnados en las tradiciones de la frontera, y siguieron con estas tradiciones cuando se mudaron al oeste. No podemos entender a Elena G. de White separada de algunas tradiciones reformistas del siglo XIX en Estados Unidos. Tampoco podemos entender al adventismo actual sin algún conocimiento de algunas tradiciones del país donde se originó y se desarrolló. Y, con toda seguridad, las tradiciones de los países donde se ha logrado establecer, influirán sobre el adventismo.

No obstante, esto va más lejos todavía. Una comunidad comparte un juego de puntos de vista y de ese modo establece su identidad. Se encuentra en problemas si no posee un sentido de identidad común. Cuando la diversidad ha reemplazado en gran medida su autocomprensión original, desarrollará una crisis de identidad. Ejemplos indudables de esto dificultan actualmente el funcionamiento del adventismo. Pero una comunidad no se centra solamente sobre un conjunto de creencias fundamentales. Una comunidad religiosa también se caracteriza por sus ritos y costumbres, por su modelo de adoración, por sus formas particulares de leer la Biblia y, ciertamente, también por el uso de sus símbolos religiosos y por su lenguaje. Permítame darle algunos ejemplos. Para un adventista del séptimo día, «el mensaje de los tres ángeles», el «Espíritu de Profecía», «el remanente», y «la lluvia tardía» son términos y frases familiares. Pero la terminología calvinista con respecto a las sutilezas de la doctrina de la predestinación no es parte de la jerga adventista. Los adventistas saben qué hacer cuando el «servicio de humildad» tiene lugar, pero no tienen la menor idea del papel que representan los íconos en el culto ortodoxo. Cuando los adventistas leen la Biblia, ponen particular atención en los textos que podrían fortalecer su visión del sábado o de la segunda venida, pero podrían pasar fácilmente por alto aquellos textos relacionados con el pacto que algunos protestantes tomarían en cuenta para defender la idea del bautismo de infantes. La familiaridad con los comentarios de Elena G. de White constantemente modelan la forma como los adventistas leen y explican la Biblia.

Compartir estas y otras tradiciones es parte de lo que significa ser una comunidad. Lo que nos debe distinguir de los demás es que debemos continuar cultivando una buena disposición a comparar críticamente las tradiciones de otros, así como también las nuestras con la

Biblia, y continuar siendo lo más abiertos e imparciales que podamos mientras procuramos obtener una comprensión más profunda de la Palabra de Dios. Pero eso no es tan fácil como parece. Una vez que hemos establecido ciertos puntos de vista y teorías, llega a ser más difícil mirar de nuevo todas las pruebas, si se necesita cambiar una idea muy apreciada. Este ha sido, sin embargo, el genio del adventismo, que fue capaz de hacer todo eso mientras crecía hasta convertirse en el movimiento misionero mundial que es en la actualidad. Este será uno de los más grandes desafíos no perder esa tradición de estar dispuestos a cambiar y adoptar «más luz» cuando venga a nuestro sendero.

De nuevo, ¿qué es la iglesia?

Cuando utilizamos la palabra «iglesia» con frecuencia lo hacemos refiriéndonos al edificio o a la estructura organizacional. Es importante notar que uno puede emplear el término *ekklesia* en una cantidad de formas en la actualidad (excepto que en la Biblia nunca se refiere al edificio). *Ekklesia* podía referirse a la iglesia universal (Efe. 1: 22; 3: 10, 21; 1Cor. 10: 32), pero también a la iglesia local (Rom. 16: 1; Apoc. 2: 3), o a una asamblea local (1Cor. 1: 18; 14: 19), o incluso a la iglesia de una casa (Rom. 16: 5; 1 Cor. 16: 19). Como vimos ya, el nombre *ekklesia* surge del verbo griego *kalein*, que significa «llamar». Este llamado incluye una invitación a la relación y a la misión, pero también es ser llamado a reunirse con la comunidad para compartir una herencia futura.

El Nuevo Testamento emplea una variedad sorprendentes de metáforas para caracterizar a la iglesia. Hemos de recordar siempre que las metáforas no nos proporcionan descripciones analíticas exhaustivas, solo son lemas que se enfocan sobre un aspecto en particular de un fenómeno dado. No debemos utilizar las metáforas unas contra otras. Cada una de ellas enfatiza un aspecto en particular. *Juntas* nos ayudan a captar en cierto grado, un cuadro más completo.

La Escritura, por ejemplo, describe a la iglesia como a una *familia*, un *pilar*, una *fortaleza*, y un *ejército*. Las palabras «hermano» y «hermana» que son parte de la tradición adventista, desde luego, están basadas en la metáfora de la familia (Heb. 2: 11). La metáfora del ejército (2 Cor. 10: 3-5) está estrechamente conectada con la imagen más amplia de la batalla de la vida espiritual contra los poderes del mal, que los creyentes deben pelear con una armadura espiritual apropiada (Efe. 6: 10-18).

Una de las metáforas más prominentes para la iglesia es la del *cuerpo de Cristo*. Enfatiza la *unidad* (organizacional y espiritual) de la iglesia en una sola manera y pone especial énfasis sobre las interrelaciones y la interdependencia de los miembros. Los miembros tienen funciones ampliamente diferentes, pero deben cooperar, y nadie ha de ser desechado. La metáfora del cuerpo implica claramente la posibilidad y la necesidad del crecimiento espiritual. Referirnos a la iglesia como el cuerpo de Cristo es un lenguaje poderoso, pero no deberíamos identificar totalmente a la iglesia con el Cristo resucitado y hacer de la iglesia una reencarnación de Cristo. La iglesia no puede existir separada de Cristo, pues Cristo —como la segunda persona de la Divinidad— es diferente de la iglesia. Cristo es perfecto, pero la iglesia, mientras permanezca en este mundo, será imperfecta.

La metáfora de *la iglesia como la esposa de Cristo* está centrada en el aspecto de la *intimidad y el amor*, en la más íntima relación. Uno podría decir que la metáfora del cuerpo penetra hasta el punto sublime en esta representación de la iglesia como si hubiera llegado a ser una carne con Cristo en la unión matrimonial con él. Salta a la mente la descripción profética que hace el Antiguo Testamento de Israel como la esposa de Dios, (ver Isaías 54: 5-7). Por otra parte las Escrituras en muchas ocasiones describen la idolatría como una relación adúltera en la cual el pueblo ha reemplazado la esposa con prostitutas. Los primeros capítulos del libro de Oseas nos ofrecen el más chocante ejemplo de tal figura. Recuerde que, en la historia de la iglesia, la imagen de la esposa algunas veces ha sido cargada con ideas que van más allá de la aplicación deseada. Por ejemplo, las mujeres de los tiempos medievales introdujeron fuertes sentimientos sexuales en su relación con el novio.

Luego tenemos la metáfora de *la iglesia como el templo de Dios*. El pueblo del Antiguo Testamento veía el santuario como el lugar donde Dios «habitaba» entre su pueblo. El antitipo de este simbolismo es el santuario celestial y la presencia divina en la nueva Jerusalén, la habitación final de los redimidos (Apoc. 21: 3). Mientras estamos todavía en esta tierra, la iglesia es el santo templo del Señor (Efe. 2: 21). En un sentido el creyente individual es también descrito como un templo de Dios (1 Cor. 6: 19, 20). ¿Qué mejor terminología podría haber para retratar a la iglesia como un lugar santificado en el cual Dios quiere estar presente? La metáfora del templo tiene una cantidad enorme de extensiones.

Al principio de su ministerio Jesús dijo que el templo de Jerusalén iba a ser destruido, pero que sería restaurado después de tres días (Mar. 14: 58). Jesús habló de su propia obra como sustituyendo el templo de Jerusalén en el plan de Dios. El templo literal —el centro tradicional de la adoración de Dios— sería reemplazado por un nuevo templo que Jesús estaba construyendo, un templo edificado no con piedras, sino con los miembros del nuevo Israel. Curiosamente, Apocalipsis 22: 2 une las dos metáforas. Describe al pueblo de Dios en uno y el mismo aliento como la santa ciudad y como una hermosa novia adornada para su esposo.

Finalmente, debemos mencionar la metáfora de la *iglesia como el pueblo de Dios*. El Señor siempre tuvo y siempre tendrá, un grupo de personas que son suyas en un sentido especial (ver, 1 Pedro 2: 9, que hace eco de Éxodo 19: 5, 6). Las Escrituras también se refieren al pueblo de Dios como los *santos*. Eso no significa que son súper piadosos o están bien cercanos a la perfección. Pero él los ha apartado de otros pueblos para que ellos sean sus testigos. Ellos han sido «redimidos», comprados por el Redentor, que pagó por su redención con su sangre (Éxo. 15: 13, 16; Hech. 20: 28).

El sacerdocio de todos los creyentes

Los protestantes definen a la iglesia como *el sacerdocio de los creyentes*. Las iglesias de la Reforma redescubrieron esta verdad y enfatizaron la superioridad de la perspectiva bíblica sobre el sistema sacerdotal de la iglesia medieval que predicaba una aguda distinción entre la jerarquía sacerdotal y los creyentes «ordinarios», quienes dependían de los sacerdotes como sus mediadores para acceder a Dios. El nuevo pueblo de Dios no tiene un sacerdocio en su medio como Israel en los tiempos del Antiguo Testamento. La Epístola a los Hebreos señala que un nuevo y «mejor» ministerio con Jesucristo como el perfecto sumo sacerdote, ha reemplazado a los servicios del antiguo santuario. Él es el único y solo mediador (1 Tim. 2: 5). Todos los miembros de la iglesia (hombres y mujeres) son sacerdotes (Apoc. 1: 6; 5: 10; 20:6). El bautismo es la ordenación al sacerdocio, la cual todos los creyentes comparten (1 Ped. 2: 9, 10). El Nuevo Testamento se niega a hacer cualquier distinción cualitativa entre el clérigo y el laico. La iglesia nombra personas quienes tienen responsabilidades especiales, pero la diferencia entre esos funcionarios y los otros miembros no es que se relacionan con Dios en una forma más directa. Todos tienen, por medio de sus oraciones, igual acceso a Dios. Todos dependen de la intercesión del gran Sumo Sacerdote. Y todos comparten la misión del sacerdocio para «mediar» (en el sentido de comunicar) el mensaje de la redención al mundo.

Capítulo trece

Misión

«Y estad siempre preparados para presentar defensa con mansedumbre y reverencia ante todo el que os demande razón de la esperanza que hay en vosotros».

1 Pedro 3: 15

En capítulos anteriores consideramos qué es la iglesia, mientras que en este capítulo trataremos para qué existe la iglesia. ¿Necesitamos la iglesia? Mi respuesta es sí. Dios necesitó la iglesia. ¿Quiénes somos nosotros para decir que no la necesitamos? Ahora consideraremos con más detalles la *misión* de la iglesia, qué es y por qué es necesaria. La misión existe por múltiples razones. En primer lugar, nos proporciona estímulo y apoyo. La comunidad de creyentes administra el don del bautismo y nos permite congregarnos para participar de una excepcional experiencia mediante la Cena del Señor. Y nos da la oportunidad de adorar junto a otras personas. Pero en este capítulo nos concentraremos en un solo aspecto: La iglesia es necesaria para la misión.

Podemos definir la palabra «misión» de varias maneras. Toda organización ya sea utilitaria o no, que trata de ir con los tiempos, resume sus metas en una declaración de misión. Muchas veces estas apenas son un truco publicitario. Se supone que los dirigentes y el personal de la empresa dedican tiempo para reunir el equipo y discutir lo que debe hacerse y formular una declaración de misión. Es una parte obligatoria del ejercicio. Una vez que se han puesto de acuerdo sobre tal declaración y la directiva lo ha votado, en reiteradas ocasiones nunca más se vuelve a considerar. Sin embargo, con esto no queremos decir no que hay excepciones. Hay ocasiones en las cuales una declaración de misión sirve como un constante punto de referencia y como la directriz para toda otra política de desarrollo. Algunas organizaciones verdaderamente tienen una misión y entienden lo que es.

Pero la misión tiene un significado especial cuando se usa en el contexto de la comunidad cristiana. Allí se describe la tarea específica que Dios ha encomendado a la iglesia, la comunidad a la cual pertenecen los cristianos, y a usted y a mí personalmente como miembros individuales del cuerpo de Cristo. La tarea es compartir el evangelio de Cristo que la comunidad cristiana ha abrazado, con todos los demás, de cerca y de lejos, quienes también necesitan escucharlas.

Con toda sinceridad los cristianos deben admitir que la iglesia no siempre ha puesto como su más alta prioridad el cumplimiento de su misión. A menudo la iglesia sencillamente ha operado para mantenerse, y ha estado ocupada con sus propios negocios internos, con las lucha por el poder y aplicando estrategias de supervivencia, en lugar de ocuparse en edificar el reino de Cristo. Durante largos períodos de su existencia la iglesia cristiana no consagró la totalidad de su energía y sus principales recursos a la predicación del evangelio «en todo el mundo». La empresa misionera mundial, tal como la conocemos hoy, data solo del siglo XIX.

¿Y qué de la Iglesia Adventista del Séptimo Día? Los adventistas del séptimo día están entusiasmados al describirse a sí mismos como una comunidad impulsada por la misión, que en gran medida podría ser justificada. Pero permitámonos, al mismo tiempo, no olvidar que pasaron varias décadas antes de que la Iglesia Adventista tuviera una clara visión de la extensión de su llamado misionero, y que el espíritu misionero ha tenido sus altos y bajos desde entonces. La historia de las misiones adventistas muestra que la iglesia experimentó el impulso misionero más grande en la década de 1920. Actualmente la Iglesia Adventista está creciendo, en algunas zonas a pasos agigantados, pero en muchos lugares ya no está centrada en su misión en la misma forma como estuvo hace un siglo. En este momento la iglesia realmente dedica un reducido porcentaje de su personal e ingresos para extender su presencia en territorios «no alcanzados» como fue el caso en aquellos días. Gracias a Dios, también es verdad que las iniciativas como Misión Global (este programa comenzó en 1990) han contribuido mucho para establecer una firme dirección en las labores misioneras de la Iglesia Adventista.

La misión todavía no termina

Dios aún no ha dado la señal de «misión cumplida». Esto aplica para la misión cristiana en general tanto como para la testificación específica de la Iglesia Adventista del Séptimo Día. Se ha logrado mucho. El aumento en el número absoluto de cristianos en el mundo es animador, de aproximadamente quinientos millones en 1900 hasta más de dos mil millones en la actualidad. El aumento del número de traducciones de la Biblia es también una gran satisfacción. La Biblia es el libro más traducido en el mundo. Ha sido traducida completamente o en parte, en 2,355 de los aproximadamente 6,500 idiomas que existen, y con los proyectos que actualmente están en camino se añadirán más de 600 traducciones.

Así que la Biblia está, en teoría, disponible completa o en parte para aproximadamente el 98% de la población mundial. Sin embargo, eso no significa que casi todas las personas en el mundo (si saben leer) leen realmente la Biblia. Y la misión de comunicar el evangelio está lejos de haber terminado. La población mundial aumenta en proporción asombrosa y las estadísticas nos dicen que mientras el número absoluto de cristianos aumenta constantemente, *el porcentaje* de cristianos en el mundo ha permanecido estático por bastante tiempo, un poco más del treinta por ciento de la población mundial. Eso debería preocuparnos. A pesar de los enormes recursos de toda la colectividad cristiana (sus ingresos acumulados han sido estimados por encima de $ dieciséis trillones); a pesar de un total de 3.6 millones de congregaciones cristianas en el mundo; a pesar de los cientos de organizaciones misioneras que emplean a más de 300,000 misioneros; y a pesar del avance en la impresión y los medios audiovisuales disponibles, el mensaje cristiano todavía no se escucha en cientos de millones de hogares alrededor del globo.* Se estima que aproximadamente una de cada cuatro personas sobre nuestro planeta, nunca jamás ha escuchado del Dios de los

---

* Estas estadísticas son coleccionadas por una cantidad de agencias especializadas. Una buena fuente actualizada anualmente, es el *International Bulletin of Missionary Research* de la cual he tomado esta información.

cristianos e ignora completamente quién y qué es Jesucristo. Cerca de dos mil millones de personas que viven en nuestro mundo no han tenido la oportunidad de elegir o rechazar al Dios Cristiano. ¿Cómo puede ser eso? Si la organización estratégica de la Coca Cola casi le permite llegar a toda la gente alrededor del mundo con su producto, ¿qué está mal con los 3.6 millones de congregaciones cristianas y sus dos mil millones de miembros? ¿Por qué todavía no han podido alcanzar a cada ciudad, pueblo y villa en el mundo con su producto? ¿Por qué miles de «grupos de personas» todavía permanecen sin ser alcanzadas por el evangelio?

Llegamos a semejantes conclusiones cuando miramos específicamente las labores misioneras de los adventistas. La iglesia ha hecho mucho. Ha crecido desde un puñado de personas hace cerca de un siglo y medio a un movimiento que tiene más de catorce millones de miembros, virtualmente esparcidos por todos los países del mundo. A leer las estadísticas anuales uno se maravilla por lo que Dios ha hecho a través de la comunidad adventista. Y, de hecho, es posible que los adventistas hayan tenido un poquito más de éxito de lo que ellos mismos se habían propuesto hacer, que el cristianismo en general. Mientras que la taza de cristianos en la población mundial ha permanecido estática, hay ahora un adventista por cada 468 personas en el mundo, mientras que solo cincuenta años atrás la proporción era de ¡uno para más de tres mil! Pero con todo, no tenemos razón para la complacencia, porque la gran comisión continúa desafiándonos mucho más que antes.

Una tarea divinamente ordenada

La palabra «misión» se deriva del latín *missio*, «enviar». La misión tiene que ver con uno que envía, con los que están siendo enviados y con el propósito por el cual las personas son enviadas. Ser enviado implica la voluntad de ir, que a menudo significa el cruce de varias barreras: físicas, étnicas, lingüísticas o culturales. Tal misión no fue un pensamiento ulterior de la Divinidad, y en un sentido ni siquiera contingente por la entrada del pecado y la necesidad de salvación, sino que está enraizado en la naturaleza de Dios. El Creador desea que la gente se relacione con él. Él es la luz (1 Juan 1: 5), y no está retirado ni ausente. Él es amor (1 Juan 4: 8,16) y por lo tanto, busca relación e integración.

La misión es un tema dominante en el Antiguo Testamento. Génesis 1-11 relata el esfuerzo misionero de Dios para tratar con la raza humana en su totalidad. Los teólogos frecuentemente han llamado al Génesis 3: 15 el «*proto-evangelium*», el mensaje fundamental que subraya el hecho de que la salvación estará disponible para todos.

Después, Dios llamó a Israel para ser un pueblo misionero. Las bendiciones del pacto de Dios para su pueblo debían ser universales (ver, por ejemplo, Gén. 12: 1-3; Éxo. 19: 5, 6). Él definidamente incluye a las otras naciones en su plan como claramente lo señala en las historias de Jonás, Ester, Rut, Naamán, etc. Israel era, en un sentido, un sacerdocio colectivo (Éxo. 19: 5, 6). Debía cuidar a los extranjeros (Éxo. 12: 48; 22: 21; Núm. 9: 14; 15: 14; Deut. 1: 16; 31: 12, 10). El Antiguo Testamento enfatiza la universalidad de los propósitos de Dios. El verdadero Dios no deja lugar para otras deidades o para mezclas de la verdadera religión con aspectos del paganismo.

En el Nuevo Testamento el énfasis sobre la misión es aún más pronunciado. Cristo es el misionero supremo. El Padre lo envió (Juan 17: 18, 21), además él vino voluntariamente (Mar. 10: 45; Fil. 2: 6-8). Aunque Israel todavía está en el cuadro (Mat. 15: 24; 10: 5, 6), el aspecto más amplio es predominante: Dios amó tanto al *mundo* (Juan 3: 16). Cristo ministró a las personas de toda clase social y sus enseñanzas constantemente destacaban la universalidad del mensaje evangélico, con el mandato misionero *id por todo el mundo* como su clímax (Mat. 28: 18, 20; Mar. 16: 15, 16; Luc. 24: 46-49; Juan 20: 21, 22; Hech. 1: 8; 26: 13-18). El libro de Hechos continúa con un estudio de la historia misionera primitiva, comenzando con el Pentecostés y abarcando unas pocas décadas después de la partida de Cristo de la tierra. El tema de la misión está también presente en las Epístolas, algunas veces explícita, otras veces más implícita.

La singularidad del cristianismo

Involucrarse en las misiones solamente tiene sentido si uno hace la diferencia entre el que predica el mensaje de Cristo y el que no lo predica. Continúa el debate, aún entre teólogos cristianos, acerca del estatus del cristianismo entre las diferentes religiones del mundo. De este debate han surgido tres posiciones principales. De acuerdo con aquellos que defienden el *pluralismo*, Dios se revela a sí mismo en todas las tradiciones religiosas. Ellos ven a cada religión como ofreciendo un camino hacia el más allá, en su propia manera histórica y culturalmente condicionada. Si esto es verdad, y todas las religiones son de igual valor, ¿para qué persuadir a los miembros de otras religiones del mundo para que sean cristianos?

Luego está el concepto del *universalismo*. Aquellos que defienden esta idea se centran sobre varios pasajes bíblicos que parecen destacar el impacto universal de la gracia divina. Un pasaje favorito es 1 Corintios 15: 22-28: «Pero luego que todas las cosas le estén sujetas, entonces también el Hijo mismo se sujetará al que le sujetó a él todas las cosas, para que Dios sea todo en todo». Otros textos que citan son 1 Timoteo 2: 3, 4; Romanos 2: 6-16; 1 Juan 2: 2; Romanos 5: 12-19 y Filipenses 2: 9-11. No obstante, los abogados del universalismo no toman en cuenta los pasajes que enfatizan claramente otros aspectos de la interacción de Dios con la humanidad. Por ejemplo, le restan importancia a aquellos textos que hablan de la perdición y los explican como una mera hipérbole. Algunos universalistas creen que aquellos que no han elegido correctamente en su vida tendrán una oportunidad *post mortem*. Citan en apoyo las declaraciones de 1 Pedro 3: 18-20; 4: 6 (de los «espíritus encarcelados»).

Finalmente, está la posición de *exclusivismo*. Esta teoría defiende el punto de vista de que la salvación viene solamente a través de Cristo. La gente necesita escuchar el evangelio y debe responder. Únicamente el nombre de Cristo, dicen, trae salvación. Los textos más populares que apoyan este punto de vista son: Hechos 4: 12 («Y en ningún otro hay salvación; porque no hay otro nombre bajo el cielo, dado a los hombres, en que podamos ser salvos»); Juan 14: 6; Marcos 16: 16 y 1 Timoteo 2: 5. Si algunas personas se salvarán sin haber tenido la oportunidad de escuchar el evangelio completo de Jesucristo, se hayan dado cuenta o no, será a través de los méritos de Jesucristo. Con todo, uno no puede escapar a la conclusión de que finalmente algunas personas se perderán, y que de alguna manera el esfuerzo misionero de la iglesia hace una diferencia eterna.

Los adventistas están entre aquellos que creen eso, cuando uno considera y pesa toda la información bíblica, el único punto de vista defendible, es el último. Si todas las religiones fueran igualmente válidas, una visión totalmente secular podría ser tanto justa como aceptable.

Los adventistas defienden la singularidad del cristianismo por la singularidad de su fundador: Jesucristo. Reconocen las semejanzas entre la mayoría de las religiones del mundo, pero también insisten en que hay diferencias cruciales entre Jesús y los fundadores de otras religiones. Ningún otro fundador de una religión reclama ser el eterno Dios Creador, nos asegura que es capaz de perdonar los pecados o resucitar a los muertos. El principal criterio no es que sea una religión que satisface a sus creyentes. No podemos casualmente dejar a un lado la verdad que ha sido proclamada. Esto no significa que todas las religiones no cristianas son totalmente malas y que no podemos aprender nada de ellas. Pero siendo que las diversas religiones se hacen mutuamente reclamos incompatibles en cuanto a la realidad, no pueden todas ser verdad al mismo tiempo.

La singularidad del adventismo

Los adventistas insisten en que el cristianismo es único entre las religiones del mundo, pero también querrán estar seguros de que su fe tiene un estatus único dentro del cristianismo. Necesitamos considerar especialmente dos aspectos.

Primero, los adventistas del sétimo día no creen ser los únicos agentes en el plan de Dios para la salvación de la humanidad. Desde 1926 el siguiente párrafo ha sido parte del Manual Operativo de la Asociación *General* (0 100): «Reconocemos aquellas agencias que levantan a Cristo ante los hombres como una parte del plan divino para la evangelización del mundo, y mantenemos en alta estima a hombres y mujeres cristianos en otras comuniones quienes están comprometidos en la ganancia de las almas para Cristo». Los adventistas se ven a sí mismos como jugadores clave en el impulso misionero en el tiempo final. El cumplimiento de la misión es la razón de su existencia, pero también entienden la función de los demás.

Segundo, los adventistas podrían entender su movimiento básicamente en tres diferentes maneras: 1). La Iglesia Adventista es la iglesia verdadera, otras iglesias son falsas. Por lo tanto, los adventistas son los únicos testigos verdaderos y conducen la única obra misionera cristiana verdadera. 2). La Iglesia Adventista es solamente un segmento de la cristiandad, es un seria opción entre muchas otras opciones válidas. No es tan importante que los adventistas mismos lleguen a la gente, sino más bien que el mensaje cristiano los toque en una u otra forma. 3). Los adventistas no pretenden ser los únicos involucrados en la misión cristiana, pero presentan una opción cristiana que ofrece varias percepciones que no están disponibles en otras partes, y que corrigen ciertas opiniones erróneas ampliamente sostenidas. Ponen especial énfasis sobre verdades de las Escrituras que han sido descuidadas, pero que son esenciales. En otras palabras, los adventistas hacen una contribución vital a la riqueza del cristianismo. Esta tercera visión describe lo que los adventistas «oficialmente» creen.

Dando manos y pies al evangelio

La obra misionera de la Iglesia Adventista tiene dos aspectos centrales: la predicación del evangelio tal como la entienden los adventistas y una extensión práctica del poder del evangelio en obra social y humanitaria. Este segundo aspecto no es un mero apéndice, sino una parte indispensable de la misión de la iglesia.

A través de los siglos la iglesia cristiana ha desempeñado un gran papel en el cuidado de los enfermos y los pobres, los huérfanos y las viudas, etc. Gradualmente, en la mayoría de los países occidentales, países muy dominados por el secularismo, han asumido muchas de esas responsabilidades y la iglesia se ha retraído en gran medida de ese dominio. En algunas ocasiones, debiéramos también reconocer, que ha habido falta de equilibrio. El protestantismo liberal ha tenido la tendencia a enfatizar el reino de Dios en términos puramente terrenos y a reducir las Buenas Nuevas a un «evangelio social». Muchas denominaciones evangélicas, por otra parte, tienen fervientes anhelos de involucrarse en los servicios humanitarios.

Lo que fue verdad para los evangélicos en general, solamente lo ha sido en cierto grado para la Iglesia Adventista. La «obra de salud» comenzó muy temprano y el establecimiento de instituciones de salud llegó a ser un factor regular en el desarrollo organizacional del adventismo. Las sociedades Dorcas llegaron a ser características seguras de las congregaciones locales, y el «trabajo comunitario» llegó a ser el aspecto más importante del esfuerzo misionero después de la segunda guerra mundial. La Iglesia estableció los Servicios de Asistencia social Adventista del Séptimo Día (SAWS siglas en inglés) en 1956, mientras que la Agencia de Desarrollo y Recursos Asistenciales (ADRA) que evolucionó de SAWS y ha desarrollado en todo el mundo una red humanitaria.

Algunos adventistas todavía discuten que la Iglesia debiera invertir todas sus energías en la predicación de «la verdad» siendo que «el tiempo es corto». Gracias a Dios, hay un consenso equitativo y amplio en la Iglesia Adventista de que la Iglesia debe desarrollarse en las dos dimensiones de predicación y servicio, aunque difícilmente ha existido un intento de definir los diferentes aspectos del esfuerzo misionero en términos teológicos.

En el lenguaje del pueblo

El tema de contextualización es de suma importancia en la comunidad mundial que sostiene su misión en más de doscientos países. La contextualización es un principio bíblico. El evangelio debe ser predicado en términos que sus oyentes puedan entender. Tanto el Antiguo como el Nuevo Testamentos muestran que las *formas* culturales fueron constantemente *adaptadas* al paquete de *contenido inmutable* del mensaje divino. Cristo dio el gran ejemplo cuando vino en carne humana y asumió la forma con la que podría identificarse con nosotros. Hoy la investigación de formas culturalmente relevantes debe permanecer si el mensaje va a ser escuchado y entendido.

Tradicionalmente, la teología cristiana ha sido dominada por los *hombres* del occidente. No solamente es legítimo, sino absolutamente necesario que las *mujeres* y personas de culturas que *no son del Oeste*, cada vez más hagan su parte en la traducción del mensaje cristiano para los grupos poblacionales que ellos representan. Sin embargo, cualquier contextualización nunca debe comprometer la pureza del contenido del mensaje. El *Sincretismo* (mezcla sin sentido crítico de elementos de diferentes culturas y religiones, como la encontramos en el movimiento de la Nueva era) es inaceptable.

Debe haber un sentido crítico en la contextualización de los métodos, lenguaje, e imágenes evangélicos empleados para explicar el significado central de las enseñanzas cristianas. Lo mismo es verdad para las diferentes formas en que las personas alrededor del mundo adoran. Si ignoramos este proceso, el mensaje permanecerá extraño a las personas que son el blanco del esfuerzo misionero. La diversidad resultante en la iglesia no es un tropiezo para su unidad, porque la verdadera unidad no demanda uniformidad.

Viviendo nuestra misión

Testificar es una empresa comunitaria. Necesita visión, liderazgo, estrategias, organización, recursos, entrenamiento, y todo lo demás. Pero, cuando todo se ha dicho y hecho, es también un asunto personal. La «iglesia» solo puede hacer ciertas cosas, si usted y yo las hacemos. El evangelio solo puede ser predicado si usted y yo tenemos voluntad de salir, atravesar las barreras culturales y dar a conocer nuestra fe y esperanza en Cristo. El poder del evangelio solamente será visible si usted y yo demostramos que Cristo puede hacer que los seres humanos se rindan a él.

Como siempre, tiene un precio. Podemos traducir la palabra griega *mártires* como «testigos», pero también como «mártir». Que en sí misma ya indica que elegir a Cristo puede ser una decisión riesgosa. Muchos testigos cristianos pagaron un precio supremo en los tiempos bíblicos y a través de la historia, y aun en el mundo actual existen muchos lugares donde predicar el evangelio de Cristo es un negocio riesgoso. No debería sorprendernos, porque Cristo no nos dejó sin advertencia. «Si alguno quiere venir en pos de mí, niéguese a sí mismo, y tome su cruz y sígame» (Mat. 16: 24). Si lo hace, es plenamente valioso, porque «todo el que pierda su vida por causa de mí, la hallará» (vers. 25).

Ser testigos es nuestra misión. Es más que ser un dirigente en la iglesia, apoyar a la comunidad a la cual pertenece con su influencia y finanzas, o incluso tocar puertas. Nuestra misión deberá conformar totalmente nuestro estilo de vida y todas nuestras relaciones. Llegar a ser la luz del mundo y la sal de la tierra (Mat. 5: 13-16) afecta nuestras actitudes y nuestras ambiciones, y todo lo que tenemos, somos y queremos ser.